1. Œuvre de Montaigne.
2. Gallimard, Claude Mauriac.
xxx.xxx.xxx, quelque [...] 318, 13, 18, Rue, [...] Rue [...] droit [...] 117, RMN, SAGA-MAM
19. Novembre 18, 95, PLACE 14, × 208, RENAISSANCE ILLUSTRE, Paris 2004. 172 .   3.

La bibliothèque Gallimard

Source des illustrations
Couverture : Droits réservés.
Archives Gallimard/D.R. : 10, 12, 106. RMN/Succession Brassaï : 177. RMN/CNAC-MNAM :
14. Roget Viollet : 95. ADAGP, Paris 2004 : 8, 14. Succession Picasso, Paris 2004 : 172.

Aragon

Le paysan de Paris

Lecture accompagnée par
Luc Vigier
maître de conférences à l'université de Poitiers

La bibliothèque Gallimard

Florilège

«Enfin nous allions détruire l'ennui, devant nous s'ouvrait une chasse miraculeuse, un terrain d'expériences, où il n'était pas possible que nous n'eussions mille surprises, et qui sait? une grande révélation qui transformerait la vie et le destin.»

«Métaphysique des lieux, c'est vous qui bercez les enfants, c'est vous qui peuplez leurs rêves.»

«Toute la mer dans le passage de l'Opéra.»

«… les hommes n'ont trouvé qu'un terme de comparaison à ce qui est blond : *comme les blés* et l'on a cru tout dire.»

«Tu ne quitteras pas ton navire d'illusions, ta villa de pavots au joli toit de plumes.»

«Ma liberté, comme on m'emprisonne en ton nom.»

«Images, descendez comme des confetti. Images, images, partout des images. Au plafond. Dans la paille des fauteuils. Dans les pailles des boissons.»

«Je fais l'apologie de tous les penchants des hommes, et par exemple l'apologie du goût de l'éphémère.»

«La femme est dans le feu, dans le fort, dans le faible, la femme est dans le fond des flots, dans la fuite des feuilles, dans la feinte solaire où comme un voyageur sans guide et sans cheval j'égare ma fatigue en une féerie sans fin.»

«Le concret, c'est l'indescriptible : à savoir si la terre est ronde, que voulez-vous que ça me fasse?»

Ouvertures

Le mouvement surréaliste

Révoltes et volonté de subversion

Les hommes et les femmes qui se réunissent autour d'André Breton*
dès 1917 affichent leur dégoût de la guerre, du patriotisme et leur
révolte contre une société responsable d'un impensable massacre
humain. Du côté des lettres, on peut rencontrer dans le groupe qui
vient de se former autour de Breton de jeunes poètes et écrivains
comme Paul Éluard, Philippe Soupault. Plus tard (début 1920) viendra
les rejoindre Tristan Tzara, fondateur du dadaïsme en 1916 à Zurich, qui
apportera le souffle anarchisant et subversif de sa pensée, notamment
à travers des expositions ou des spectacles recherchant le scandale. Très
vite, le groupe s'enrichit de la présence de fortes personnalités comme
celles de Robert Desnos, Antonin Artaud, Jacques Baron, René Crevel,
Max Morise, Pierre Naville, Marcel Noll, Roger Vitrac. Du côté de la
peinture apparaîtront Max Ernst, André Masson, Giacometti, Yves
Tanguy, Dalí et, gardant leurs distances, Picasso et Braque. Des photographes (Man Ray, Claude Cahun) et des éditeurs sont également de la
partie. On retrouve chez tous ces artistes, à des degrés divers, l'expression d'une révolte et d'une remise en cause radicale de l'art et de certaines de ses traditions esthétiques d'avant-guerre. Ce rassemblement
incroyablement dense d'artistes, d'écrivains et d'éditeurs ne doit pas
être imaginé comme une structure figée : les relations entre les uns et
les autres évoluent. Il y a des ruptures, des réconciliations, de longues

* Vous trouverez un index des principaux noms propres employés p. 290.

5

discussions. Des années vingt aux années trente, bien des changements auront lieu et Breton en viendra, au prix d'une dérive dogmatique, à prononcer des «exclusions» et des disgrâces. Il faut également retenir de ces premières années du surréalisme la jeunesse des participants (Aragon a vingt-trois ans en 1920, Breton en a vingt-quatre) et l'atmosphère ludique qui préside aux réunions. Plus d'une fois, les anciens surréalistes ont insisté, pour cette époque (1917-1920), sur le goût du jeu, de la provocation, de la gratuité apparente et du scandale.

Influences

La rencontre de Breton et d'Aragon, en 1917, dans le service de neuro-psychiatrie de l'hôpital du Val-de-Grâce, alors que la guerre fait rage et que l'on voit revenir du front des hommes à l'esprit déchiqueté par les horreurs et les bombes, sera déterminante. Les deux hommes se découvrent une passion commune pour Lautréamont et son œuvre *Les Chants de Maldoror* (1869), pour Stéphane Mallarmé, Guillaume Apollinaire et Arthur Rimbaud, autrement dit pour tous les «révoltés» littéraires. Plus tard, dans le *Manifeste du surréalisme* (1924), André Breton dressera la liste des grands prédécesseurs du surréalisme, qui ne sont pas exactement les auteurs que le milieu littéraire officiel porte alors aux nues. En un temps où les grandes figures parisiennes de la littérature sont Paul Valéry, André Gide, Anatole France ou Maurice Barrès, les choix des surréalistes sont bien différents. Outre Lautréamont, Apollinaire (inventeur de l'adjectif «surréaliste» en 1917 à propos de sa pièce *Les Mamelles de Tirésias*) et Rimbaud, il s'agit par exemple de Sade, Marceline Desbordes-Valmore, Jarry, Saint-Pol Roux ou Roussel. Ceci n'empêche pas les surréalistes de rendre hommage, non parfois sans ironie, à des auteurs plus classiques comme Jonathan Swift (1667-1745), François René de Chateaubriand (1768-1848), Edgar Poe (1809-1849) ou Victor Hugo (1802-1885) : «Hugo est surréaliste quand il n'est pas bête.» Très vite, André Breton apparaît comme le chef charismatique du groupe, non pas d'abord parce qu'il impose une autorité redoutable, mais parce qu'il met les uns et les autres en relation, organise des rencontres et veille à l'essor d'une pensée qui fait feu poétique de toute expérience.

Expériences

Héritiers de certains aspects d'autres grands mouvements esthétiques et littéraires, comme le romantisme et le symbolisme, les surréalistes s'intéressent au mysticisme, à l'ésotérisme, aux méandres du rêve, aux signes mystérieux dispersés dans la nature, au pouvoir de l'imagination débridée et au fantastique. Au début des années vingt, en partie influencés par les textes de Sigmund Freud sur l'inconscient, ils vont cependant aller plus loin dans l'expérimentation d'un langage véritablement libéré des contraintes de la raison et de la logique, qui sont, pour beaucoup, les deux cibles à abattre. Considéré comme sclérosé par des habitudes de pensée cartésiennes, le langage (écrit ou oral) est soumis à diverses opérations révolutionnaires. *Les Champs magnétiques* (1920), œuvre commune d'André Breton et de Philippe Soupault, témoigne de certaines d'entre elles, notamment de la pratique étonnante de l'écriture automatique. Elle a pour principe de mettre en adéquation la vitesse de l'écriture avec la vitesse associative de la pensée, dans un rapport réciproque d'entraînement. Les résultats sont évidemment de qualité aléatoire mais ouvrent un espace de réflexion et d'observation. Ce que l'on remarque, dans les textes écrits en suivant cette méthode, c'est l'apparition d'une syntaxe souvent dépourvue de ponctuation, davantage rythmée par les ondulations internes du psychisme que par les nécessités de la rhétorique, même si celle-ci finit toujours par réapparaître dans les textes en prose. Du côté de la poésie, Aragon (*Feu de joie*, 1920), Breton (*Mont de Piété*, 1919) se livrent à une déstructuration radicale du vers et suivent les leçons mallarméennes d'une disposition typographique éclatée. D'autres expériences viendront compléter l'arsenal : les cadavres exquis (œuvre collective, écrite ou dessinée, qui consiste à prendre la suite d'une phrase ou d'un dessin dont on ne voit que la fin), les collages aléatoires de coupures de journaux (poèmes surprenants garantis) et les sommeils (exploration d'une pensée sous hypnose, totalement affranchie et désinhibée, exercice dont Robert Desnos se fera une spécialité). Deux revues majeures (*Littérature* à partir de 1919 et *La Révolution surréaliste* à partir de 1924), parmi bien d'autres, se chargeront de publier les comptes rendus des sommeils, reproduisant par ailleurs, de manière très régulière, des rêves, des écritures automatiques et des textes théoriques. À cet ensemble viennent s'ajouter de nombreuses reproductions de peintures, de dessins et de photographies d'avant-garde. Aragon, dans *Une vague de rêves* (publié dans la revue *Commune* en 1924, un peu avant le *Manifeste* de Breton), insistera sur la fascination pour le «stupéfiant image», vecteur principal d'un accès au surréel, en littérature comme en peinture.

Peinture, photographie et cinéma

Dédié à André Masson, *Le Paysan de Paris* associe symboliquement l'œuvre aux expériences visuelles et graphiques de ce peintre, qui vient alors d'intégrer le groupe et qui est lui-même fortement influencé par le cubisme. Passionné par les expériences des dessins automatiques, Masson illustrera également certains textes érotiques d'Aragon. L'association de la peinture et de la littérature est à l'époque d'autant

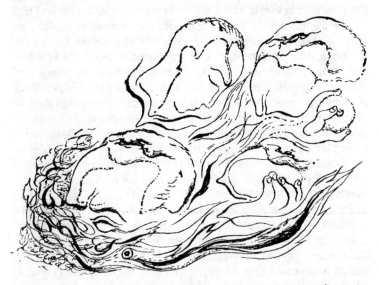

André Masson, à qui *Le Paysan de Paris* est dédié, a réalisé ce portrait d'Aragon. Éloigné des représentations traditionnelles, ce dessin est peut-être difficile à saisir : vous, que voyez-vous ?

plus naturelle que l'esprit est à une globalisation des processus créatifs et favorise de nombreuses collaborations entre les poètes, les écrivains, les dramaturges, les peintres ou les photographes. L'importance des notions d'« image » et de « vision » tend à rapprocher les expériences des uns et des autres, dans des domaines de représentation totalement différents. C'est ainsi que des lithographies de Georges Braque ou de Picasso illustrent certaines revues surréalistes. Les expériences esthétiques de Picasso, Picabia ou Max Ernst sont des événements majeurs de la pensée et de l'art. Braque et Picasso, fascinés par les possibilités kaléidoscopiques des techniques de représentation cubistes, ont déjà donné à la peinture des œuvres marquantes. De son côté, Max Ernst approfondit, dans un travail d'une prodigieuse prolixité, l'expérience des collages, des tableaux en relief et invente la technique du frottage. C'est dans cet esprit que *La Révolution surréaliste* donne par exemple une large place aux dessins de Picasso, d'André Masson et aux photographies de Man Ray. Comme de nombreux surréalistes, Aragon se passionne pour le cinéma, dont la puissance visuelle le fascine, et l'on trouve bientôt dans *Un chien andalou* (1929) et *L'Âge d'or* (1930) de Luis Buñuel et Salvador Dalí la plupart des champs exploratoires du groupe surréaliste : inconscient, pulsions érotiques et pulsions morbides, libre association des images et des idées, poésie de l'éphémère, gratuité de l'absurde, provocation, goût du scandale et fantasmatique permanente de la mise en scène.

Politique

D'abord circonspects à l'égard de la révolution russe (octobre 1917), les surréalistes vont très rapidement tenter d'établir une passerelle morale et esthétique entre leur mouvement et le domaine politique. Selon Breton, si l'on veut dépasser le jeu de la subversion pour la subversion, il faut accorder la révolution artistique à la révolution communiste. C'est dans cette logique que la revue *La Révolution surréaliste* changera de nom et s'appellera, de 1930 à 1933, *Le Surréalisme au service de la révolution*. Malgré cet engagement du groupe dans le domaine politique, les trajectoires des uns et des autres devaient par la suite radicalement différer. Breton se retira assez vite du Parti communiste, où il

No 1 — Première année   1er Décembre 1924

LA RÉVOLUTION SURRÉALISTE

IL
FAUT
ABOUTIR A UNE
NOUVELLE DÉCLARATION
DES DROITS DE L'HOMME

SOMMAIRE

Préface : J.-A. Boiffard, P. Eluard, R. Vitrac.
Rêves : Georgio de Chirico, André Breton,
Renée Gauthier.
Textes surréalistes :
Marcel Noll, Robert Desnos, Benjamin Péret,
Georges Molkine, Paul Eluard,
J.-A. Boiffard, S. B., Max Morise,
Louis Aragon, Francis Gérard.
Le rêveur parmi les murailles : Pierre Reverdy.

Chroniques :
Louis Aragon, Philippe Soupault,
Max Morise, Joseph Delteil,
Francis Gérard, etc.
Notes.
Illustrations : Photos Man Ray,
Max Morise, G. de Chirico, Max Ernst,
André Masson, Pablo Picasso, Pierre Naville,
Robert Desnos.

ABONNEMENT,
les 12 Numéros :
France : 45 francs
Étranger : 55 francs

Dépositaire général : Librairie GALLIMARD
15, Boulevard Raspail, 15
PARIS (VIIe)

LE NUMÉRO :
France : 4 francs
Étranger : 5 francs

La Révolution surréaliste publie son premier numéro en décembre 1924. Il faut entendre ce que disent chacun de ces deux mots : il s'agit autant de littérature que de politique.

s'était inscrit avec Aragon en 1927. Mais Aragon, qui fait de très nettes allusions à la «lutte des classes» dans *Le Paysan de Paris*, ira beaucoup plus loin, dès 1930. Sa condamnation, à Kharkov, de la dimension individualiste et contre-révolutionnaire du surréalisme ne lui sera jamais pardonnée et la rupture sera consommée en 1932 avec l'ensemble du groupe surréaliste.

Le Paysan de Paris : fidélité et malaise

Le Paysan de Paris, publié en 1926 (mais donné en extraits à des revues de 1924 à 1925), paraît après d'autres œuvres proches des problématiques surréalistes : *Anicet ou Le Panorama* (1921), *Les Aventures de Télémaque* (1922) et *Le Libertinage* (1924). Alors que les publications marquantes de l'époque restent assez classiques, *Le Paysan de Paris*, composé de textes écrits de 1924 à 1926, peut être compris comme une fulgurante synthèse des domaines d'investigation du groupe. Œuvre inclassable et radicalement originale, ni vraiment poème, ni vraiment roman, elle n'en reflète pas moins les obsessions de l'époque : le débat sur les modes de représentation du réel, l'influence de la psychanalyse, la convocation de l'inconscient et du hasard dans la prise de décision, le déchaînement des images dans la pensée, le dépassement de l'héritage littéraire du XIXe siècle, le goût prononcé des surréalistes pour l'approche sensuelle et poétique de la figure féminine, la révolte du langage contre lui-même, l'ambiance magique et mystique du monde. Pourtant, à bien des égards, *Le Paysan de Paris* a été particulièrement mal reçu. Dans son propre camp tout d'abord : si André Breton encouragea son ami à poursuivre son œuvre et à en faire un gros livre (voir plus loin les exemples de réception), certains de ses amis surréalistes sont « consternés » par ce qu'ils entendent. Du côté de la critique, la réception ne sera guère meilleure : elle passe littéralement sous silence la parution de l'œuvre. Aragon, dans *Traité du style* (1928), réglera violemment quelques comptes avec le milieu des journalistes littéraires. C'est sans doute aujourd'hui que l'on mesure davantage l'importance de l'œuvre dans le mouvement surréaliste, à la fois par ce qu'elle dit du surréalisme dans ses œuvres vives et pour la surprenante puissance hallucinatoire du style.

EDITIONS DE LA NOUVELLE REVUE FRANÇAISE

3, Rue de Grenelle — PARIS-VI° — Tél. Fleurus 13-27

n r f — LOUIS ARAGON — n r f

ce livre a plu

ET DÉPLAIRA

et déplaira et déplaira et déplaira

LE PAYSAN DE PARIS

LE PAYSAN DE PARIS

et déplaira et déplaira et déplaira

ET DÉPLAIRA

ce livre a plu

n r f — Collection des amis de l'édition originale — n r f

Voici la publicité faite par les Éditions Gallimard au moment de la sortie du *Paysan de Paris*. Comment jugez-vous le slogan retenu?

Bref aperçu de la vie d'Aragon

Enfance : un esprit précoce dans un univers de mensonges

Louis Aragon naît le 3 octobre 1897 dans des circonstances particulières, qui font tout d'abord de lui un enfant caché. Issu d'une liaison entre sa mère (Marguerite Toucas) et un homme politique connu de l'époque (Louis Andrieux), Louis Aragon doit son nom à la volonté de son père naturel qu'on n'établisse aucun lien entre lui et ce descendant qu'il n'a pas désiré. Placé en nourrice pendant un an, Aragon vivra ensuite dans sa famille à Paris, au prix d'un mensonge collectif, chargé de sauver les apparences bourgeoises de l'époque : présenté comme un enfant adopté par sa grand-mère après la mort de ses parents, on lui apprend très tôt que cette femme qui s'occupe de lui est sa sœur et que sa grand-mère est sa mère. Son père sera son « tuteur ». Le petit Louis se prend très vite de passion pour les livres, écrit des « romans », et dit connaître en sixième le programme littéraire du baccalauréat. Manifestement doué et précoce, il poursuit une scolarité brillante. Lorsque la Première Guerre mondiale éclate (juillet 1914), il vient de passer son premier baccalauréat (latin-grec). Il obtient son baccalauréat de philosophie en 1915 et s'engage dans des études de médecine pour répondre au souhait de sa mère.

La Grande Guerre (1914-1918) et la rencontre d'André Breton (1917)

Mobilisé à l'issue de sa première année de médecine, Aragon reste cependant à Paris. Logé à l'hôpital du Val-de-Grâce, il rencontre André Breton, en qui il découvre une sorte de double animé par un goût identique pour les auteurs d'avant-garde : Lautréamont (1846-1870), Arthur Rimbaud (1854-1891), Guillaume Apollinaire (1880-1918), Alfred Jarry (1873-1907). Tous deux écouteront et observeront les délires des « fiévreux » de l'hôpital, grands traumatisés psychiques revenus du front complètement démolis. Leurs propos hallucinés habités par l'horreur font alors un étrange écho aux lectures des fous littéraires qu'Aragon et Breton lisent et relisent. À partir d'avril 1918, Aragon assiste aux combats de l'Est, notamment aux attaques absurdes et meurtrières du Chemin des Dames, où tant de soldats français sont inutilement sacrifiés. Tout en écrivant les premiers chapitres d'un futur roman, *Anicet*, il s'illustre, comme médecin auxiliaire, par son courage et son dévouement au service de blessés qu'il va rechercher dans des conditions épouvantables. En 1919, l'écrivain participe à l'occupation de la Sarre par les troupes françaises et se voit chargé de « recruter » des prostituées pour une maison close de la région.

Louis Aragon
photographié par
Man Ray (1890-1976)
vers 1925.

Du dadaïsme au surréalisme révolutionnaire (1919-1932)

Observateur attentif et acteur facétieux du dadaïsme (fondé par Tristan Tzara au début des années vingt), il publie des recueils de poèmes et des proses étranges qu'il appelle des romans. Dans la suite logique de l'esprit de révolte et de dérision assumé par le dadaïsme, Aragon participera pleinement à l'essor du surréalisme, non seulement en écrivant un superbe texte de présentation de ce mouvement (*Une vague de rêves*, 1924), mais en donnant de nombreux textes importants à des revues comme *Littérature* puis *La Révolution surréaliste*. Cette dernière revue est d'une importance considérable pour la compréhension de l'ambiance et des problématiques du *Paysan de Paris*. Habitée par l'humour, l'érotisme, le goût de la provocation, les publicités et les photographies détournées, elle donne aussi, sous l'influence de Sigmund Freud et donc de la psychanalyse, une large place à l'écriture et à l'analyse des rêves, comme aux arts visuels en général, le dessin, la peinture, la photographie mais aussi le cinéma. Très proche d'André Breton, de Paul Éluard (1895-1952) et de Philippe Soupault (1887-1990), Aragon côtoie également de nombreux peintres comme Francis Picabia, Max Ernst ou Marcel Duchamp. L'activité du groupe surréaliste, qu'André Breton dirige et fédère, au point qu'on parlera plus tard de lui comme d'un «pape» du surréalisme, est prodigieuse : écriture et dessins automatiques, expérience des sommeils, travaux sur la folie, sur l'art, la littérature, la société, la sexualité se succèdent à un bon rythme pendant plusieurs années dans le mépris du journalisme et du roman, condamné comme produit littéraire bourgeois par Breton. Cette allergie de Breton n'empêche pas Aragon d'écrire de nombreux textes de nature romanesque, ce qui lui vaudra, à la parution du *Paysan de Paris*, des reproches sévères infligés par son propre camp. C'est pourtant ce livre qui attire l'attention d'une jeune intellectuelle russe : Elsa Triolet. Aragon la rencontre en 1928 : ils ne se quitteront plus. C'est la fin d'une série d'amours déçues, dont les figures successives apparaissent dans ces textes de l'époque : Eyre de Lanux, Denise Naville, Nancy Cunard. Parallèlement, Aragon avait commencé une œuvre monumentale, *La Défense de l'infini*, qui devait contenir des centaines de personnages et qu'il brûla finalement en 1927. Attiré par le communisme révolutionnaire, Aragon (en même temps que Breton) adhère au Parti communiste français en 1927, à l'époque le seul parti politique à rejeter le colonialisme et à militer pour le pacifisme. Ce lien entre politique et littérature sera à l'origine d'une douloureuse rupture entre les deux hommes. En 1930, Aragon se rend à Kharkov et, devant un congrès d'écrivains révolutionnaires, critique certains aspects individualistes et bourgeois du surréalisme. En 1932, le groupe surréaliste rompt tout contact avec Aragon, qui laisse derrière lui ce qu'il appelle une «œuvre de nuées».

Militant, journaliste et romancier (1932-1939)

Les années trente, qui voient en France la montée en puissance des ligues d'extrême droite, celle des fascistes en Italie, celle des franquistes en Espagne à partir de 1936 et celle des nazis en Allemagne, confrontent Aragon aux urgences de l'écriture journalistique. Incessamment, il pointe l'émergence des dangers en Europe et se met à l'écoute des «craquements sourds dans la vieille demeure», tout en écrivant des textes plus théoriques soulignant l'urgence d'une littérature au service du communisme. Journaliste à *L'Humanité* puis codirecteur de *Ce soir* à partir de 1937, il se lance à partir de 1933 dans l'écriture romanesque en se concentrant sur le roman à thèse, qu'on appellera aussi «réaliste socialiste» un peu plus tard, dans la mesure où il cherche à détecter dans le monde de ces années-là les signes positifs des hommes de l'avenir, c'est-à-dire les signes annonciateurs des communistes de demain. C'est dans cet esprit, mais en conservant sa liberté créatrice, qu'Aragon écrit *Les Cloches de Bâle* (1934), *Les Beaux Quartiers* (Prix Renaudot 1936, début de la consécration littéraire), *Les Voyageurs de l'impériale* (1939), qui touchent un public à la fois populaire et lettré. À partir des *Beaux Quartiers*, Aragon décide d'inclure ces romans dans un cycle qu'il appelle *Le Monde réel*, sur le modèle de Balzac (*La Comédie humaine*) ou de Zola (*Les Rougon-Macquart*).

Résistance, poésie et roman (1939-1952)

En septembre 1939, l'entrée en guerre de la France se fait dans un contexte particulièrement difficile pour les communistes français : soupçonnés d'être les complices d'une lutte contre les intérêts du pays (soupçon confirmé par la signature du pacte germano-soviétique entre Hitler et Staline en août 1939), ils sont pourchassés par la police française et doivent très tôt se réfugier dans la clandestinité. De nouveau mobilisé, Aragon écrit les poèmes du *Crève-cœur* pendant la drôle de guerre (septembre 1939-juin 1940) et assiste à la défaite catastrophique de l'armée française, notamment à Dunkerque, épisode qui le marquera profondément et dont on lit des échos dans toute son œuvre ultérieure. Après l'armistice, Aragon, démobilisé, entre dans la résistance tout en continuant d'écrire de nombreux recueils poétiques, comme *Les Yeux d'Elsa* (1942), *Brocéliande* (1942), *Le Musée Grévin* (1943, édition clandestine) ou *La Diane française* (1945). À partir de 1942, il est chargé par les réseaux de résistance communistes de veiller à l'information sur les crimes commis par les milices françaises ou par les armées d'occupation contre les intellectuels. C'est ainsi que naîtront des textes comme «Les Martyrs», sur les vingt-sept otages fusillés à Châteaubriant après l'assassinat d'un officier allemand à Nantes, ou encore « Le Crime contre l'esprit » (1943), dénonçant la répression, les tortures, les déportations et les exécutions dont sont victimes les intellectuels français. Simultanément, Aragon joue un rôle central dans l'organisation de la résistance des intellectuels en zone sud, participe à la création du Comité National des Ecrivains et lance avec Elsa Triolet le journal clandestin *Les Étoiles*.

En 1944, aussitôt après la Libération, Aragon publie un roman qui ne deviendra célèbre que plus tard, mais qui est sans doute un des plus puissants jamais écrits sur les conséquences de la Première Guerre mondiale : *Aurélien*. Revisitant le Paris déboussolé des années dadaïstes et surréalistes, ce roman suit le parcours amoureux d'un rescapé de la Grande Guerre, épris de Bérénice et, en elle, de l'absolu. On reprochera beaucoup à l'auteur d'*Aurélien* d'avoir parlé de la Première Guerre mondiale au moment de la Seconde, et d'écrire l'amour au moment où la mort règne.

Du poète stalinien au poète sublimé (1946-1963)

Au sortir de la guerre, Aragon est identifié, dans la mémoire collective (et Elsa avec lui, qui obtiendra le prix Goncourt à la Libération pour *Le premier accroc coûte deux cents francs*), comme l'une des figures essentielles de la résistance intellectuelle, au même rang que Paul Éluard. Habité par le devoir de mémoire dans un temps où l'on recommence à se méfier des communistes, il poursuit son œuvre poétique (*Le Nouveau Crève-cœur*, en 1948) et entreprend une vaste fresque romanesque dédiée aux militantes et militants de l'ombre, *Les Communistes* (1949-1951). Précisément documenté, animé d'une volonté de saisir plusieurs phénomènes historiques simultanément, un peu comme dans *La Débâcle* de Zola, ce roman inaugure pourtant une forme de traversée du désert. L'écriture poétique, avec *Les Yeux et la Mémoire* (1954), ne se porte guère mieux. Parallèlement, Aragon continue d'écrire dans les journaux et les revues d'obédience communiste, notamment dans *Les Lettres françaises*, où il signe de nombreux articles sur l'art et la littérature. La mort de Staline (mars 1953) et la lente déstalinisation qui suivra sous Khrouchtchev déclenchent une prise de distance – relative – du poète avec sa vie passée, qui apparaît tout entière brassée et chantée dans les pages du *Roman inachevé* (1956), vaste autobiographie poétique, qui reste son recueil le plus lu aujourd'hui. Suivra un roman historique monumental, *La Semaine sainte* (1958), qui fera définitivement revenir Aragon sur le devant de la scène littéraire. Toujours poussé par le désir d'écrire plus loin que l'œuvre précédente, Aragon se lance, avec *Les Poètes* (1960) et surtout *Le Fou d'Elsa* (1963), dans une entreprise poétique démesurée, mêlant dans le creuset d'un chant d'une folle complexité les repères de l'Espagne andalouse du XVe siècle avec ceux des temps modernes, dans un hommage lumineux à la civilisation arabe et à l'amour.

La révolution romanesque (1958-1974)

Les années soixante et le début des années soixante-dix sont celles de l'avènement d'un écrivain qui porte en lui le siècle, ou en tout cas le sien, et qui transcende en trois temps les cadres formels du roman, suivant et dépassant les innovations du Nouveau Roman, s'insérant à sa manière dans l'avant-garde littéraire. *La Mise à mort* (1965) frappe par sa totale liberté de construction, l'ampleur des variations de styles, par le retour sur des épisodes anciens et par le demi-aveu d'une connaissance de la nature profondément malsaine et meurtrière du régime soviétique au moment même où il en défendait les idéaux. En 1967, la publication de *Blanche ou L'Oubli* sera considérée comme un événement majeur, partout commenté. Roman de la mémoire et des méandres étranges de la langue romanesque, il n'en est pas moins également un regard puissant braqué sur les évolutions du monde, au cœur d'une intrigue policière et sentimentale qui s'efface devant le souffle poétique de la prose. À ce moment-là, Aragon est devenu l'un des grands repères de la pensée et de la littérature françaises, passionné par les jeunes écrivains et poètes qui naissent sous ses yeux. Après la disparition d'Elsa Triolet, en juin 1970, sa vie garde malgré tout les couleurs de l'amour et de l'art. Avec *Henri Matisse, roman* (1971), et *Théâtre/Roman* (1974), Aragon continue de déployer les rameaux polyphoniques de son écriture dans une déstructuration voulue de l'architecture romanesque et esthétique. Les dernières années d'Aragon sont celles d'une libération morale qui déconcerte un peu son ancien entou-

rage : amoureux perpétuel, il s'entoure de jeunes gens, s'affiche en costume Yves Saint Laurent et n'apparaît plus à la télévision qu'avec un
masque abritant la laideur de son visage. La mort d'Aragon, le
24 décembre 1982, provoquera une vive émotion en France et dans le
monde.

Réceptions critiques du *Paysan de Paris*

Plutôt contre... (sauf Breton)

« On peut voir par le résultat que je me suis passablement éloigné de
ce projet primitif. Je ne sais si je l'aurais du tout poursuivi sans André
Breton. Celui-ci, comme je lui avais lu l'introduction, et les premières
pages du Passage, insista pour que j'en donnasse lecture chez lui un
soir devant quelques amis. Je n'étais pas content de ce début qui me
paraissait très risqué. Mais il me fallut me soumettre à l'insistance de
Breton. L'effet en fut déplorable. L'ennui et la consternation régnèrent
parmi nos amis, qui me demandèrent si j'avais du temps à perdre pour
écrire des choses pareilles. J'étais bien prêt à leur donner raison, mais
André Breton entra dans une réelle colère, disant que personne ne
comprenait rien à rien, et qu'il m'engageait à continuer longtemps sur
ce ton-là de façon que cela fît un gros livre. On peut dire que c'est à
cette intervention de Breton que Le Paysan de Paris doit le jour. Sans
elle, j'aurais tout abandonné. »

Aragon, «Critique du *Paysan de Paris*
(une jacquerie de l'individualisme)», juillet 1930.

Vraiment hostile...

« M. Aragon ne se veut reconnaître de parenté avec personne, et je ne
m'ingénierai pas à lui en découvrir une, puisque, aussi bien, il a le plus
profond mépris pour les opinions des critiques, ces «persécutés-persécuteurs», ou leurs suggestions, et que c'est une mythologie nouvelle
qu'il entend créer – sans doute à son usage – en s'inspirant du

Histoire et culture au temps de Louis Aragon

	Histoire	Culture	Vie et œuvre de Louis Aragon
1897		Barrès, Les Déracinés.	3 octobre : naissance de Louis Marie Antoine Alfred Aragon.
1904-1905	Séparation de l'Église et de l'État.	1898 : début de l'affaire Dreyfus. Rolland, Jean-Christophe.	Aragon écrit ses premiers romans.
1914	Août : la France déclare la guerre à l'Allemagne.	1913 : début de À la recherche du temps perdu, Proust.	Juillet : premier baccalauréat latin-grec.
1917	Révolution bolchevique en Russie.	Introduction à la psychanalyse de Freud.	Rencontre André Breton au Val-de-Grâce.
1918	11 novembre : signature de l'armistice à Rethondes.	Apollinaire, Calligrammes. Manifeste Dada.	Écrit certains chapitres d'Anicet, dans les tranchées. Sera démobilisé en 1919.
1919	Traité de Versailles. Création du Komintern.	Dorgelès, Les Croix de bois. Création de la revue Littérature.	Rencontre Eyre de Lanux, dessinatrice et peintre.
1920	Congrès de Tours, scission de la SFIO et naissance du Parti communiste français.	Breton et Soupault, Les Champs magnétiques.	Fréquente le groupe dadaïste. Publie un recueil de poèmes, Feu de joie, avec des dessins de Picasso. Anicet ou Le Panorama, roman.
1921			
1922		Lang, Le Docteur Mabuse. Murnau, Nosferatu le vampire.	Les Aventures de Télémaque. Début d'un amour fou pour Denise Naville. Abandonne ses études de médecine.
1924-1925	Mort de Lénine. Capitulation d'Abd El-Krim. Fin de la guerre du Rif.	Mann, La Montagne magique. Chaplin, La Ruée vers l'or. Eisenstein, Le Cuirassé Potemkine. Gide, Les Faux-monnayeurs. Kafka, Le Procès.	Commence à écrire Le Paysan de Paris. Publie Une vague de rêves, Le Libertinage (recueil de nouvelles).
1926		Éluard, Capitale de la douleur.	Le Paysan de Paris. Rencontre Nancy Cunard.
1927		Fritz Lang, Metropolis.	S'inscrit au Parti communiste français.
1928		Breton, Nadja.	Rupture avec Nancy Cunard. Tentative de suicide à Venise. Rencontre Elsa Triolet.
1929	Krach boursier de Wall Street. Staline chasse Trotski.	Dabit, Hôtel du Nord. Éluard, L'Amour la poésie.	1929, en collaboration avec Man Ray et Benjamin Péret (érotique).
1930	107 députés nazis sont élus au Reichstag.	Malraux, La Voie royale.	Début des désaccords avec les surréalistes.
1932		Céline, Voyage au bout de la nuit.	Rupture avec les surréalistes.
1933	Hitler : pleins pouvoirs en Allemagne.	Malraux, La Condition humaine.	Est engagé au journal L'Humanité.
1934	Juin : émeutes fascistes en France. Nuit des Longs Couteaux en Allemagne.	Cocteau, La Machine infernale. Magritte, Le Viol.	Les Cloches de Bâle.

Année	Histoire	Littérature
1936	Début du Front populaire en France. Début de la guerre civile en Espagne.	Céline, *Mort à crédit*. *Les Beaux Quartiers*. Obtient le prix Théophraste-Renaudot.
1937	Grands procès de Moscou (purges, éliminations et déportations).	Picasso, *Guernica*. Breton, *L'Amour fou*. Prend la tête d'un quotidien communiste, *Ce soir*.
1939	Début de la Seconde Guerre mondiale.	Malraux, *L'Espoir*. *Les Voyageurs de l'impériale*.
1940	Occupation de la zone nord de la France par les armées allemandes.	Hemingway, *Pour qui sonne le glas*. Koestler, *Le Zéro et l'Infini*. S'embarque pour l'Angleterre avant de revenir en France.
1941	Les Japonais attaquent le site américain de Pearl Harbour.	Vercors, *Le Silence de la mer*. Fondation des Éditions de Minuit. *Le Crève-cœur*.
1942- 1945	Déportations des populations juives vers les camps de concentration allemands. Conférence de Yalta. 8 mai : capitulation de l'Allemagne.	Sartre, *Les Mouches; L'Être et le Néant; Huis clos*. Triolet, *Le Premier Accroc coûte deux cents francs* (prix Goncourt).	Responsable de l'organisation des intellectuels résistants en zone Sud. *Les Yeux d'Elsa*. *La Diane française*. *Aurélien*.
1946- 1948	Début de la guerre d'Indochine.	Giacometti, *L'Homme qui marche*. Camus, *La Peste*.	*L'Homme communiste, Les Chroniques du Bel Canto, L'Enseigne de Gersaint*.
1949- 1951	Établissement du communisme en Chine. Création de la RDA.	Duras, *Un barrage contre le Pacifique* (1950).	*Les Communistes*.
1953	Guerre de Corée. Mort de Staline.		
1954	Fin de la guerre d'Indochine. Début de la guerre d'Algérie.	De Gaulle, *Mémoires de guerre*. Sagan, *Bonjour tristesse*. Barthes, *Mythologies*.	Devient le directeur des *Lettres françaises*. Titulaire du comité central du PCF. *Les Yeux et la Mémoire*.
1957	Traité de Rome. Constitution de la Communauté européenne.	Beckett, *Fin de partie*.	Prix Lénine de la Paix (l'équivalent du prix Nobel en URSS).
1958	Retour du général de Gaulle.	Beauvoir, *Mémoires d'une jeune fille rangée*.	*La Semaine sainte*.
1962	Fin de la guerre d'Algérie.	Ionesco, *Le roi se meurt*. García Márquez, *Cent Ans de solitude*.	*Histoire de l'URSS*.
1963	Assassinat de J.-F. Kennedy. Brejnev au pouvoir en URSS.	Sartre, *Les Mots*.	*Le Fou d'Elsa*.
1964		Sartre prix Nobel de littérature (refuse le prix).	Publication de ses œuvres romanesques complètes, croisées avec celle d'Elsa Triolet.
1968	Printemps de Prague. Mai : mouvements de révolte des étudiants.	Cohen, *Belle du Seigneur*. Kubrick, *2001 l'odyssée de l'espace*.	Fait brièvement partie de l'académie Goncourt.
1969	Georges Pompidou président.	Beckett prix Nobel de littérature.	
1970		Tournier, *Le Roi des Aulnes*.	*Je n'ai jamais appris à écrire ou Les Incipit*. Elsa Triolet s'éteint le 16 juin.
1974	Valéry Giscard d'Estaing président.	Lainé, *La Dentellière*.	Commence la publication des œuvres poétiques.
1982		Sarraute, *Pour un oui ou pour un non*.	S'éteint le 24 décembre. Funérailles importantes au PCF. Inhumé aux côtés d'Elsa.

merveilleux quotidien. [...] Ce lyrisme n'est pas sans verdeur. Mais puisque, de pair avec la raison, M. Aragon a banni de ses rêves le sentiment, que s'attache-t-il à évoquer de Paris, dans la première partie de son livre, un coin frappé de mort – ce passage de l'Opéra dont la pioche des démolisseurs vient de jeter bas le dernier pâté de maisons ? Il est vrai que ses souvenirs n'ont rien d'ému ni de tendre, et qu'il s'en sert seulement comme d'un tremplin pour ses acrobaties surréalistes. Acrobaties impudiques, souvent. On a accusé les réalistes de faire de la photographie. Les surréalistes développent – comme les camelots clandestins qui hantent précisément les passages de Paris – des albums de cartes transparentes et l'on est avec exactitude informé, non seulement du tarif des consommations de chez Certa, mais de ce qui se passait au Théâtre Moderne, et chez Madame Jehane, masseuse, et dans la boutique de la vendeuse de mouchoirs qui se trouve au coin de la galerie du Baromètre... M. Aragon a certes du talent, ou plutôt une bien curieuse agilité d'esprit et qu'il manifeste dans le détail. Il faudrait avoir le caractère maussade pour ne pas s'amuser de le voir se démener comme un beau diable au milieu des idées, des esthétiques et des métaphysiques... sur les Buttes-Chaumont, où il s'avise, en damant le pion à Jean-Jacques, de redécouvrir le sentiment de la Nature. **》**

John Charpentier, *Mercure de France*, janvier 1927.

Enthousiaste...

《 Mais c'est surtout, qu'on se le dise, le plus grand écrivain français vivant, tout au moins le mieux doué. Ô poète, Douglas du Verbe, fils de roi, enfant chéri de Dieu, Anicet. Bénis soient les flancs de la mère qui t'a porté, cette mère dont la lettre, *ils* s'honoreraient de l'accueillir dans leurs anthologies. Comprendront-ils notre ravissement devant un don si éclatant, une faveur des dieux si insigne ? devant cette effusion continue de poésie à l'état pur, sans trace de matière inerte ? Il ne nous avait pas été donné de voir un flux poétique atteignant si directement le lecteur, avec cette aérienne insouciance des bons vieux procédés formels, béquilles éprouvées. Enfin on touche la poésie du doigt. *Le Paysan de Paris* contient certaines pages qui sont ce qu'on a écrit de plus beau en français. (Eh quoi, monsieur, vous avez donc tout lu ? – Turlututu ! Aux chiens, l'érudit.) Je pense, entre autres, à cette admirable fin du *Sentiment de la nature aux Buttes-Chaumont*, – qui a le plus de chances de déplaire à quelques-uns – où la vanité de la littérature s'exprime avec un accent si suprêmement désespéré qu'il rachète et ramène après soi du fond du néant la littérature même.

Faut-il expliquer aussi la révolte d'Aragon ? Elle provient toujours de sa soif de pureté. Pourquoi se le dissimuler ? Entre le poète et la société la lutte est à mort, son existence même lui est un perpétuel défi. Aussi, les uns abjurent, les autres rongent leur frein, ou s'évadent dans le rêve, ou se soulagent dans d'astucieuses transpositions. Aragon porte bien haut le défi. Honneur à toi, parangon, flamme d'artimon. Que Dieu te garde jusqu'au bout. Qu'il nous soit épargné de voir, une fois de plus, le tigre piétiné par les veaux.

Je ne voudrais pas, ayant parlé d'Aragon, esquiver le sujet du surréalisme. En dehors de toute question de clan le surréalisme apparaît comme la dernière tentative désespérée de la poésie à la recherche de l'absolu, à la recherche de lois régissant le monde fermé des mots comme elles régissent celui des sons. Ce titre suffirait à en faire le seul *mouvement littéraire* actuel un peu intéressant. **》**

Armand Pierhal, « Louis Aragon, *Le Paysan de Paris* »,
La Revue nouvelle, n° 24, 15 novembre 1926.

《 Un livre agile et qui ne blanchit pas. C'est qu'il appartient à la jeunesse de l'auteur et à un moment de Paris. Du défunt passage de l'Opéra aux toujours verdoyantes Buttes-Chaumont il vous entraîne à travers rues et souvenirs dans une excursion où ce qui était souvenirs à l'époque se mêle à un présent qui maintenant n'est plus lui-même que souvenir. Mais ce qu'il convient de considérer avec la plus vive attention, c'est l'écriture de ce livre qui appartient au premier chef à la Bibliothèque surréaliste. Et, à ce sujet, ne convient-il pas de noter ici qu'aucun de ceux qui firent partie de ce mouvement et quelle que soit l'orientation nouvelle de leur vie ne rougit de lui avoir appartenu. Le surréalisme était, entre maintes choses, une révolte contre la médiocrité. Les médiocres ne sont pas disposés à l'oublier et, toujours, ils sont prêts à se venger des coups mérités qu'ils ont reçus. On évaluera plus tard, même si la source est tarie, combien d'eau pure fut versée par lui à la vie de l'esprit. Le reste, disputes, fâcheries, controverses, n'appartient qu'aux anciens surréalistes eux-mêmes. À eux de faire le procès. Quant aux sots et aux médiocres, aux combinards comme aux pauvres d'esprit, qu'ils se taisent. Je vous parlais du *Paysan de Paris*… Lisez-le. Vous verrez de quel côté se trouvent le talent, l'honnêteté de pensée et le génie français. 》

Robert Desnos, «*Le Paysan de Paris*
par Louis Aragon », *Aujourd'hui*, 23 octobre 1940.

Textes à l'appui

Texte 1 – Philippe Soupault parle d'Aragon en 1924

《 J'avais retrouvé Louis (qui n'avait pas encore renié son prénom) après sa démobilisation. Louis était déconcertant. Aimable, parfois trop aimable. Cherchant tantôt à plaire, tantôt à déplaire. D'une insolence incomparable. Le plus impertinent de tous mes amis, plus insolent même que Tristan Tzara. Ce qui n'est pas peu écrire.

Il avait publié, avec un grand succès, des textes. Il aurait pu, s'il l'avait voulu, être accueilli et édité avec enthousiasme par les revues et les éditeurs. Mais il semblait ne pas s'en soucier, ni s'en étonner. Pourtant, il vivait difficilement, très difficilement. Il habitait encore à Neuilly chez sa mère, et il ne parlait jamais de son entourage ni de sa famille. Il fallait deviner qu'il était très dépourvu car, à cette époque, il ne se vantait pas de ses difficultés. J'avais cependant compris, lors de nos rencontres au bar Certa, qu'il « tirait le diable par la queue ». C'est pourquoi, lorsque je dirigeais *La Revue européenne*, je lui proposai d'écrire un texte que je lui promettais d'honorer. En quinze jours, peut-être davantage mais je n'en suis pas sûr, il écrivit *Le Paysan de Paris*, récit de promenades dans le passage de l'Opéra. Je fus étonné par ce tour de force, mais Louis fut agacé, irrité même par les éloges que lui valut la publication de la première partie du *Paysan de Paris* dans *La Revue européenne*, revue qu'il jugeait trop éclectique. C'est pourquoi il crut bon de s'excuser de son succès en insérant à la fin de son texte une lettre au « directeur de la revue », lettre d'une insolence qui me fit rire et que je publiai, par ironie, dans la dernière partie de l'ouvrage, à la place indiquée. C'est aussi à cette époque que Louis nous fit connaître un de ses meilleurs et nombreux amis, Pierre Drieu la Rochelle. Nous le jugions un peu « dandy britannique » mais sympathique, malgré sa prudence et sa crainte (en 1923) de se compromettre. Il était ébloui par la désinvolture et l'insolence de Louis, et ce dernier était fasciné par l'élégance et le comportement froid de Drieu, on pourrait écrire son cynisme, voire sa muflerie quand il parlait des femmes qu'il courtisait. Cette amitié entre Drieu et Louis Aragon nous paraissait étrange car ces deux hommes étaient tellement différents ! Drieu plus silencieux que nature, aussi avare de ses gestes que de ses sourires. Aragon étourdissant, infatigable « parleur » , détecteur de l'insolite à tous les coins de rue. Il faisait toujours de grands gestes et ne pouvait s'empêcher de se regarder dans toutes les glaces et tous les miroirs. Et Drieu ricanait, mais ne riait ni ne souriait de cette singulière et irrésistible habitude de Louis.

J'étais toujours surpris par les comportements de Louis. Je le connaissais moins bien que son plus cher ami de cette époque, André Breton, mais quand nous parlions de lui, André et moi, nous étions d'accord pour reconnaître que Louis était « étincelant ». Dans ses *Entretiens*, André Breton se souvient : « Une mémoire à toute épreuve... Il a vraiment tout lu... Le goût de la subversion plutôt affiché par coquetterie... » Je dois ajouter, pour ma part, qu'il se livrait sans réserve dans l'amitié. Il était fidèle, mais je savais aussi qu'il était souvent injuste. Toujours, malgré tout, le « premier de la classe ». Déjà le virtuose de l'écriture. 》》

Philippe Soupault, *Mémoires de l'oubli, 1923-1926*, Lachenal et Ritter, 1986.

Texte 2 – *Une vague de rêves* (Aragon, 1924)

《《 Ce qui leur fera tout d'un coup imaginer l'abîme au bord duquel ils sont campés, ce qui ouvrira leurs yeux sur ce champ de comètes qu'ils ont labouré par mégarde, c'est l'effet imprévu du surréalisme sur leur vie. Ils s'y sont jetés comme à une mer, et comme une mer trompeuse voici que le surréalisme menace de les emporter vers un large où croissent les requins de la folie. J'ai souvent pensé à cet homme qui assembla le premier de petites plaques sensibles, des charbons et des fils de cuivre, croyant parvenir à enregistrer les vibrations de la voix, et qui, la machine montée, entendit sans erreur le son de la voix humaine. Ainsi les premiers surréalistes, quand ils eurent atteint à une fatigue extrême par l'abus de ce qui leur semblait encore un simple jeu, virent se lever les prodiges, les grandes hallucinations qui accompagnent l'ivresse des religions et des stupéfiants physiques. C'était au temps que, nous réunissant le soir comme des chasseurs, nous faisions notre tableau de la journée, le compte des bêtes que nous avions inventées, des plantes fantastiques, des images abattues. La proie d'une accélération, nous passions un nombre croissant d'heures à cet exercice qui nous livrait d'étranges contrées de nous-mêmes. Nous nous plaisions à observer la courbe de nos fatigues, l'égarement qui les suivait. Puis les prodiges apparurent. D'abord chacun de nous se croyait l'objet d'un trouble particulier, luttait contre ce trouble. Bientôt sa nature se révéla. Tout se passait comme si l'esprit parvenu à cette charnière de l'inconscient avait perdu le pouvoir de reconnaître où il versait. En lui subsistaient des images qui prenaient corps, elles devenaient matière de réalité. Elles s'exprimaient suivant ce rapport, dans une forme sensible. Elles revêtaient ainsi les caractères d'hallucinations visuelles, auditives, tactiles. Nous éprouvions toute la force des images. Nous avions perdu le pouvoir de les manier. Nous étions devenus leur domaine, leur monture. Dans un lit au moment de dormir, dans la rue les yeux grands ouverts, avec tout l'appareil de la terreur, nous donnions la main aux fantômes. Le repos, l'abstention de surréalisme firent disparaître ces phénomènes, nous permirent de comprendre quel lien les unissait aux phénomènes voisins qui suivent l'administration d'un agent chimique, et la crainte nous fit d'abord suspendre des investigations qui reprirent avec le temps tous leurs droits sur nos curiosités. L'identité des troubles provoqués par le surréalisme, par la fatigue physique, par les stupéfiants, leur ressemblance avec le rêve, les visions mystiques, la sémiologie des maladies mentales, nous entraînèrent à une hypothèse qui, seule, pouvait répondre à cet ensemble de faits et les relier : l'existence d'une matière mentale, que la similitude des hallucinations et des sensations nous forçait à envisager différente de la pensée, dont la pensée même ne pouvait être, et aussi bien dans ses modalités sensibles, qu'un cas particulier. Cette matière mentale, nous l'éprouvions par son pouvoir concret, par son pouvoir de concrétion. Nous la voyions passer d'un état dans un autre, et c'est par ces transmutations qui nous en decelaient l'existence que nous étions également renseignés sur sa nature. Nous voyions, par exemple, une image écrite qui se présentait premièrement avec le caractère du fortuit, de l'arbitraire, atteindre nos sens, se dépouiller de l'aspect verbal, pour revêtir les modalités phénoménales que nous avions toujours crues impossibles à provoquer, fixes, hors de notre fantaisie. **》**

Texte 3 – *Manifeste du surréalisme* (André Breton, 1924)

《 Nous vivons encore sous le règne de la logique, voilà, bien entendu, à quoi je voulais en venir. Mais les procédés logiques, de nos jours, ne s'appliquent plus qu'à la résolution de problèmes d'intérêt secondaire. Le rationalisme absolu qui reste de mode ne permet de considérer que des faits relevant étroitement de notre expérience. Les fins logiques, par contre, nous échappent. Inutile d'ajouter que l'expérience même s'est vu assigner des limites. Elle tourne dans une cage d'où il est de plus en plus difficile de la faire sortir. Elle s'appuie, elle aussi, sur l'utilité immédiate, et elle est gardée par le bon sens. Sous couleur de civilisation, sous prétexte de progrès, on est parvenu à bannir de l'esprit tout ce qui se peut taxer à tort ou à raison de superstition, de chimère ; à proscrire tout mode de recherche de la vérité qui n'est pas conforme à l'usage. C'est par le plus grand hasard, en apparence, qu'a été récemment rendue à la lumière une partie du monde intellectuel, et à mon sens de beaucoup la plus importante, dont on affectait de ne plus se soucier. Il faut en rendre grâce aux découvertes de Freud. Sur la foi de ces découvertes, un courant d'opinion se dessine enfin, à la faveur duquel l'explorateur humain pourra pousser plus loin ses investigations, autorisé qu'il sera à ne plus seulement tenir compte des réalités sommaires. L'imagination est peut-être sur le point de reprendre ses droits. Si les profondeurs de notre esprit recèlent d'étranges forces capables d'augmenter celles de la surface, ou de lutter victorieusement contre elles, il y a tout intérêt à les capter, à les capter d'abord, pour les soumettre ensuite, s'il y a lieu, au contrôle de notre raison. Les analystes eux-mêmes n'ont qu'à y gagner. Mais il importe d'observer qu'aucun moyen n'est désigné a priori pour la conduite de cette entreprise, que jusqu'à nouvel ordre elle peut passer pour être aussi bien du ressort des poètes que des savants et que son succès ne dépend pas des voies plus ou moins capricieuses qui seront suivies.

C'est à très juste titre que Freud a fait porter sa critique sur le rêve. Il est inadmissible, en effet, que cette part considérable de l'activité psychique (puisque, au moins de la naissance de l'homme à sa mort, la pensée ne présente aucune solution de continuité, la somme des moments de rêve, au point de vue temps, à ne considérer même que le rêve pur, celui du sommeil, n'est pas inférieure à la somme des moments de réalité, bornons-nous à dire : des moments de veille) ait encore si peu retenu l'attention. L'extrême différence d'importance, de gravité, que présentent pour l'observateur ordinaire les événements de la veille et ceux du sommeil, a toujours été pour m'étonner. C'est que l'homme, quand il cesse de dormir, est avant tout le jouet de sa mémoire, et qu'à l'état normal celle-ci se plaît à lui retracer faiblement les circonstances du rêve, à priver ce dernier de toute conséquence actuelle, et à faire partir le seul *déterminant* du point où il croit, quelques heures plus tôt, l'avoir laissé : cet espoir ferme, ce souci. Il a l'illusion de continuer quelque chose qui en vaut la peine. Le rêve se trouve ainsi ramené à une parenthèse, comme la nuit. **»**

à vous...

Texte 1 – Quels sont les éléments de cet extrait de biographie que vous pouvez retrouver dans *Le Paysan de Paris* ?

Textes 2 et 3 – Lisez ces deux textes contemporains et analysez la différence de ton entre les deux «manifestes». Vous vous intéresserez en particulier au caractère rétrospectif du texte d'Aragon, qui semble s'opposer à celui de Breton, plutôt tourné vers l'avenir.

Texte 3 – Comparez le texte de Breton avec la «Préface à une mythologie moderne» en examinant en particulier le procès intenté à la logique et à la raison.

Le paysan de Paris

À André Masson

PRÉFACE
À UNE MYTHOLOGIE MODERNE

Il semble que toute idée ait aujourd'hui dépassé sa phase critique. Il est communément reçu qu'un examen général des notions abstraites de l'homme ait épuisé insensiblement celles-ci, que la lumière humaine se soit partout glissée et que rien n'ait ainsi échappé à ce procès universel, susceptible au plus de révision. Nous voyons donc tous les philosophes du monde s'obstiner avant de s'attaquer au moindre problème à l'exposé et à la réfutation de tout ce qu'ont dit sur lui leurs devanciers. Et par là même ils ne pensent rien qui ne soit fonction d'une erreur antérieure, qui ne s'appuie sur elle, qui n'en participe. Curieuse méthode étrangement négatrice : il semble qu'elle ait peur du génie, là même où rien ne s'imposerait pourtant qui ne soit le génie même, l'invention pure et la révélation. L'insuffisance des moyens dialectiques, leur inefficacité dans la voie de toute certitude, à tout moment il semble que ceux qui firent de la pensée leur domaine en aient pris passagèrement conscience. Mais cette conscience ne les a entraînés qu'à disputer des moyens dialectiques et non de la dialectique même, et encore moins de son objet, la vérité. Ou si celle-ci les a, par miracle, occupés, c'est qu'ils la considéraient comme but, et non en elle-même. L'objectivité de la certitude, voilà de quoi l'on querellait sans difficultés : la réalité de la certitude, personne n'y avait songé.

Les caractères de la certitude varient suivant les systèmes personnels des philosophes, de la certitude commune au scepticisme idéal de certains incertains. Mais si réduite soit-elle, par exemple à la conscience de l'être, la certitude se présente pour tous ses scrutateurs avec des caractères propres et définissables qui permettent de la distinguer de l'erreur. La certitude est réalité. De cette croyance fondamentale procède le succès de la fameuse doctrine cartésienne de l'évidence.

Nous n'avons pas fini de découvrir les ravages de cette illusion. Il semble que rien n'ait jamais constitué pour la marche de l'esprit une pierre d'achoppement aussi difficile à éviter que ce sophisme de l'évidence qui flattait une des plus communes façons de penser des hommes. On la rencontre à la base de toute logique. En elle se résout toute preuve que l'homme se donne d'une proposition qu'il énonce. L'homme déduit en se réclamant d'elle. En se réclamant d'elle, il conclut. Et c'est ainsi qu'il s'est fait une vérité changeante, et toujours évidente, de laquelle il se demande vainement pourquoi il n'arrive pas à se contenter.

Or il est un royaume noir, et que les yeux de l'homme évitent, parce que ce paysage ne les flatte point. Cette ombre, de laquelle il prétend se passer pour décrire la lumière, c'est l'erreur avec ses caractères inconnus, l'erreur qui, seule, pourrait témoigner à celui qui l'aurait envisagée pour elle-même, de la fugitive réalité. Mais qui ne saisit que le visage de l'erreur et celui de la vérité ne sauraient avoir des traits différents ? L'erreur s'accompagne de certitude. L'erreur s'impose par l'évidence. Et tout ce qui se dit de la vérité, qu'on le dise de l'erreur : on ne se trompera pas davantage. Il n'y aurait pas d'erreur sans le sentiment même de l'évidence. Sans lui on ne s'arrêterait jamais à l'erreur.

*

J'en étais là de mes pensées, lorsque, sans que rien en eût décelé les approches, le printemps entra subitement dans le monde.

C'était un soir, vers cinq heures, un samedi : tout à coup, c'en est fait, chaque chose baigne dans une autre lumière et pourtant il fait encore assez froid, on ne pourrait dire ce qui vient de se passer. Toujours est-il que le tour des pensées ne saurait rester le même ; elles suivent à la déroute une préoccupation impérieuse. On vient d'ouvrir le couvercle de la boîte. Je ne suis plus mon maître tellement j'éprouve ma liberté. Il est inutile de rien entreprendre. Je ne mènerai plus rien au-delà de son amorce tant qu'il fera ce temps de paradis. Je suis le ludion de mes sens et du hasard. Je suis comme un joueur assis à la roulette, ne venez pas lui parler de placer son argent dans les pétroles, il vous rirait au nez. Je suis à la roulette de mon corps et je joue sur le rouge. Tout me distrait indéfiniment, sauf de ma distraction même. Un sentiment comme de noblesse me pousse à préférer cet abandon à tout et je ne saurais entendre les reproches que vous me faites. Au lieu de vous occuper de la conduite des hommes, regardez plutôt passer les femmes. Ce sont de grands morceaux de lueurs, des éclats qui ne sont point encore dépouillés de leurs fourrures, des mystères brillants et mobiles. Non je ne voudrais pas mourir sans avoir approché chacune, l'avoir au moins touchée de la main, l'avoir senti fléchir, qu'elle renonce sous cette pression à la résistance, et puis va-t'en ! Il arrive qu'on rentre chez soi tard dans la nuit, ayant croisé je ne sais combien de ces miroitements désirables, sans avoir tenté de s'emparer d'une seule de ces vies imprudemment laissées à ma portée. Alors me déshabillant je me demande avec mépris ce que je fais au monde. Est-ce une manière de vivre, et ne faut-il pas que je ressorte pour chercher ma proie, pour être la proie de quelqu'un tout au fond de l'ombre ? Les sens ont enfin établi leur hégémonie sur la terre. Que viendrait désormais faire ici la raison ? Raison, raison, ô fantôme abstrait de la veille, déjà je t'avais chassée de mes rêves, me voici au point où ils vont se confondre avec les réalités d'apparence : il n'y a plus de place ici que pour moi. En vain la raison me dénonce la dictature de la sensualité. En vain elle me met en garde contre l'erreur, que voici reine. Entrez, Madame, ceci est mon corps, ceci est votre trône. Je flatte mon délire comme un joli cheval. Fausse dualité de l'homme, laisse-moi un peu rêver à ton mensonge.

Toute notion que j'ai de l'univers, ainsi m'a-t-on, par mille détours, habitué à penser que je ne la crois certaine aujourd'hui que si j'en ai fait l'abstrait examen. On m'a communiqué cet esprit d'analyse, cet esprit et ce besoin. Et comme l'homme qui s'arrache au sommeil, il me faut un effort douloureux pour m'arracher à cette coutume mentale, pour penser simplement, ainsi qu'il semble naturel, suivant ce que je vois et ce que je touche. Cependant la connaissance qui vient de la raison peut-elle un instant s'opposer à la connaissance sensible? Sans doute les gens grossiers qui n'en réfèrent qu'à celle-ci et méprisent celle-là m'expliquent le dédain où est peu à peu tombé tout ce qui vient des sens. Mais quand les plus savants des hommes m'auront appris que la lumière est une vibration, qu'ils m'en auront calculé la longueur d'onde, quel que soit le fruit de leurs travaux raisonnables, ils ne m'auront pas rendu compte de ce qui m'importe dans la lumière, de ce que m'apprennent un peu d'elle mes yeux, de ce qui me fait différent de l'aveugle, et qui est matière à miracle, et non point objet de raison.

Il y a plus de matérialisme grossier qu'on ne croit dans le sot rationalisme humain. Cette peur de l'erreur, que dans la fuite de mes idées tout, à tout instant, me rappelle, cette manie de contrôle, fait préférer à l'homme l'imagination de la raison à l'imagination des sens. Et pourtant c'est toujours l'imagination seule qui agit. Rien ne peut m'assurer de la réalité, rien ne peut m'assurer que je ne la fonde sur un délire d'interprétation, ni la rigueur d'une logique ni la force d'une sensation. Mais dans ce dernier cas l'homme qui en a passé par diverses écoles séculaires s'est pris à douter de soi-même : par quel jeu de miroirs fût-ce au profit de l'autre processus de pensée, on l'imagine. Et voilà l'homme en proie aux mathématiques. C'est ainsi que, pour se dégager de la matière, il est devenu le prisonnier des propriétés de la matière.

Au vrai je commence à éprouver en moi la conscience que ni les sens ni la raison ne peuvent, que par un tour d'escamoteur, se concevoir séparés les uns de l'autre, que sans doute ils n'existent que fonctionnellement. Le plus grand triomphe de la raison, au-delà des découvertes, des surprises, des invraisemblances, elle le trouve dans la confirmation d'une erreur populaire. Sa plus grande gloire est de donner un sens précis à des expressions de l'instinct, que les demi-savants méprisaient. La lumière ne se comprend que par l'ombre, et la vérité suppose l'erreur. Ce sont ces contraires mêlés qui peuplent notre vie, qui lui donnent la saveur et l'enivrement. Nous n'existons qu'en fonction de ce conflit, dans la zone où se heurtent le blanc et le noir. Et que m'importe le blanc ou le noir ? Ils sont du domaine de la mort.

*

Je ne veux plus me retenir des erreurs de mes doigts, des erreurs de mes yeux. Je sais maintenant qu'elles ne sont pas que des pièges grossiers, mais de curieux chemins vers un but que rien ne peut me révéler, qu'elles. À toute erreur des sens correspondent d'étranges fleurs de la raison. Admirables jardins des croyances absurdes, des pressentiments, des obsessions et des délires. Là prennent figure des dieux inconnus et changeants. Je contemplerai ces visages de plomb, ces chènevis de l'imagination. Dans vos châteaux de sable que vous êtes belles, colonnes de fumées ! Des mythes nouveaux naissent sous chacun de nos pas. Là où l'homme a vécu commence la légende, là où il vit. Je ne veux plus occuper ma pensée que de ces transformations méprisées. Chaque jour se modifie le sentiment moderne de l'existence. Une mythologie se noue et se dénoue. C'est une science de la vie qui n'appartient qu'à ceux qui n'en ont point l'expérience. C'est une science vivante qui s'engendre et se fait suicide. M'appartient-il encore, j'ai déjà vingt-six ans, de participer à ce miracle ? Aurai-je long-temps le sentiment du merveilleux quotidien ? Je le vois qui se perd dans chaque homme qui avance dans sa propre vie comme dans un chemin de mieux en mieux pavé, qui avance dans l'habitude du monde avec une aisance croissante, qui se défait progressivement du goût et de la perception de l'insolite. C'est ce que désespérément je ne pourrai jamais savoir.

Arrêt sur lecture 1

Une préface-manifeste

De la rébellion philosophique au triomphe du moi

Paysan et philosophe – L'ouverture du *Paysan de Paris* révèle toute l'exigence et la hauteur de vue de l'esprit surréaliste. Secouées par les élans d'une révolte intellectuelle et esthétique, les premières pages tiennent à la fois du discours philosophique rebelle et du texte poétique en expansion. Cette «Préface à une mythologie moderne», qui annonce en partie le *Manifeste du surréalisme* d'André Breton (1924), affiche une volonté éclatante de dépoussiérer une pensée occidentale figée au profit du «génie» et de l'«invention pure» (p. 35), dont les vecteurs principaux seront les illusions sensorielles (p. 40) et les méandres hasardeux de l'imagination (p. 39). Elle se présente à la manière d'une conférence philosophique où l'orateur, adoptant un ton délibérément critique, tente assez doctement de mettre en avant non la simple idée d'une révision globale des processus de pensée et des théories de la connaissance, mais celle d'une rupture avec les certitudes cartésiennes (*cogito ergo sum*). Celui qui parle, et qu'on peut appeler le «paysan», trace d'emblée une frontière entre ce qui s'est pensé avant lui et ce qui devra désormais être considéré comme le nouveau domaine d'investigation de l'esprit. Les repères temporels désignant dans le texte les traditions philosophiques d'autrefois – «leurs devanciers», «erreur antérieure», «ceux qui firent de la pensée leur domaine», «personne n'y avait songé» (p. 35-36) –, associés au jeu des temps (passé composé, imparfait et plus-que-parfait, mais aussi présent de vérité générale soulignant le résultat d'une évolution antérieure en alternance avec un présent d'actualité), stigmatisent le monde ancien et mettent en valeur la nouveauté absolue de la démarche. Le ton adopté est celui d'un penseur déjà détaché de l'éducation intellectuelle qu'il a reçue et parfois ironiquement détaché de son détachement même (p. 37) :

> J'en étais là de mes pensées, lorsque, sans que rien en eût décelé les approches, le printemps entra subitement dans le monde.

La première phrase annonce le ton plutôt intimidant des suivantes et l'on repère aisément les chevilles rhétoriques qui provoquent cet effet de supériorité et de distanciation (p. 35-36) :

> Il semble que toute idée ait aujourd'hui dépassé sa phase critique. Il est communément reçu que [...]. Curieuse méthode étrangement négatrice [...]. [...] la réalité de la certitude, personne n'y avait songé. [...] Or, il est un royaume noir [...].

Un Paysan mystique – C'est une voix argumentative où pédagogie et autorité se mêlent, mais dans laquelle transparaît peu à peu l'éloquence du grand prêtre, de l'initié, de celui qui a reçu l'enseignement magique et qui veut à son tour transmettre cette «science de la vie» qu'est la mythologie et «qui n'appartient qu'à ceux qui n'en ont point l'expérience» (p. 40). Alors que les premiers paragraphes se resserrent autour de l'enjeu philosophique, il arrive ainsi que la voix du paysan adopte des inflexions plus nettement mystiques : «Or il est un royaume noir, et que les yeux de l'homme évitent, parce que ce paysage ne les flatte point» (p. 36). Nous ne sommes jamais loin, dans la suite de cette préface, et dans «Le Passage de l'Opéra», d'une parole de type incantatoire à valeur performative, comme si le langage devenait créateur du nouvel ordre qu'il décrit.

Dans un second temps, ce locuteur, que l'on peut considérer dans la profération solennelle du savoir, apparaît lui-même comme le premier sujet expérimental, le premier écho vivant des conséquences sensuelles et mentales de son propre discours qui échappe à la théorie pour très vite s'épancher dans l'espace subjectif d'un récit poétique de type auto-biographique : « C'était un soir, vers cinq heures, un samedi : tout à coup, c'en est fait, chaque chose baigne dans une autre lumière… » (p. 37). Les désignateurs des philosophes cartésiens et le « nous » des premiers paragraphes laissent un instant la place à un « je » (qui dialogue parfois avec un « vous ») et la théorie s'efface au bénéfice d'une exploration jouissive des possibilités données à un esprit frappé par une forme de « révélation » et en quelque sorte libéré de ses entraves : « On vient d'ouvrir le couvercle de la boîte. Je ne suis plus mon maître tellement j'éprouve ma liberté » (p. 37). Ainsi le philosophe du début se mue en rhapsode qui, débordé par le triomphe en lui d'une libre perception, se regarde naître au chant poétique du monde, dans l'émerveillement mythologique de la boîte de Pandore. Le premier temps de cette « Préface » est donc l'occasion d'un changement et d'une opération de substitution : l'évidence de la certitude d'être chez Descartes devient l'évidente vertu libératrice de l'erreur et de l'errance des sens chez Aragon : « Je ne veux plus me retenir des erreurs de mes doigts, des erreurs de mes yeux » (p. 40). De l'une à l'autre, l'alchimie du verbe a fait changer de nature la lumière et les ombres. L'incipit du *Paysan de Paris* affiche donc, de manière provocatrice, une prétention inouïe : une refondation de la pensée, la mise à mort de la vieille philosophie et le pari de la subjectivité : « Je suis à la roulette de mon corps et je joue sur le rouge » ; « Il n'y a plus de place ici que pour moi » (p. 37-38).

Libérer les sens

Il s'agit aussi ici d'étendre les limites des territoires imaginaires, sensuels et érotiques cantonnés par l'homme à des représentations et des actions conventionnelles. L'irruption du « printemps » et de son « autre lumière » (p. 37), au beau milieu du discours philosophique, est l'emblème d'une réorientation globale de l'esprit, qui vient déborder les « lumières » de la raison. Du même coup, l'écriture d'Aragon se charge de comparaisons et de métaphores surprenantes – « Je suis le ludion de mes sens et du hasard » (p. 37) –, dont la fonction est d'illustrer cet état particulier de *disponibilité* propre à l'individu qui peut désormais explorer le vaste champ des plaisirs. Ici, comme dans le reste de l'œuvre, le Paysan porte une attention appuyée aux « grands morceaux de lueurs » que sont les femmes de passage (p. 37), « miroitements désirables », fascinants fragments de la lueur surréaliste. Les métaphores croisées de l'ombre et de la lumière, développées dans l'ensemble de la « Préface », servent ici de fil conducteur entre les certitudes de la Raison, l'émoi des sens et les fulgurances de l'imagination. Tout abandonné à la « dictature de la sensualité » (p. 38), le Paysan s'habitue à ne plus penser uniquement selon la raison mais « suivant ce qu['il] voi[t] et ce qu'[il] touche » (p. 39).

« Mythologie moderne » : paradoxe d'un titre

Quelle intertextualité antique ? – Le titre du premier texte peut déconcerter. Tout d'abord en raison de l'effet paradoxal, proche de l'oxymore, créé par la juxtaposition du substantif « mythologie », associé à l'ensemble stable des récits de l'Antiquité gréco-latine, et de l'adjectif « moderne », lié quant à lui aux idées de l'actualité et de l'avant-garde. On se trouve alors en présence de la réactivation d'une connaissance des mythes à partir du monde contemporain, d'où les dieux se sont effacés. On retrouve du reste le développement de cette idée au début du « Sentiment de la nature aux Buttes-Chaumont » (p. 183-187). On peut hésiter d'autre part sur le sens à donner au mot « préface » . Dans un premier temps, on peut interpréter cette désignation comme celle qui correspond à un texte d'ordre théorique préludant à une présentation concrète d'une mythologie moderne. Par conséquent, il faut comprendre ce qui va suivre dans « Le Passage de l'Opéra » à la fois comme un recensement et une étude de certaines figures mythologiques. Mais, dans un second temps, le mot « préface » semble signifier par métaphore* « annonce d'un phénomène à venir » et, tout en recouvrant la strate sémantique précédente, suggère l'avènement d'une réalité spirituelle nouvelle au cœur du réel, ce qui implique la présentation de cette mythologie dans le moment même où elle se crée, au cœur du langage. On sera en outre sensible ici au para-

---

* Les noms et mots signalés par un astérisque renvoient au glossaire, p. 288.

doxe d'une promotion d'un monde nouveau et d'une modernité alors que le monde ancien des passages parisiens va se trouver détruit et donc dépassé. Tout en rejetant les anciens modèles philosophiques qui pèsent sur les consciences, notamment le modèle cartésien, Aragon retourne aux sources du poétique, c'est-à-dire à l'idée du mythe fondateur, en construisant le paradoxe d'une « mythologie moderne ». Au cœur de l'univers de cette mythologie : la femme, qui sera l'une des figures directrices (ou figures repères, ou motifs récurrents) du *Paysan* et dont les manifestations sont autant de réactualisations allégoriques de la modernité et du surréalisme.

L'alliance du populaire et de l'érudit – Les titres des autres parties de l'ouvrage ne sont pas moins étonnants et chargés de sens : « Le Passage de l'Opéra » désigne bien une galerie vitrée parisienne qu'Aragon a connue, mais désigne aussi l'œuvre tout entière (*opera* signifie « œuvre » en latin) comme lieu de passage, pour les réalités matérielles comme pour les fantasmes. De même, « Le Sentiment de la nature aux Buttes-Chaumont », jouant du contraste entre l'élévation sensuelle et philosophique et le lieu très populaire du jardin des Buttes-Chaumont, joue de la surprise et de l'attente. Enfin, « Le Songe du Paysan », qui semble désigner une rêverie bucolique, dans le prolongement rousseauiste du « sentiment de la nature », chapeaute en réalité un texte poétique à fortes inflexions théoriques qui se rapproche lui aussi du manifeste*. Cette vibration sémantique des titres annonce l'un des enjeux du *Paysan de Paris* : surprendre et déconcerter. L'éditeur faisait du reste passer dans les journaux de l'époque une étrange contre-réclame : « Ce livre a plu et déplaira et déplaira et déplaira et déplaira. »

à vous...

Recherches
– Relevez les figures mythologiques de l'œuvre et reliez-les à la mythologie grecque.
– Qu'est-ce qu'un mythe ?

Travaux d'écriture
En vous inspirant d'Aragon et de Roland Barthes (*Mythologies*, Le Seuil, coll. «Points»), trouvez dans votre quotidien les mythes d'aujourd'hui.

LE PASSAGE DE L'OPÉRA

1924

On n'adore plus aujourd'hui les dieux sur les hauteurs. Le temple de Salomon est passé dans les métaphores où il abrite des nids d'hirondelles et de blêmes lézards. L'esprit des cultes en se dispersant dans la poussière a déserté les lieux sacrés. Mais il est d'autres lieux qui fleurissent parmi les hommes, d'autres lieux où les hommes vaquent sans souci à leur vie mystérieuse, et qui peu à peu naissent à une religion profonde. La divinité ne les habite pas encore. Elle s'y forme, c'est une divinité nouvelle qui se précipite dans ces modernes Éphèses comme, au fond d'un verre, le métal déplacé par un acide ; c'est la vie qui fait apparaître ici cette divinité poétique à côté de laquelle mille gens passeront sans rien voir, et qui, tout d'un coup, devient sensible, et terriblement hantante, pour ceux qui l'ont une fois maladroitement perçue. Métaphysique des lieux, c'est vous qui bercez les enfants, c'est vous qui peuplez leurs rêves. Ces plages de l'inconnu et du frisson, toute notre matière mentale les borde. Pas un pas que je fasse vers le passé, que je ne retrouve ce sentiment de l'étrange, qui me prenait, quand j'étais encore l'émerveillement même, dans un décor où pour la première fois me venait la conscience d'une cohérence inexpliquée et de ses prolongements dans mon cœur.

Toute la faune des imaginations, et leur végétation marine, comme par une chevelure d'ombre se perd et se perpétue dans les zones mal éclairées de l'activité humaine. C'est là qu'apparaissent les grands phares spirituels, voisins par la forme de signes moins purs. La porte du mystère, une défaillance humaine l'ouvre, et nous voilà dans les royaumes de l'ombre. Un faux pas, une syllabe achoppée révèlent la pensée d'un homme. Il y a dans le trouble des lieux de semblables serrures qui ferment mal sur l'infini. Là où se poursuit l'activité la plus équivoque des vivants, l'inanimé prend parfois un reflet de leurs plus secrets mobiles : nos cités sont ainsi peuplées de sphinx méconnus qui n'arrêtent pas le passant rêveur, s'il ne tourne vers eux sa distraction méditative, qui ne lui posent pas de questions mortelles. Mais s'il sait les deviner, ce sage, alors, que lui les interroge, ce sont encore ses propres abîmes que grâce à ces monstres sans figure il va de nouveau sonder. La lumière moderne de l'insolite, voilà désormais ce qui va le retenir.

Elle règne bizarrement dans ces sortes de galeries couvertes qui sont nombreuses à Paris aux alentours des grands boulevards et que l'on nomme d'une façon troublante *des passages*, comme si dans ces couloirs dérobés au jour, il n'était permis à personne de s'arrêter plus d'un instant. Lueur glauque, en quelque manière abyssale, qui tient de la clarté soudaine sous une jupe qu'on relève d'une jambe qui se découvre. Le grand instinct américain, importé dans la capitale par un préfet du second Empire, qui tend à recouper au cordeau le plan de Paris, va bientôt rendre impossible le maintien de ces aquariums humains déjà morts à leur vie primitive, et qui méritent pourtant d'être regardés comme les recéleurs de plusieurs mythes modernes, car c'est aujourd'hui seulement que la pioche les menace, qu'ils sont effectivement devenus les sanctuaires d'un culte de l'éphémère, qu'ils sont devenus le paysage fantomatique des plaisirs et des professions maudites, incompréhensibles hier et que demain ne connaîtra jamais.

«Le boulevard Haussmann est arrivé aujourd'hui rue Laffitte», disait l'autre jour *L'Intransigeant*. Encore quelques pas de ce grand rongeur, et, mangé le pâté de maisons qui le sépare de la rue Le Peletier, il viendra éventrer le buisson qui traverse de sa double galerie le passage de l'Opéra, pour aboutir obliquement sur le boulevard des Italiens. C'est à peu près au niveau du café Louis XVI qu'il s'abouchera à cette voie par une espèce singulière de baiser de laquelle on ne peut prévoir les suites ni le retentissement dans le vaste corps de Paris. On peut se demander si une bonne partie du fleuve humain qui transporte journellement de la Bastille à la Madeleine d'incroyables flots de rêverie et de langueur ne va pas se déverser dans cette échappée nouvelle et modifier ainsi tout le cours des pensées d'un quartier, et peut-être d'un monde. Nous allons sans doute assister à un bouleversement des modes de la flânerie et de la prostitution, et par ce chemin qui ouvrira plus grande la communication entre les boulevards et le quartier Saint Lazare, il est permis de penser que déambuleront de nouveaux types inconnus qui participeront des deux zones d'attraction entre lesquelles hésitera leur vie, et seront les facteurs principaux des mystères de demain.

Ceux-ci naîtront ainsi des ruines des mystères d'aujourd'hui. Que l'on se promène dans ce passage de l'Opéra dont je parle, et qu'on l'examine. C'est un double tunnel qui s'ouvre par une seule porte au nord sur la rue Chauchat et par deux au sud sur le boulevard. Des deux galeries, l'occidentale, la galerie du Baromètre, est réunie à l'orientale (galerie du Thermomètre) par deux traverses, l'une à la partie septentrionale du passage, la seconde tout près du boulevard, juste derrière le libraire et le café qui occupent l'intervalle des deux portes méridionales. Si nous pénétrons dans la galerie du Thermomètre, qui s'ouvre entre le café que je signalais et la librairie Eugène Rey, passée la grille qui, la nuit, ferme le passage aux nostalgies contraires à la morale publique, on observe que presque toute l'étendue de la façade de droite, au rez-de-chaussée diverse avec ses étalages, son café, etc., aux étages semble entièrement occupée par un seul bâtiment : c'en est en effet un seul qui s'étend sur toute cette longueur, un hôtel dont les chambres n'ont d'autre air ni d'autre clarté que ceux de ce laboratoire des plaisirs, où l'hôtel puise sa raison d'être. Je me souviens que pour la première fois mon attention fut attirée sur lui par la contre-réclame que lui fait sur le mur qui forme le fond de la rue Chauchat l'hôtel de Monte-Carlo (dont nous verrons le hall galerie du Baromètre) et qui affirme fièrement qu'il *n'a rien à voir avec le meublé du Passage*. Ce *meublé*, au premier étage, est une maison de passe, mais au second, où les chambres sont assez basses de plafond, c'est tout simplement un hôtel où l'on loue au mois et à la semaine, à des prix assez raisonnables, des pièces malsaines et mesquines avec l'eau courante chaude et froide, et l'électricité. Il est assez agréable d'habiter dans une maison de passe, pour la liberté qui y règne et qu'on s'y sent moins épié que dans un garni ordinaire. J'ai ainsi vécu à Berlin dans un semblable endroit de la Joachimstalerstrasse, dans Charlottenburg, où je payais ma chambre tous les soirs avant d'y entrer, encore que j'y eusse laissé ma malle. Picabia, rue Darcet, habite aussi de temps en temps dans une maison de passe, qu'il dit aimer parce que jamais on n'y voit de souliers à la porte des gens. Actuellement je connais au second du meublé du passage de l'Opéra deux locataires qui sont mes amis : Marcel Noll qui apporta l'année dernière de Strasbourg à Paris de grandes facultés de désordre, et que j'estime beaucoup pour elles ; Charles Baron, le frère du poète Jacques Baron, poète lui-même (on ne le sait pas assez) mais que les gens qui le connaissent mal distinguent de l'autre en le nommant *Baron le boxeur*, pour de vagues leçons de boxe qu'il prit jadis, et peut-être parce qu'il fréquentait alors quelques boxeurs dont l'un au moins, Fred Bretonnel, devait atteindre à la célébrité des rings, Charles Baron qui a pris ici cette chambre mal commode pour y vivre avec une amie charmante, de laquelle je n'ai le droit de dire seulement que ceci : certains jours elle ressemble étrangement à une colombe poignardée. Ce garni romantique, dont les portes bâillent parfois, laissant apercevoir de bizarres coquillages, la disposition des lieux le rend plus équivoque encore que l'emploi peut-être banal qu'une population flottante en peut faire. Sur de longs couloirs qu'on prendrait pour les coulisses d'un théâtre s'ouvrent les loges, je veux dire les chambres, toutes du même côté vers le passage. Un double système d'escaliers permet de sortir plus ou moins loin dans le passage. Tout est ménagé pour permettre les fuites possibles, pour masquer à un observateur superficiel les rencontres qui, derrière le bleu de ciel passé des tentures, étoufferont un grand secret dans un décor de lieu commun. Au premier, sur l'escalier le plus éloigné, on a inventé de mettre une porte qui permette, le cas échéant, de fermer cette issue lointaine, encore qu'elle ne tienne qu'à des montants et qu'il suffise pour la franchir d'enjamber la rampe à son niveau. Cette menace ballante laisse à qui la contemple un doute qui ne va pas sans enivrement. On cherche la signification de cette porte, dont la présence rappelle les opérations de police les plus basses et les poursuites au cœur même de leurs amours de ces assassins sentimentaux que la faiblesse des sens a livrés et que l'on cerne au petit jour dans ces labyrinthes voluptueux où ils se cachent, que l'on y traque tandis que la main sur leur cœur en chamade, ces héros maudits en suspens sur la pointe de leurs pieds entendent encore derrière les portes les soupirs inconscients du plaisir des autres. Par moments les couloirs s'éclairent, mais la pénombre est leur couleur préférée. Qu'une chambre s'entrouvre, et c'est un peignoir ou une chanson. Puis un bonheur se défait, des doigts se délacent, et un pardessus descend vers le jour anonyme, vers le pays de la respectabilité.

Ce lieu est régi par deux femmes ; l'une, vieille et désagréable, qui rechigne dans ses rhumatismes et que l'on aperçoit près de la cheminée dans le bureau de l'hôtel à côté du tableau des clefs ; l'autre, plus très jeune, mais très douce, brune sans doute par habitude, la vraie logeuse de cet endroit, de laquelle je me demande plus particulièrement ce qu'elle deviendra quand les démolisseurs l'auront chassée d'ici. Bavarde, l'indulgence même, elle a pris à son métier le goût de l'équivoque et de l'instabilité. Elle ne presse guère ses locataires de la payer, et ce n'est que le besoin qui l'y pousse, à la fin. L'irrégularité est ce qu'elle attend de plus naturel du plus régulier d'entre eux. Elle s'y intéresse. Et sans doute que comme tous les logeurs elle est de la police, mais elle ne parle pas de celle-ci sans effroi, sans paraître redouter quelque malheur indéfinissable. Je me souviens qu'un jour mon ami Noll avait été arrêté pour de mauvaises raisons, une histoire de tapage nocturne et de cris séditieux, et comme on avait téléphoné du commissariat pour vérifier son domicile, voilà que je survins aux nouvelles. Je trouvai sa logeuse dans la plus vive inquiétude : «Que lui est-il arrivé, Monsieur? Ces histoires-là, c'est bien stupide. Ils ne vont pas le garder longtemps au moins. L'autre mois il y a eu un locataire ici qui a eu une histoire.» Elle poussa de vrais soupirs de soulagement quand elle le vit revenir quelques instants plus tard.

Entre les boulevards et la première entrée de l'hôtel s'étale, au rez-de-chaussée de l'hôtel, la devanture de Rey où ce libraire expose les revues, les romans populaires et les publications scientifiques. C'est un des quatre ou cinq endroits de Paris où l'on peut consulter à son aise les revues sans les acheter. Aussi y voit-on fréquemment stationner des gens jeunes qui lisent en soulevant les pages non coupées, et d'autres auxquels cette illusoire occupation donne une contenance tandis qu'ils surveillent les allées et venues du passage pour des raisons diverses, qui me vont facilement au cœur. De sa petite boîte vitrée, une seule caissière, communiquant avec la librairie par un guichet, surveille l'étalage. Aussi le vol y est-il presque aussi fréquent que chez Crès, boulevard Saint-Germain, où, en 1920, il fut volé en un an pour vingt mille francs[1][*] de livres et de publications.

1. D'alors, s'entend *(note de 1966)*.
* Toutes les notes sont de l'auteur.

La porte de l'immeuble n° 2, qui donne accès à l'escalier du meublé, permet d'apercevoir en retrait de celui-ci la loge vitrée du concierge du passage. Dire que derrière ces carreaux se confine une double existence passive, aux limites de l'inconnu et de l'aventure ! Depuis des années et des années le couple des portiers se tient dans cette taupinière à voir passer des bas de robes et des pantalons grimpant à l'échelle des rendez-vous. Depuis des années ils sont astreints à la forme de ce lieu absurde, en marge des galeries, ces deux vieillards qu'on aperçoit, usant leur vie, lui à fumer et elle à coudre, à coudre encore, inlassablement coudre, comme si, de cette couture, dépendait le sort de l'univers. D'assez curieuses floraisons décorent sans doute ces cervelles appariées. Durant les longues heures et l'obscurité, l'obscurité qui épargne le coût exagéré d'une lampe électrique, de belles formations naturelles doivent tout à leur aise s'échafauder derrière ce ménage de fronts : elle et lui, si accoutumés l'un à l'autre, que leur bavardage de convention s'est enfin espacé jusqu'au silence, ne peuvent plus accompagner le geste machinal de la pipe et de l'aiguille que de ces magnifiques dérèglements de l'imagination qu'on ne prête guère qu'aux poètes. À voir s'entrecroiser au-delà de leur vitre les pas du mystère et du putanisme, que vont-ils chercher au fond de leur esprit, ces sédentaires mordus par l'âge et l'oisiveté du cœur ? Tout un jeu de cartes obscènes, que je me plais à me représenter. La dame de trèfle... mais un jour j'ai parlé au concierge comme le conseille l'écriteau. C'était au zinc du café Louis XVI, où cet homme se payait de petites vacances, la casquette sur l'oreille et le gosier dans l'alcool.

MOI. – Je vous demande mille fois pardon, vous êtes bien le concierge du passage?

LUI. – Depuis vingt et des années, Monsieur, pour vous servir?

MOI. – Vous accepteriez bien…

LUI. – Un petit marc… Je fais un métier qui donne soif… Il y a un va-et-vient là-dedans, une poussière… On voit de drôles de gens, des jolies femmes, et des moins jolies… Je les regarde le moins possible, ça ne me regarde pas, vous comprenez? Le concierge. Après un marc, on en prend volontiers un autre. Vous êtes bien aimable, Monsieur. Il y en a qui viennent me raconter leurs petites affaires. Je donne des conseils. Les gens, ça se noie dans un verre d'eau…

MOI. – Il y a toutes sortes de locataires, dans votre passage.

LUI, *devient circonspect.*

Je désirais savoir s'il existait toujours dans son domaine une bizarre institution de laquelle m'avait jadis entretenu Paul Valéry : une agence qui se chargeait de faire parvenir à toute adresse des lettres venues de n'importe quel point du globe, ce qui permettait de feindre un voyage en Extrême-Orient, par exemple, sans quitter d'une semelle l'extrême-occident d'une aventure secrète. Impossible de rien apprendre : le concierge n'avait jamais entendu dire… Après tout, que sait un concierge? Et peut-être, qu'il y a plus de vingt ans que Valéry usait de semblables supercheries.

Un marchand de cannes sépare le café du *Petit Grillon* de l'entrée du meublé. C'est un honorable marchand de cannes qui propose à une problématique clientèle des articles luxueux, nombreux et divers, agencés de façon à faire apprécier à la fois le corps et la poignée. Tout un art de panoplie dans l'espace est ici développé : les cannes inférieures forment des éventails, les supérieures s'entre-croisant en X penchent vers les regards, par l'effet d'un singulier tropisme, leur floraison de pommeaux : roses d'ivoire, têtes de chien aux yeux lapidaires, demi-obscurité damasquinée du Tolède, niellés de petits feuillages senti-mentaux, chats, femmes, becs crochus, matières innom-brables du jonc tordu à la corne de rhinocéros en passant par le charme blond des cornalines. Quelques jours après la conversation que j'ai feint de rapporter, comme j'avais passé ma soirée au *Petit Grillon* dans l'attente d'une per-sonne qui n'avait pas jugé bon de me rejoindre, légitimant de quart en quart d'heure mon insolite présence solitaire par la commande d'une consommation qui épuisait un peu chaque fois de ma puissance inventive, ayant prolongé fort au-delà du possible cette station de l'expectative et de l'énervement, je sortis dans le passage alors qu'il était déjà entièrement éteint. Quelle ne fut pas ma surprise, lorsque, attiré par une sorte de bruit machinal et monotone qui sem-blait s'exhaler de la devanture du marchand de cannes, je m'aperçus que celle-ci baignait dans une lumière verdâtre, en quelque manière sous-marine, dont la source restait invisible. Cela tenait de la phosphorescence des poissons, comme il m'a été donné de la constater quand j'étais encore enfant sur la jetée de Port-Bail, dans le Cotentin, mais cependant je devais m'avouer que bien que des cannes après tout puissent avoir les propriétés éclairantes des habitants de la mer, il ne semblait pas qu'une explica-tion physique pût rendre compte de cette clarté surnaturelle et surtout du bruit qui emplissait sourdement la voûte. Je reconnus ce dernier : c'était cette voix de coquillages qui n'a pas cessé de faire l'étonnement des poètes et des étoiles de cinéma. Toute la mer dans le passage de l'Opéra. Les cannes se balançaient doucement comme des varechs. Je ne revenais pas encore de cet enchantement quand je m'aperçus qu'une forme nageuse se glissait entre les divers étages de la devanture. Elle était un peu au-dessous de la taille normale d'une femme, mais ne donnait en rien l'impression d'une naine. Sa petitesse semblait plutôt ressortir de l'éloignement, et cependant l'apparition se mouvait tout juste derrière la vitre. Ses cheveux s'étaient défaits et ses doigts s'accrochaient par moments aux cannes. J'aurais cru avoir affaire à une sirène au sens le plus conventionnel de ce mot, car il me semblait bien que ce charmant spectre nu jusqu'à la ceinture qu'elle portait fort basse se terminait par une robe d'acier ou d'écaille, ou peut-être de pétales de roses, mais en concentrant mon attention sur le balancement qui le portait dans les zébrures de l'atmosphère, je reconnus soudain cette personne malgré l'émaciement de ses traits et l'air égaré dont ils étaient empreints. C'est dans l'équivoque de l'occupation insultante des provinces rhénanes et de l'ivresse de la prostitution que j'avais rencontré au bord de la Sarre la Lisel qui avait refusé de suivre le repli des siens dans le désastre, et qui chantait tout le long des nuits de la Sofienstrasse des chansons que lui avait apprises son père, capitaine de vénerie du Rhin. Que pouvait-elle bien venir faire ici, parmi les cannes, et elle chantait encore si j'en jugeais par le mouvement de ses lèvres car le ressac de l'étalage couvrait sa voix et montait plus haut qu'elle vers le plafond de miroir au-delà duquel on n'apercevait ni la lune ni l'ombre menaçante des falaises :

« L'idéal ! » m'écriai-je, ne trouvant rien de mieux à dire dans mon trouble. La sirène tourna vers moi un visage effrayé et tendit ses bras dans ma direction. Alors l'étalage fut pris d'une convulsion générale. Les cannes tournèrent en avant de quatre-vingt-dix degrés, de telle façon que la moitié supérieure des X vint ouvrir son V contre le verre complétant en avant de l'apparition le rideau des éventails inférieurs. Ce fut comme si des piques brusquement avaient dérobé le spectacle d'une bataille. La clarté mourut avec le bruit de la mer.

Le concierge qui allait en traînant fermer la grille du passage me demanda sans aménité si j'allais oui ou non me décider à sortir. Il ne fut pas sensible aux allusions que je fis à nos libations, et je dus passer sur le boulevard, non sans m'être retourné plusieurs fois vers le magasin de cannes où je n'apercevais plus d'autre lueur que, dans les glaces, les reflets incertains des réverbères extérieurs. Il faut dire que le marchand de cannes possède à la vérité deux vitrines et que c'est dans la plus voisine des boulevards que s'était produit le sortilège dont j'eus l'esprit occupé toute la nuit. L'autre contient encore quelques cannes et parapluies et aussi des portefeuilles, de petits sacs de perles, des colliers d'ambre et, suivant une disposition étrange et concertée, des pipes font un grave cercle de muettes à la partie moyenne, où la lumière, en jouant, vient caresser leurs têtes hétéroclites. Or, quand je revins au matin, tout avait repris son aspect normal, sauf dans la seconde vitrine, une pipe d'écume qui figurait une sirène, et qui, au râtelier, sans qu'on s'en aperçût, s'était brisée comme dans un vulgaire tir forain, et qui tendait encore au bout de son tuyau d'illusion la double courbe d'une gorge charmante : un peu de poussière blanche tombée sur la silé-sienne d'un parapluie attestait l'existence passée d'une tête et d'une chevelure.

La boutique suivante est un café : *Le Petit Grillon*, où j'ai mille souvenirs. Pendant des années j'y suis venu au moins une fois la semaine après le dîner avec des amis que je croyais tous véritables. Nous parlions, nous jouions au baccara, au poker d'as. À la lueur des événements quotidiens, au phare tournant des gains et des pertes, c'est là que je commençai à sentir un peu mieux la grandeur d'un très petit nombre de ces compagnons d'habitude, et la mesquinerie de la plupart.

Le Petit Grillon est formé de deux pièces, dont la première, la plus grande, contient le bar, dont la seconde n'est qu'un cabinet carré, qu'on réservait pour nous seuls quand nous y venions à six ou sept, jouer, boire et parler. L'hiver, cette seconde pièce se chauffe avec un petit radiateur au gaz qu'on manque sans cesse de renverser. Les clients de ce café, ce sont des habitués que j'ai vus depuis des années revenir aux mêmes places, et que rien ne distingue des autres hommes. Qu'est-ce qui les attire ici ? Une espèce d'esprit de province peut-être. Ce sont pour moi des fantômes si naturels que je n'y prête guère d'attention. Public tranquille, casanier. Il n'en était pas ainsi autrefois, paraît-il. Le même propriétaire règne sur ce café et sur Certa, dans l'autre galerie. Vous penseriez un officier de cavalerie, s'il n'avait pas l'air si bonhomme. Il a affiché ce placard aux vitres du *Petit Grillon* :

> Étant spolié au profit d'une Société Finan-
> cière par une expropriation qui ruine les
> commerçants de ce passage et de ce fait ne
> pouvant me réinstaller, je cherche acheteur
> pour mon matériel de bar.
>
> *Signature*
> combattant 1914-1918.
> Blessé de guerre.

C'est le premier signe que nous rencontrons dans le passage d'une effervescence légitime qui s'est emparée de tous les habitants de ce lieu depuis qu'on connaît les estimations d'indemnité par la société concessionnaire pour la Ville de Paris des travaux du boulevard Haussmann. Il s'agit d'une véritable guerre civile qui n'en est encore qu'aux chicanes légales et aux huées, aux débats des gens d'affaires et des journaux, mais qui, si l'exaspération des victimes monte plus haut, tournerait aux barricades et aux coups de feu : il y a, qui sait, dans ces calmes boutiques, des rancœurs amoncelées qui pourraient bien préparer pour l'année prochaine un Fort Chabrol commercial, si une justice borgne et lente donnait raison à la puissante société de l'Immobilière du boulevard Haussmann, soutenue par les conseillers municipaux, et derrière eux par de grandes affaires comme les Galeries Lafayette, et vraisemblablement un consortium secret de tous les marchands du quartier qui escomptent du percement une recrudescence de passage et la multiplication indéterminée de leur chiffre d'affaires. Il faut entendre quelle sonorité dans la bouche des expropriés de demain prend le nom de la Banque Bauer, Marchal et Compagnie (59, rue de Provence), concessionnaire de la Ville. Elle apparaît à l'arrière-plan de leurs préoccupations comme la cervelle du monstre qui se prépare à les dévorer et dont, en collant l'oreille à leurs murs ils peuvent distinguer les sourdes approches à chaque coup des démolisseurs. Cette araignée légendaire, déjà ils savent que c'est en janvier 1925 qu'elle les étouffera. Ils usent envers elle de moyens dilatoires, ils arguent des bénéfices qu'ils pourraient retirer de leurs commerces pendant la durée de la Grande Exposition. On leur laisse espérer ce répit qu'ils demandent, et l'Exposition, qui dans l'ensemble du pays n'émeut guère les cœurs, apparaît ici comme la Rédemptrice, le Soleil nouveau qu'elle fut pour les hommes de 1888 et de 1889. Des signes de cette lutte, on en trouve un peu partout dans le passage, soit qu'on interroge les gens, soit qu'on lise les annonces aux devantures. Chez le marchand de timbres-poste qui fait suite au *Petit Grillon*, et où mélancoliquement deux papiers successifs, l'un au-dessus de l'autre, racontent succinctement une brève histoire :

FERMÉ POUR CAUSE
DE MALADIE

et plus bas :

FERMÉ POUR CAUSE
DE DÉCÈS

on avait collé un article de journal, extrait, m'a-t-on dit, du *Bien Public* :

L'IMMOBILIÈRE DU BD HAUSSMANN

Plusieurs commerçants lésés au bénéfice de grosses firmes – telles les *Galeries Lafayette* – seraient sur le point de s'adresser aux autorités judiciaires compétentes. Mais il est certain que la Ville de Paris connaissait tous les trafics et toutes les tractations auxquelles a donné lieu l'histoire de l'*Immobilière du Boulevard Haussmann*.

Ce qu'il y a de certain, c'est que l'on aurait dû tout au moins répartir les indemnités de façon équitable. Mais la plupart des membres du Conseil Municipal – cela est de notoriété publique – ont, ainsi que nous l'avons démontré, l'habitude de la concussion, et ne se sont fait élire que dans ce but.

Ainsi donc, sous peu, nous apprendrons des choses intéressantes. Et, grâce à l'indignation légitime de ces commerçants lésés, sera soulevé le voile qui cache les manigances de nos édiles et de certains gros requins financiers.

De même dans la galerie du Baromètre, le marchand de vins et de champagnes qui s'intitule avec orgueil *Fournisseur de S. A. R. Monseigneur le Duc d'Orléans*, et qui marque pour cela ses bouteilles de fleurs de lys dorées, entre deux écriteaux qui donnent le tarif de solde de son champagne et de son porto, a placé la pancarte suivante :

> *Par suite d'une Expropriation*
> **qui est une**
> **véritable spoliation**
> **(pour moi comme pour tout le quartier)**
> *me mettant dans l'impossibilité*
> *de me rétablir ailleurs*
> *je me vois obligé de céder mon fonds*
> à Commerçant
> **ayant déjà installation**
>
> **Installé ici depuis 1909**
> **Encore 7 ans de bail**
> **Loyer gratuit**
> **grâce aux sous-locations**
> **Indemnité : 6.000 francs,**
> **ne couvrant même pas les**
> **frais, impôts**
> **et déménagements**
> VIVE LA JUSTICE!!!
>
> *S'adresser ici*
> *de 3 h. à 5h.*

L'*Immobilière* attribue au *Petit Grillon* acheté 200 000 francs, il y a quatre ans, somme sur laquelle restent encore à payer 80 000 francs de traites, pour indemnité d'expropriation, et rachat du bail valable encore pour onze années, la somme de 100 000 francs ; pour Certa elle offre 65 000 francs, alors que cette maison en vaut 400 000 et que dans le passage des Princes on demande au propriétaire, pour un local moins grand, 310 000 francs rien que de pas de porte. Elle offre 390 000 francs au restaurant Arrigoni, 275 000 francs à la librairie Rey qui a un bail de treize ans, 400 000 francs à la librairie Flammarion. Les commerçants du passage ont été d'autant plus surpris de ces estimations fantaisistes qu'ils avaient escompté être payés suivant le même coefficient que les commerçants du second tronçon d'expropriation qui s'arrête au niveau de la Taverne Pousset, lequel a été en moyenne le triple de la base fictive d'évaluation des indemnités du troisième. D'autre part, l'*Immobilière* dépense insolemment l'argent qu'elle gagne sur ses travaux : ce n'est pas sans une indignation prometteuse de révolte que l'on nous raconte ici comment l'inutile cérémonie de l'*Inauguration du premier coup de pioche du Boulevard Haussmann* qui eut lieu le 1er février 1924, a coûté à la Compagnie plus de 60 000 francs. Enfin on accuse celle-ci de ne précipiter les expropriations que dans la crainte de voir enfin voter par les Chambres la loi sur la propriété commerciale, depuis si longtemps débattue. La presse ne s'est fait que bien rarement l'écho de cette surexcitation. Avec l'article du *Bien Public* que nous avons vu chez le marchand de timbres-poste, les expropriés ne peuvent guère citer qu'un article de *La Liberté* du dimanche 23 mars 1924 :

tions de 27 à parts de 47 à uits chimiques ent la mieux re la fabricar où le public cier les bénéser dans cette elle, les cours gresseront ral'affaissement du *Boléo* sont rticulièrement motifs sérieux de se prolonge forte réaction à Dabrowa est ntestablement t la puissance e très forte siconfiance en	LES RUINES DU BOULEVARD HAUSSMANN. *Des commerçants parisiens se déclarent victimes d'un déni de justice.* — Les salles du Palais de Justice, d'ordinaire si calmes, ont été, l'autre jour, le théâtre d'un scandaleux vacarme. C'était à propos des opérations d'expropriation des locataires du dernier lot du Boulevard Haussmann. « Bandits! Voleurs! Vendus! » Telles étaient les moindres aménités lancées à la tête des jurés par une foule exaspérée. Le président affolé appela les gendarmes. Et depuis ce jour, les débats se poursuivent sous la surveillance d'une imposante garde. Mais depuis ce jour aussi l'émotion grandit dans ce quartier central de Paris où « l'incompétence du jury, nous dit un des intéressés, a provoqué déjà plus de ruines que n'en fera la pioche des démolisseurs ». Cela valait une enquête. Nous l'avons faite en toute impartialité. Il apparaît vraiment que les commerçants expropriés sont victimes d'une erreur. Cette erreur, si elle était maintenue, profiterait non à la ville, mais à la Société concessionnaire... etc...	SUCRERIES très forte est remèdes singu tant antérieur humain, trait manières de d tes, de toutes tières, faire le tificielles, l'or gomme assass meurtrier. Les prodige servation sur vénérienne. O sortes d'idées explique tous et l'antipathi muscade car p homme qui la femme. Il cro le simple aspe que la vermin tion, sans avo développer. L Les démonsent point de et des buveurs
uels le rendeà 6 ou 6 ¹/₂ % Une affaire de		

Le porte-parole officiel des protestataires est une feuille bimensuelle qui s'intitule :

LA CHAUSSÉE D'ANTIN

Organe de Défense des Intérêts Politiques et Economiques du Quartier

Paraissant les 1 5 et 15 20 de chaque mois

Rédacteur en chef : JEAN-GEORGES BERRY

Le rédacteur en chef, fils d'un ancien député de Paris, nul doute qu'il se prépare à recueillir l'illusoire héritage moral de son père. Il reçoit tous les lundis et vendredis, de 17 à 19 heures, chez lui, 93, rue de la Victoire, et c'est aussi là le siège du journal. C'est au nom de la République qu'il fait appel aux petits commerçants. Voyez comme il sème d'avis son journal, pour organiser la résistance. On lit en troisième page :

PETITS COMMERÇANTS, ce journal est votre organe. Il vous soutient. Qu'attendez-vous pour le soutenir à votre tour en lui confiant un peu de publicité?
Rappelez-vous que des tarifs de faveur vous sont accordés et que jamais ce journal n'acceptera de réclame des Grands Magasins.

Et en quatrième page, au-dessous des «Maisons recommandées du quartier» :

APPEL

Nous faisons un pressant appel auprès de tous nos amis, de tous ceux qui nous approuvent pour qu'ils adhèrent sans retard au Comité Républicain de Défense des Intérêts du Quartier dont ils trouveront ci-dessous le bulletin d'adhésion qu'ils n'auront qu'à remplir et à nous retourner par poste au bureau du journal.

La bête noire de *La Chaussée d'Antin* c'est M. Oudin, conseiller municipal. C'est à lui qu'on s'en prend de toutes les fautes commises, il est l'homme de la banque Bauer, Marchal et Cie, on l'accuse d'inertie, s'il n'est pas capable de défendre les intérêts du quartier qu'il se démette : «Il nous faut un travailleur et un défenseur. Nous l'aurons», dit un article. Et M. Oudin n'habite plus même le quartier.

. . . .

Je quitte un peu mon microscope. On a beau dire, écrire l'œil à l'objectif même avec l'aide d'une chambre blanche fatigue véritablement la vue. Mes deux yeux, déshabitués de regarder ensemble, font légèrement osciller leurs sensations pour s'apparier à nouveau. Un pas de vis derrière mon front se déroule à tâtons pour refaire le point : le moindre objet que j'aperçois m'apparaît de proportions gigantesques, une carafe et un encrier me rappellent Notre-Dame et la Morgue. Je crois voir de trop près ma main qui écrit et ma plume est une enfilée de brouillard. J'ai peine, comme au matin un rêve effacé, au fur et à mesure que les objets se remettent à ma taille, à me remémorer le microcosme que j'éclairais tantôt de mes miroirs, que je faisais passer au petit diaphragme de l'attention. Magnifiques drames bactériels, c'est tout juste si, suivant le penchant naturel de notre cœur, quand nous nous laissons aller à ses interprétations délirantes, nous vous imaginons des causes passionnelles à l'image des vrais chagrins de notre vie. L'amour, voilà le seul sentiment qui ait assez de grandeur pour que nous le prêtions aux infiniment petits. Mais concevons une fois vos luttes d'intérêts, microbes, pensons à vos fureurs domestiques. Quelles erreurs de comptabilité, quelles fraudes dans la tenue des livres, quelles concussions municipales, président en marge du phénomène physique aux observables phagocytoses ? Remuez, remuez désespérément, vibrions tragiques entraînés dans une aventure complexe où l'observateur n'aperçoit que le jeu satisfaisant et raisonnable des immuables lois de la biologie ! Par cette tornade d'énigmes qu'inscrivez-vous dans mon champ optique, enseignes lumineuses de la détresse, petits petits ? Vos migrations comme la danse des colloïdes, que signifie leur cinéma ? Je cherche à lire dans cette rapide écriture et le seul mot que je croie démêler dans ces caractères cunéiformes sans cesse transformés, ce n'est pas *Justice*, c'est *Mort*. Ô Mort, charmante enfant un peu poussiéreuse, voici un petit palais pour tes coquetteries. Approche doucement sur tes talons tournés, défripe le taffetas de ta robe, et danse. Tous les subterfuges du monde, tous les artifices qui étendent le pouvoir de mes sens, lunettes astronomiques et loupes de toutes sortes, stupéfiants pareils aux fraîches fleurs des prairies, alcools et leurs marteaux-pilons, surréalismes, me révèlent partout ta présence. Mort qui est ronde comme mon œil. Je t'oubliais. Je me promenais sans penser qu'il me faudrait rentrer à la maison, ma bonne ménagère, à la maison où déjà se refroidit la soupe dans les assiettes, où m'attendant tu croques négligemment des radis, et tes phalanges décharnées jouent avec le bord de la nappe. Tiens, ne t'impatiente pas, je te donne encore des cacahouètes, tout un quartier des boulevards pour aiguiser tes dents mignonnes. Ne me taquine pas : je viendrai.

J'oubliais donc de dire que le passage de l'Opéra est un grand cercueil de verre et, comme la même blancheur déifiée depuis les temps qu'on l'adorait dans les suburbes romaines préside toujours au double jeu de l'amour et de la mort, *Libido* qui, ces jours-ci, a élu pour temple les livres de médecine et qui flâne maintenant suivie du petit chien Sigmund Freud, on voit dans les galeries à leurs changeantes lueurs qui vont de la clarté du sépulcre à l'ombre de la volupté de délicieuses filles servant l'un et l'autre culte avec de provocants mouvements des hanches et le retroussis aigu du sourire. En scène, Mesdemoiselles, en scène, et déshabillez-vous un peu…

*

«L'individu vivant, dit Hegel, se pose dans sa première évolution comme sujet et comme notion, et dans sa seconde il s'assimile l'objet, et par là il se donne une détermination réelle, et il est *en soi* le *genre*, l'universalité substantielle. Le rapport d'un sujet avec un autre sujet du même genre constitue la particularisation du genre, et le jugement exprime le rapport du genre aux individus ainsi déterminés. C'est là la *différence des sexes*.»

Je trouve dans ce propos la signification véritable de l'histoire de Pâris. Nul doute que Vénus entre ses rivales seule lui apparaissait femme, et il lui jeta la pomme. Mais qu'aurait-il fait ici ? Dans le passage de l'Opéra, tant de promeneuses diverses se soumettent au jugement hégélien, d'âge et de beauté variables, souvent vulgaires, et en quelque façon déjà dépréciées, mais femmes, femmes vraiment, et sensiblement femmes, et cela aux dépens de toutes les autres qualités de leurs corps et de leurs âmes, tant de promeneuses dans ces galeries, leurs complices, se contentent uniquement d'être femmes, que l'homme encore indécis et solitaire avec son idée de l'amour, l'homme qui ne croit pas encore à la pluralité des femmes, l'enfant qui cherche une image de l'absolu pour ses nuits, n'a rien à faire dans ces parages ; et que c'est pitié de voir les collégiens rouges, et se poussant du coude, s'acheminer vers le Théâtre Moderne : comment y pourraient-ils jamais choisir?

Il ne semble pas qu'un souci étranger aux caresses entraîne dans ce royaume tout ce peuple changeant de femmes qui concède à la volupté un droit perpétuel sur ses va-et-vient. Multiplicité charmante des aspects et des provocations. Pas une qui frôle l'air comme l'autre. Ce qu'elles laissent derrière elles, leur sillage de sensualité, ce n'est jamais le même regret, le même parfum. Et s'il en est qui font monter en moi très doucement le rire par la disproportion qui règne entre leur physique médiocre ou burlesque et le goût infini qu'elles ont de plaire, elles participent encore de cette atmosphère de la lascivité qui est comme le bruissement des feuilles vertes. Vieilles putains, pièces montées, mécaniques momies, j'aime que vous figuriez dans le décor habituel, car vous êtes encore de vivantes lueurs au prix de ces mères de famille que l'on rencontre dans les promenades publiques.

Les unes ont fait de ce lieu leur quartier général : un amant, un travail, l'espoir peut-être de prendre à leur piège un gibier qui n'est pas tout à fait celui des boulevards, quelque chose enfin qui a l'accent de la destinée, les a fixées dans ces limites. D'autres ne hantent le passage que par rencontre : le désœuvrement, la curiosité, le hasard… ou bien c'est un jeune homme timide qui craignait d'être vu avec elles au grand jour, ou bien c'est un roué qui a ici ses aises et qui vient examiner sa prise dans ce coin tranquille. Souvent les femmes qu'on croise viennent pour la première fois dans ces retraits commodes : elles ne sont pourtant pas des provinciales, elles s'asseyaient chaque jour aux terrasses voisines. Mais, en entrant sous ces voûtes de verre, elles prennent notion d'une existence et de tout un monde, et les voilà gênées. Elles se parlent à voix basse, rient un peu fort, et examinent toute chose. Elles ne sont pas longues à découvrir des particularités qui les excitent et les choquent. Généralement, elles vont par deux : cela rend la vie plus facile. Les novices se méprennent seuls sur ces couples ; les autres savent les inviter sans erreur à quelque consommation qui permette aux connaissances de se nouer. Ce sont des conversations délicates où la présence d'une autre femme introduit un sens de sociabilité et de politesse, jusqu'à ce que l'intéressée montre ses dents éclatantes, et parle avec des rires de son emploi du temps, de ses plus secrètes sciences. Il y a des liaisons anciennes qui ont élu pour leurs rendez-vous Certa ou *Le Petit Grillon*. On reconnaît ces ménages d'habitude : la femme qui attend a un air de réserve qui ne trompe pas. Puis l'homme, affairé, survient. Il ruisselle encore de sa vie sociale, il a une position, une serviette, la légion d'honneur, il s'assure de la main que sa barbe est peignée. Parfois, il y a un enfant avec la femme. Elle, ne perd pas un instant le sens du mystère.

Mais ma prédilection va aux véritables habituées. On peut les voir souvent. On les retrouve. Il n'est pas besoin de les approcher. On se fait une idée de chacune avec le temps. D'une année à l'autre, à peine si elles changent. On suit en elles la marche des saisons, la mode. Elles varient insensiblement avec le ciel, comme ces marionnettes des baromètres de la Forêt-Noire qui mettent une robe mauve les jours de pluie. L'air qu'elles fredonnent change aussi : on le connaît toujours, on le reconnaît même. Quelques-unes se dispersent, les autres vieillissent. Chaque printemps renouvelle un peu leur contingent. Les premières venues, d'abord craintives ou bruyantes, se disciplinent au milieu. Tapisserie humaine et mobile, qui s'effiloche et se répare. Elles ont, en même temps, les mêmes chapeaux et les mêmes idées, mais elles ne se chiperont jamais l'allure, un sens indéfinissable de leur corps, si ce n'est pour quelques grimaces canailles, qui indiquent, plus sûrement que tout, le coudoiement et la camaraderie, un certain avilissement délectable, lequel me monte tout de suite l'imagination et me chauffe le cœur. Dans tout ce qui est bas, il y a quelque chose de merveilleux qui me dispose au plaisir. Avec ces dames, il s'y mêle un certain goût du danger : ces yeux dont le fard une fois pour toutes a fixé le cerne et déifié la fatigue, ces mains que tout abominablement révèle expertes, un air enivrant de la facilité, une gouaillerie atroce dans le ton, une voix souvent crapuleuse, banalités particulières qui racontent l'histoire hasardeuse d'une vie, signes traîtres de ses accidents soupçonnés, tout en elles permet de redouter les périls ignominieux de l'amour, tout en elles, en même temps, me montre l'abîme et me donne le vertige, je leur pardonnerai, c'est sûr, tout à l'heure, de me consumer. Je suis comme le marchand d'étoffe des Mille et Une Nuits : il avait épousé une fille du palais et, après l'avoir battu de verges parce qu'il ne s'était pas lavé les mains avant de la caresser, sa femme, elle-même, lui coupa les quatre pouces avec un rasoir ; mais, il ne lui en voulut pas pour si peu, il lui jura de toujours se laver six-vingt fois les mains avec de l'alcali, de la cendre de la même plante et du savon ; puis il acheta une maison et y logea un an avec son épouse.

*

Deux coiffeurs à la queue leu leu font suite au marchand de timbres : le premier coiffeur pour dames, le second *Salon* pour messieurs. Coiffeurs pour les deux sexes, vos spécialisations ne sont pas sans saveur. Les lois du monde s'inscrivent en lettres blanches à votre devanture ; les bêtes des forêts vierges, voilà vos clients : elles viennent dans vos fauteuils se préparer au plaisir et à la propagation de l'espèce. Vous aiguisez les cheveux et les joues, vous taillez les griffes, vous affûtez les visages pour la grande sélection naturelle. On a vu des rossignols enroués dans vos linceuls humides : au petit crachoir de sable avant de s'asseoir, ils avaient jeté leur cigare orné des étoiles de la nuit, puis ils s'abandonnaient aux ciseaux chanteurs et au vaporisateur magique. Qui donc t'aurait reconnu, mélodieux oiseau, dans ce patient qui lit avec négligence les échos de *La Vie Parisienne* ?

Je voudrais savoir quelles nostalgies, quelles cristallisations poétiques, quels châteaux en Espagne, quelles constructions de langueur et d'espoir s'échafaudent dans la tête de l'apprenti, à l'instant qu'au début de sa carrière il se destine à être coiffeur pour dames, et commence de se soigner les mains. Enviable sort vulgaire, il dénouera désormais tout le long du jour l'arc-en-ciel de la pudeur des femmes, les chevelures légères, les cheveux-vapeur, ces rideaux charmants de l'alcôve. Il vivra dans cette brume de l'amour, les doigts mêlés au plus délié de la femme, au plus subtil appareil à caresses qu'elle porte sur elle avec tout l'air de l'ignorer. N'y a-t-il pas des coiffeurs qui aient songé, comme des mineurs dans la houille, à ne servir jamais que des brunes, ou d'autres à se lancer dans le blond? Ont-ils pensé à déchiffrer ces lacis où restait tout à l'heure un peu du désordre du sommeil? Je me suis souvent arrêté au seuil de ces boutiques interdites aux hommes et j'ai vu se dérouler les cheveux dans leurs grottes. Serpents, serpents, vous me fascinez toujours. Dans le passage de l'Opéra, je contemplais ainsi un jour les anneaux lents et purs d'un python de blondeur. Et brusquement, pour la première fois de ma vie, j'étais saisi de cette idée que les hommes n'ont trouvé qu'un terme de comparaison à ce qui est blond : *comme les blés*, et l'on a cru tout dire. Les blés, malheureux, mais n'avez-vous jamais regardé les fougères? J'ai mordu tout un an des cheveux de fougère. J'ai connu des cheveux de résine, des cheveux de topaze, des cheveux d'hystérie. Blond comme l'hystérie, blond comme le ciel, blond comme la fatigue, blond comme le baiser. Sur la palette des blondeurs, je mettrai l'élégance des automobiles, l'odeur des sainfoins, le silence des matinées, les perplexités de l'attente, les ravages des frôlements. Qu'il est blond le bruit de la pluie, qu'il est blond le chant des miroirs! Du parfum des gants au cri de la chouette, des battements du cœur de l'assassin à la flamme-fleur des cytises, de la morsure à la chanson, que de blondeurs, que de paupières : blondeur des toits, blondeur des vents, blondeur des tables, ou des palmes, il y a des jours entiers de blondeur, des grands magasins de Blond, des galeries pour le désir, des arsenaux de poudre d'orangeade. Blond partout : je m'abandonne à ce pitchepin des sens, à ce concept de la blondeur qui n'est pas la couleur même, mais une sorte d'esprit de couleur, tout marié aux accents de l'amour. Du blanc au rouge par le jaune, le blond ne livre pas son mystère. Le blond ressemble au balbutiement de la volupté, aux pirateries des lèvres, aux frémissements des eaux limpides. Le blond échappe à ce qui définit, par une sorte de chemin capricieux où je rencontre les fleurs et les coquillages. C'est une espèce de reflet de la femme sur les pierres, une ombre paradoxale des caresses dans l'air, un souffle de défaite de la raison. Blonds comme le règne de l'étreinte, les cheveux se dissolvaient donc dans la boutique du passage, et moi je me laissais mourir depuis un quart d'heure environ. Il me semblait que j'aurais pu passer ma vie non loin de cet essaim de guêpes, non loin de ce fleuve de lueurs. Dans ce lieu sous-marin, comment ne pas penser à ces héroïnes de cinéma qui, à la recherche d'une bague perdue, enferment dans un scaphandre toute leur Amérique nacrée ? Cette chevelure déployée avait la pâleur électrique des orages, l'embu d'une respiration sur le métal. Une sorte de bête lasse qui somnole en voiture. On s'étonnait qu'elle ne fît pas plus de bruit que des pieds déchaussés sur le tapis. Qu'y a-t-il de plus blond que la mousse ? J'ai souvent cru voir du champagne sur le sol des forêts. Et les girolles ! Les oronges ! Les lièvres qui fuient ! Le cerne des ongles ! Le cœur du bois ! La couleur rose ! Le sang des plantes ! Les yeux des biches ! La mémoire : la mémoire est blonde vraiment. À ses confins, là où le souvenir se marie au mensonge, les jolies grappes de clarté ! La chevelure morte eut tout à coup un reflet de porto : le coiffeur commençait les ondulations Marcel.

En liberté dans le magasin, de grands fauves modernes guettaient la femelle d'homme en proie au petit fer : le séchoir mécanique avec son cou de serpent, le tube à rayons violets dont les yeux sont si doux, le fumigateur à l'haleine d'été, tous les instruments sournois et prêts à mordre, tous les esclaves d'acier qui se révolteront un beau jour. Les simulacres de la devanture, je ne dirai plus rien[1] de ces cires que la mode a déshabillées et marquées dans la chair du martèlement des pouces. Mais où diable avais-je rencontré cette femme qui maintenant passait ses mains sur sa coiffure reformée ? Un instant je vis ses épaules : une toile d'araignée les déroba. Puis ce fut le tour aux cheveux de disparaître sous un gros insecte marron. Une libellule butinait un peu plus bas que la ceinture, les mains jouaient avec des gants de sable et un sac de mica cendré. Elle marchait comme on rit, et, quand elle fut sur le pas de la porte, je vis son pied pris dans un piège de feuillage, et sa jambe dorée, et je me demandai encore : *Mais qui donc peut être cette éponge ?* Alors la charmante blondeur se penchant vers moi me dit : «As-tu donc oublié, c'était hier pourtant : les plantes vertes ne se sont pas flétries, les lustres n'ont pas perdu leur éclat ni les loges leur sombre rougeur. Quand je parus au milieu des fous-rires, c'était au temps de l'équinoxe, je n'eus qu'à me dandiner un peu et la houle d'ombre monta sur les visages, la mer des bras d'hommes se tendit vers Nana.

– Nana ! m'écriai-je, mais comme te voilà au goût du jour !

– Je suis, dit-elle, le goût même du jour, et par moi tout respire. Connais-tu les refrains à la mode ? Ils sont si pleins

1. Voir *Anicet ou le panorama, roman* (note de 1966).

de moi qu'on ne peut les chanter : on les murmure. Tout ce qui vit de reflets, tout ce qui scintille, tout ce qui périt, à mes pas s'attache. Je suis Nana, l'idée de temps. As-tu jamais, mon cher, aimé une avalanche ? Regarde seulement ma peau. Immortelle pourtant, j'ai l'air d'un déjeuner de soleil. Un feu de paille qu'on veut toucher. Mais, sur ce bûcher perpétuel, c'est l'incendiaire qui flambe. Le soleil est mon petit chien. Il me suit comme tu peux voir. »

Elle s'éloigna vers la rue Chauchat et je restai stupide, car au lieu d'ombre elle avait une écharpe de lumière qui l'escortait sur le dallage. Elle disparut dans le brouhaha lointain de l'Hôtel des Ventes.

L'Hôtel des Ventes laisse filtrer un peu de ses passions dans le crible du passage de l'Opéra. Mais la hantise y transforme ceux qui s'en échappent, et ce n'est qu'à leur entrée dans cet antre que ces joueurs inquiets, ces guetteurs fiévreux portent encore sur leur visage le reflet flambant des enchères : en avançant dans ces galeries enchantées ils se prennent aux féeries du lieu et deviennent à leur tour des hommes. Cependant chez le second coiffeur quelques-uns d'entre eux font halte pour mieux se dépouiller du tremblement qui les ferait reconnaître. Leurs têtes renversées dans le Portugal, les joues abandonnées aux lames de Sheffield, à quoi pensent-ils dans ce hall de bois sombre ? Les vitres dépolies de la devanture trompent un peu sur la qualité de ce *Salon*, assez sévère, haut de plafond, mais moins moderne qu'on l'espère. Ce n'est pas le coiffeur français traditionnel, qui garde le souvenir des années brillantes du siècle dernier sous les espèces d'ornements inutiles, comme celui que nous rencontrerons dans l'autre galerie ; ce n'est pas non plus le coiffeur à l'américaine qui s'est établi à Paris depuis moins de dix ans comme un poncif avec tous les perfectionnements barbares d'une chirurgie érotique ; ce n'est pas, quoi qu'en dise l'enseigne, vestige d'une civilisation de notre enfance, le *Peluquero* tel qu'il se rencontre encore près de la Trinité, venu en France avec le maxixe et le tango ; c'est bien plutôt, survivant de cette anglomanie démodée qui envoyait blanchir son linge à Londres, le *Lavatory* d'aspect protestant qui ne nous paraît pas plus anglais aujourd'hui que chinois certains Sèvres du dix-huitième siècle. Quelle opposition avec la boutique voisine ! Ici pas de draperies de velours bleu, pas de caissière énigmatique. Au lieu de porter comme la précédente un aventureux nom d'Opéra, *Norma*, qui est comme un balcon sur des vignes, la maison se recommande des patronymes de sept coiffeurs :

VINCENT
PIERRE
HAMEL
ERNEST
ADRIEN
AMÉDÉE
CHARLES

Coiffeurs corrects et peu voluptueux. Ils sont comme leur magasin de bois sombre et de glaces. Ils rasent bien. Ils coupent les cheveux et voilà. Ce sera tout pour aujourd'hui. C'est qu'ils sont d'une école où l'on tenait le coiffeur pour un outil de précision : il n'entre aucune humanité dans leurs méthodes. Dans un pays où l'on déclare abominable le savonnage des joues à la main, tel qu'on le pratique en Allemagne, pour lui préférer la manœuvre antique du blaireau, il était bien juste que de tels coiffeurs puritains, même à deux pas des sanctuaires de la sensualité, parvinssent à maintenir une tradition de sécheresse anglo-saxonne. C'est bien plutôt chez les petits coiffeurs des quartiers périphériques, Auteuil, les Ternes même, que j'ai trouvé des praticiens sentimentaux, capables d'apporter dans les soins de la barbe et des cheveux une espèce de passion non professionnelle et de déceler par de soudaines délicatesses inattendues une science anatomique instinctive qui m'explique vraiment l'expression *artiste capillaire* qui n'a plus aujourd'hui que des applications ironiques.

C'est pour moi un sujet d'étonnement toujours renouvelé que de voir avec quel dédain, quelle indifférence de leurs plaisirs les hommes négligent d'en étendre les domaines. Ils me font l'effet de ces gens qui ne se lavent que les mains et le visage, quand ils croient devoir limiter en eux les zones de la volupté. Si certains d'entre eux goûtent des charmes de hasard, on ne les voit pas se préoccuper de les reproduire. Aucun système, aucun essai de codification du plaisir. C'est à ne pas comprendre comment ils sont encore susceptibles de temps à autre d'avoir ce qu'ils nomment si drôlement des vices. Ils ne font pas l'éducation de leur cuir chevelu, et leurs coiffeurs perdent avec nonchalance l'occasion de procurer à ces ignorants des agréments qu'il leur serait si facile d'accorder. Je ne crois pas qu'on ait jamais enseigné cette géographie du plaisir qui serait dans la vie un singulier appoint contre l'ennui. Personne ne s'est occupé d'assigner ses limites au frisson, ses domaines à la caresse, sa patrie à la volupté. Des localisations grossières, voilà tout ce que l'homme a dégagé de l'expérience individuelle. Un jour peut-être les savants se partageront-ils le corps humain pour y étudier les méandres du plaisir : ils trouveront cette étude aussi digne qu'une autre d'absorber l'activité d'un homme. Ils en publieront les atlas, dont il faudra recommander l'attentive lecture aux garçons coiffeurs. Ils y apprendront à laisser errer leurs doigts sur les crânes : ils y apprendront à les attarder au niveau du lambda où le plaisir atteint son comble, et à les en écarter tout à coup vers les écailles où de nouveaux royaumes nerveux sous l'influence du massage entrent brusquement en danse, envoyant de curieux élancements vers les oreilles et les régions voisines du cou. Et je ne parle pas du visage : qu'ils apprennent seulement à faire trembler les élévateurs des ailes du nez, et déjà ils pourront passer pour des masseurs subtils.

La psychologie, cette petite radoteuse[1], qui ne se trahit guère chez les coiffeurs que par les noms des parfums, les teintures et le romantisme des coiffures (je connais, rue du Débarcadère, un de ces commerçants qui vous propose la coiffure Albert Ier roi des Belges, la coiffure Joffre, etc.), n'a plus depuis longtemps déjà de secrets pour les tailleurs. C'est ainsi que tout au bout de la galerie du Thermomètre, nous trouvons Vodable qui attire les clients en s'intitulant : *Tailleur mondain*. Il vend aussi des malles et comme il dit : *All traveling requisities*. Je ne peux pas m'empêcher de penser que c'est ici que Landru, expérimentateur sensible, se faisait habiller, essayant ses costumes au milieu des bagages exposés comme autant de symboles mystérieux de son destin. J'ai retenu de cet homme auquel on a coupé la tête, qu'il avait chez lui le masque de Beethoven et les œuvres d'Alfred de Musset, qu'il offrait à ses amies de rencontre un biscuit et un doigt de madère, qu'il portait les palmes académiques. Curieux aboutissant de tout un

1. Var. *rapporteuse*.

monde. Il me semble que ce point précis du passage où je me tiens est exactement apparié à cet homme et à ses accessoires. Et je songe avec regret qu'il n'y a point en cour d'assises de programme où l'on puisse écrire en italique :

À la cour comme à la ville
Monsieur LANDRU
est habillé par LE TAILLEUR MONDAIN.

Mais, ma parole, pour un Landru de mort, voilà dix inconnus trouvés. Ce sont les clients du tailleur : je les vois défiler comme si j'étais un de ces appareils de prises de vues au ralenti qui photographient le gracieux développement des plantes. Ils ne sont pas tous des Don Juan de Paris, mais une espèce de lien qui leur vient du costume me révèle chez eux un mystère commun. Aventuriers sentimentaux, escrocs rêveurs, pour le moins prestidigitateurs de songes, ils viennent ici chercher les éléments de leur illusion naturelle. Rien ne révélera ces activités paradoxales qu'ils poursuivent par goût plus encore que par besoin, ou sans doute par goût et besoin confondus. Longtemps, toujours peut-être, en marge du monde et de la raison, ils exerceront leurs facultés imaginatives dans des voies empiriques, à l'occasion de faits particuliers et pittoresques. Un accident, un jour, peut les livrer. Mais le plus souvent je les suppose s'enfonçant peu à peu dans une vieillesse équivoque avec des rapines de souvenirs. Drôles de vies insoupçonnées qui gardent pour elles-mêmes mille récits pleins de saveur. L'homme aujourd'hui n'erre plus au bord des marais avec ses chiens et son arc : il y a d'autres solitudes qui se sont ouvertes à son instinct de liberté.

Clients du tailleur

Terrains vagues intellectuels où l'individu échappe aux contraintes sociales. Là vit un peuple ignoré, qui se soucie peu de sa légende. Je vois ses maisons de campagne, ses laboratoires de plaisir, ses bagages à main, ses rues, ses pièges, ses divertissements.

Au niveau de l'imprimerie qui fait des cartes à la minute, juste au-dessus du petit escalier par lequel on descend dans la rue Chauchat, à cette extrême pointe du mystère vers le septentrion, là où la grotte s'ouvre au fond d'une baie agitée par les allées et venues des déménageurs et des commissionnaires, à la limite des deux jours qui opposent la réalité extérieure au subjectivisme du passage, comme un homme qui se tient au bord de ses abîmes, sollicité également par les courants d'objets et par les tourbillons de soi-même, dans cette zone étrange où tout est lapsus, lapsus de l'attention et de l'inattention, arrêtons-nous un peu pour éprouver ce vertige. La double illusion qui nous tient ici se confronte à notre désir de connaissance absolue. Ici les deux grands mouvements de l'esprit s'équivalent et les interprétations du monde perdent sur moi leur pouvoir. Deux univers se décolorent à leur point de rencontre ; comme une femme parée de toutes les magies de l'amour quand le petit matin ayant soulevé sa jupe de rideaux pénètre doucement dans la chambre. Un instant, la balance penche vers le golfe hétéroclite des apparences. Bizarre attrait de ces dispositions arbitraires : voilà quelqu'un qui traverse la rue, et l'espace autour de lui est solide, et il y a un piano sur le trottoir, et des voitures assises sous les cochers. Inégalité des tailles des passants, inégalité d'humeur de la matière, tout change suivant des lois de divergence, et je m'étonne grandement de l'imagination de Dieu : imagination attachée à des variations infimes et discordantes, comme si la grande affaire était de rapprocher un jour une orange et une ficelle, un mur et un regard. On dirait que pour Dieu le monde n'est que l'occasion de quelques essais de natures mortes. Il a deux ou trois petits trucs qu'il ne se fait pas faute d'employer : l'absurde, le bazar, le banal... il n'y a pas moyen de le tirer de là.

De ce carrefour sentimental, si je porte alternativement les yeux sur ce pays de désordre et sur la grande galerie éclairée par mes instincts, à la vue de l'un ou l'autre de ces trompe-l'œil, je n'éprouve pas le plus petit mouvement d'espoir. Je sens frémir le sol et je me trouve soudain comme un marin à bord d'un château en ruine. Tout signifie un ravage. Tout se détruit sous ma contemplation. Le sentiment de l'inutilité est accroupi à côté de moi sur la première marche. Il est habillé comme moi, mais avec plus de noblesse. Il ne porte pas de mouchoir. Il a une expression de l'infini sur le visage et entre ses mains il tient déplié un accordéon bleu dont il ne joue jamais, sur lequel on lit : PESSIMISME. Passez-moi ce morceau d'azur, mon cher Sentiment de l'inutile, sa chanson plairait à mes oreilles. Quand j'en rapproche les soufflets on ne voit plus que les consonnes :

PSSMSM

Je les écarte et voilà les I :

PSSIMISM

Les E :

PESSIMISME

84

Et ça gémit de gauche à droite :

ESSIMISME – PSSIMISME – PESIMISME
PESIMISME – PESSMISME – PESSIISME
PESSIMSME – PESSIMIME – PESSIMISE
PESSIMISM – PESSIMISME

PESSIMISME

L'onde aboutit sur cette grève avec un éclatement barbare. Et reprend le chemin du retour.

PESSIMISME – PESSIMISM – PESSIMIS
PESSIMI – PESSIM – PESSI
PESS – PES – PE – P – p…, plus rien.

Si ce n'est se balançant un pied dans la main, un peu théâtral et un peu vulgaire, sa pipe en terre et sa casquette sur l'oreille, et chantant je crois bien : *Ah, si vous connaissiez la vie des escargots de Bourgogne…* en haut des marches, dans la poussière et les bouts de mégots, ce charmant garçon : le Sentiment de l'inutile.

*

Je reviens sur mes pas ; la lumière à nouveau se décompose à travers le prisme d'imagination, je me résigne à cet univers irisé. Qu'allais-tu faire, mon ami, aux confins de la réalité ? Voici ton royaume de sel gemme, tes astéries et tes fameux gisements. Tu sais bien, plaisanterie anodine, que tu es l'Aladin du Monde Occidental. Jamais tu ne sortiras de cette grande tache de couleur que tu traînes au fond de tes rétines. Débat ridicule qu'une flamme dans le feu. Tu ne quitteras pas ton navire d'illusions, ta villa de pavots au joli toit de plumes. Tes geôliers d'yeux passent et repassent en agitant leurs trousseaux de reflets. C'est en vain que creusant depuis vingt-six années avec un morceau de raison brisée un souterrain qui part de ta paillasse, tu crois aboutir au bord de la mer. Ta mémoire ouvre sur une oubliette. Là tu retrouveras toujours les mêmes fleurs, les mêmes forêts de cheveux, les mêmes désastres de caresses. Dans ta Thébaïde, les lions couchants sont des lueurs d'amnésie et les fantômes! les fantômes nacrés ont l'air de prier et s'effacent. Esclave d'un frisson, amoureux d'un murmure, je n'ai pas fini de déchoir dans ce crépuscule de la sensualité. Un peu plus impalpable, un peu moins saisissable... chaque jour, je m'estompe en moi-même, et je désire enfin si peu qu'on me comprenne, et je ne comprends plus ni le vent ni le ciel ni les moindres chansons ni la bonté ni les regards. C'est ainsi, Bee's polish et Kiwi, que je glisse, à la faveur de mon inattention, le long de la devanture du cireur, de l'autre côté de l'escalier de sortie sur la rue Chauchat, et que retournant vers les boulevards, je franchis sur ma droite l'ouverture du premier couloir, qui réunit le fond des deux galeries du passage, sans sombrer dans ces noirs glacis qui mènent au Théâtre Moderne. En face du tailleur et des salons de coiffure, un étage de parade qui appartient au restaurant Arrigoni, fiasques italiennes aux longs cous, aux corselets de paille, tableau colorié d'un banquet mémorable à la place d'honneur, sépare seul de ce couloir l'établissement de Bains couleur de petit-suisse.

Il y a une liaison bien forte dans l'esprit des hommes entre les Bains et la volupté : cette idée ancienne contribue au mystère de ces établissements publics où bien des gens ne se hasarderaient pas, tellement est grande la superstition des maladies contagieuses, et répandue la croyance que les baignoires ici prostituées sont de dangereuses sirènes pour le visiteur qui se confie à leur émail lépreux, à leur fer-blanc maculé. Ainsi ces temples d'un culte équivoque ont un air du bordel et des lieux de magie. Rien ne permet au passant inexpérimenté d'assurer sur quelque détail d'architecture le soupçon qu'il se fait de l'irrégularité d'un tel édifice : BAINS, dit seulement la façade, et ce mot cache une gamme indéfinie d'enseignes véridiques, tous les plaisirs et toutes les malédictions du corps, mais qui sait? on ne trouve peut-être à son abri que l'eau promise, claire et chantante. Il y a une grande tentation dans l'inconnu, et dans le danger une plus grande encore. La société moderne tient peu compte des instincts de l'individu : elle croit supprimer l'un et l'autre, et sans doute qu'il n'y a plus d'inconnu, sous nos climats, que pour ceux dont le cœur est facilement ivre; quant au danger, voyez comme tout chaque jour devient inoffensif. Il y a pourtant dans l'amour, dans tout l'amour, qu'il soit cette furie physique, ou ce spectre, ou ce génie de diamant qui me murmure un nom pareil à la fraîcheur, il y a pourtant dans l'amour un principe hors la loi, un sens irrépressible du délit, le mépris de l'interdiction et le goût du saccage. Vous pouvez toujours assigner à cette passion aux cent têtes les limites de vos demeures ou lui affecter des palais : elle voudra surgir ailleurs, toujours ailleurs, là où rien ne la faisait attendre, où sa splendeur est un déchaînement. Qu'elle pousse où nul ne la sème : comme la vulgarité la convulse! elle a de brusques sursauts d'ignominie. Il y a des possédés que tient la hantise de la rue : là seulement ils éprouvent le pouvoir de leur nature. Vous avez rencontré ces hommes sombres au cœur des foules, ces femmes folles dans les premières du Nord-Sud, vers les cinq heures. Combien de fois au doigt de la voyageuse avez-vous senti une alliance? Et rien pourtant, elle ne cherchait rien que ce dérèglement passager. Le ciel humain a ses éclairs qu'on ne peut suivre. Compensations ou vertiges, que se noue-t-il ainsi chez ces bizarres kleptomanes de la volupté? Je les approuve, épouses que j'imagine *apparemment* heureuses, d'avoir l'âme assez haute pour ne pas se contenter de leur sort. En route, à la recherche de l'infini! Les voici au cinéma, tout égarées dans l'ombre ou bien dans les soleils tournants des manèges des foires, la robe relevée comme un défi. Elles sont à la conquête d'elles-mêmes, à la croisade du désir : délivreront-elles ce tombeau, leur cœur? Le vagabondage de l'incertitude, voilà ce que celle-ci forcément provoque : l'instant d'une manœuvre, un passant peut tour à tour se croire enfin choisi, croire être dupe encore de l'imagination. L'autre se plaît par-dessus tout à convoiter un homme qui ne la voit pas, à se leurrer d'un espoir croissant, jusqu'au coup de chapeau poli, qui a le goût des pommes vertes, elle crierait. L'autre mène la chasse avec une résolution noire, et tout à coup une grande tempête s'élève entre elle et sa victime, rien ne peut arrêter cet orage adorable, tout précipite cette double fureur : c'est alors que, voisine à toucher tout le corps qu'elle attire, avec une exaltation sauvage, par un suicide inhumain, d'un seul retrait elle se refuse et devient une pierre, une pierre. Cette dernière encore, si froide, impassible à toutes les sollicitations, son être entier s'abandonne, mais rien ne trahira qu'elle s'en aperçoit. Rien, pas même une lèvre tremblante. Puis elle part d'un pas mécanique, c'était probablement une morte, mon cher.

Aux bains, une bien autre dérivation de l'humeur incline aux rêveries *dangereuses* : un double sentiment mythique que rien n'exprime et qui se fait jour. L'intimité d'abord au cœur d'un lieu public, contraste puissant, efficace pour qui l'a une fois ressenti ; et ce goût de confusion qui est le propre des sens, qui les porte à détourner chaque objet de son usage, à le pervertir comme on dit. Il n'est pas facile de démêler quel mobile ici commence : quelle envie la première saisit le client des établissements hydrothérapiques. Se déshabiller, sous n'importe quel prétexte, peut être un acte-symptôme. Ou une simple imprudence. Toujours semble-t-il qu'un homme habitué à se voir en complet veston, à contempler son corps en plein jour s'expose au risque différemment appréciable de ne pouvoir résister au penchant de l'exercer au plaisir. Les bains apparaissent ainsi la place d'élection des commerces physiques, et plus encore de l'aventure improbable d'un véritable amour. Que cette dernière hypothèse est absurde, et pourtant qu'elle me retient ! Le coup de foudre dans une baignoire : vous pouvez rire, vous ne savez pas de quoi vous riez. Toute la lascivité du monde s'en va ainsi en pure perte, par suite de l'asynchronisme des désirs. Possibilités de rencontre atrocement limitées, c'est quand je suis seul dans ma chambre, c'est quand je dors, c'est quand je cours à toutes jambes, qu'une apparition devrait s'imposer à tout mon être. Ma liberté, comme on m'emprisonne en ton nom. Enfin de tels lieux sont si calmes, on dirait un autre pays, quelque civilisation lointaine, ah ne me parlez pas des voyages. Faut-il être dépourvu de frénésie pour entrer aux bains sans du coup se persuader qu'on entre en pleine énigme ! Mais il y a au monde si peu de foi dans les aspirations humaines, on connaît si bien les bornes de toute dépravation, la peur uni-

Les Bains

verselle de se compromettre, la résignation machinale au
bonheur, l'habitude (la seule femme qui porte aujourd'hui
un corset) – que – à mon grand regret, je l'avoue, je me
consterne, je me demande si je ne ferais pas mieux de
foutre le camp dans une région plus conforme à la mobilité
de ma nature, – que – je rêve d'un peuple doux et cruel,
d'un peuple chat amoureux de ses griffes et toujours prêt à
faire chavirer ses yeux et ses scrupules, je rêve d'un peuple
changeant comme la moire et toujours talonné par l'amour
– que personne ne veut plus proposer à notre oisiveté avide
les divertissements qu'elle n'ose pas réclamer. De là, ce
scandale : dans Paris plusieurs établissements de bains ne
s'intitulent pas ainsi par euphémisme. On s'y lave comme
on mange ailleurs. Et telle est la décadence des mœurs
dans cette ville, la sensualité y est devenue si nonchalante,
le sentiment de l'absolu si étrangement égal à la plupart
des hommes, que presque seuls les pédérastes, encore un
peu étourdis de la tolérance nouvelle qu'ils rencontrent et
par routine accoutumés à la ruse et à la tyrannie, profitent
aujourd'hui de l'équivoque des Bains. On peut rapidement
compter les maisons de rendez-vous balnéaires qui leur
échappent complètement. Les tenanciers s'en plaignent, la
clientèle ne vient pas. Que voulez-vous, ces Messieurs et
ces Dames négligent un peu leurs désirs. Jusqu'à vingt ans,
ça va bien. Après cela, c'est fini : la curiosité, le mystère, la
tentation, le vertige, l'aventure, fini fini. Ils font de la gym-
nastique pour rester minces, vous ne pouvez pas leur
demander d'en faire pour garder sa couleur à la vie et le
trouble à leurs joues : des exercices d'amour, passé vingt
ans, vous n'y pensez pas. Ils ont appris leur métier une fois
pour toutes. Ils ont une technique et n'en démordront pas :
vous prenez la femme dans vos bras et vous lui dites…

alors elle, tombe sur le sofa et s'écrie : *Oh Charles!* Vous n'avez qu'à voir dans les films bien faits. Est-ce que par hasard on y montre jamais une femme qui vient d'apercevoir quelqu'un marcher droit vers lui, muette, les yeux provocateurs, et porter tout à coup la main au pantalon de l'homme? De tels films n'auraient aucun succès, ils relèveraient trop de la fiction : et ce que nous réclamons à cor et à cri, ce sont, n'en doutez pas, des réalités, des RÉ-A-LI-TÉS :

Les Réalités

FABLE

Il y avait une fois une réalité
Avec ses moutons en laine réelle
Le fils du roi vint à passer
Les moulons bêlent Qu'elle est belle
La ré la ré la réalité

Il y avait une fois dans la nuit
Une réalité qui ne parvenait pas à dormir
Alors la fée sa marraine
La prit réellement par la main
La ré la ré la réalité

Il y avait une fois sur son trône
Un vieux roi qui s'ennuyait
Son manteau dans le soir glissait
Alors on lui donna pour reine
La ré la ré la réalité

CODA : *Ité ité la réa*
Ité ité la réalité
La réa la réa
Té té La réa
Li
Té La réalité
Il y avait une fois LA RÉALITÉ

Arrêt sur lecture 2

Entrée dans « Le Passage de l'Opéra »

Le titre

Le titre choisi pour cette vaste section du *Paysan de Paris* relève d'une polysémie poétique dont on doit tenir compte pendant la lecture de cette partie du *Paysan*. « Le Passage de l'Opéra » désigne une réalité à la fois géographique, architecturale et commerciale et, par détour étymologique, le passage de l'œuvre. Au fil de la lecture apparaît encore un autre sens : celui de l'œuvre comme passage, mouvement, métamorphose, écoulement des êtres et du temps. Cette dimension esthétique et humaine confère au « passage » la force énigmatique du lieu sacré au cœur duquel nous guide un initié, qui se considère lui-même comme passage (p. 169) :

> Ce qui me traverse est un éclair moi-même. Et fuit. Je ne pourrai rien négliger, car je suis le passage de l'ombre à la lumière, je suis du même coup l'occident et l'aurore. Je suis une limite, un trait.

En outre, on peut être sensible aux échos sonores de ce titre, mêlant une allitération en [p] et une assonance en [a], qui rappellent celles du titre général, *Le Paysan de Paris*. Les deux titres semblent du reste faits l'un pour l'autre, puisque l'on retrouve, outre les deux [p] et trois [a], un jeu avec les séquences [ar]/[er], signatures sonores de son auteur, Aragon. Ainsi œuvre et auteur s'inscrivent-ils typographiquement au cœur du lieu mystérieux, faisant de ce titre une signature cryptée et un bel effet d'annonce. Quant au mot « opéra », il renvoie à la fois au « chant », au lyrisme, et à la théâtralité partout présente dans cette « ouverture », vaste introduction au mystère des lieux.

Le mystère des lieux

À la fois parodique et sérieuse – ce qui est du reste une des marques générales du *Paysan de Paris* –, l'idée d'un retour au mystère des lieux sacrés, en un temps où les dieux sont morts, donne un tour étrange à la voix de ce guide qui navigue entre le **lyrisme* ébahi du nouveau converti** (« Mais il est d'autres lieux [...] où les hommes vaquent sans souci à leur vie mystérieuse, et qui peu à peu naissent à une religion profonde », p. 49), l'**inflexion autobiographique** (« Pas un pas que je fasse vers le passé, que je ne retrouve ce sentiment de l'étrange, qui me prenait, quand j'étais encore l'émerveillement même » p. 49-50), la **sécheresse documentaire** (« C'est un double tunnel qui s'ouvre par une seule porte au nord sur la rue Chauchat... », p. 52) et la **densité du poème en prose** : « Toute la faune des imaginations, et leur végétation marine, comme par une chevelure d'ombre se perd et se perpétue dans les zones mal éclairées de l'activité humaine », p. 50). Cette ondulation des registres permet un va-et-vient permanent entre ce qui est perçu du lieu concret et les répercussions de cette perception dans l'esprit, à la fois dans le domaine de l'analyse, de la synthèse, de l'imagination et de la mémoire, comme si le monde et le moi entraient en dialogue, dont celui qui avance, qui voit et qui pense prend souvent le lecteur à témoin, quand il n'en fait pas la cible d'une véritable instruction à base de travaux pratiques (« Que l'on se promène dans ce passage de l'Opéra dont je parle, et qu'on l'examine », p. 52). Cette relation de maître à élève, partout sensible, conduit à un relevé méthodique des portes du réel ouvertes sur le mystère et provoque l'association détonante de l'approche physique d'un contenu impalpable.

Le passage de l'Opéra.

Magie des images

Le surgissement des images dans le discours de l'observateur du Passage témoigne d'un rapport particulier au réel. Métaphores et comparaisons, critiquées par les surréalistes lorsqu'elles sont conventionnelles et mécaniques mais adulées lorsqu'elles permettent de modifier notre rapport au langage et au monde, apparaissent ici de manière souvent inattendue voire incongrue (p. 49) :

> [La divinité] s'y forme, c'est une divinité nouvelle qui se précipite dans ces modernes Éphèses comme, au fond d'un verre, le métal déplacé par un acide [...].

Provoquée par la syllepse qui pèse sur le verbe « se précipiter », la comparaison* rapproche étrangement la « divinité » du « métal » mais aussi « Éphèse », célèbre lieu de culte de l'Antiquité, du passage de l'Opéra. C'est une manière d'introduire d'une part la superposition de l'antique mythologie et de l'avant-garde, d'autre part la correspondance étrange d'un lieu solennel et d'un lieu quotidien, enfin l'idée de l'expérimentation scientifique, dont l'image est filée à plusieurs reprises dans cette seconde partie du *Paysan* et dont on aperçoit toute l'ironie littéraire dans l'épisode du microscope. Cette recherche de l'originalité, de la surprise, de la rencontre inopinée d'un comparé et d'un comparant, apparaît au rythme des secrets dissimulés/révélés par les meublés et les portes entrebâillées. La confrontation du lieu commun de cheveux « blonds comme les blés » avec l'infinie sensualité de la blondeur ressentie par l'observateur déclenche ainsi une pluie d'images renouvelant l'association (p. 75) :

> **J'ai mordu tout un an des cheveux de fougère. J'ai connu des cheveux de résine, des cheveux de topaze, des cheveux d'hystérie. Blond comme l'hystérie, blond comme le ciel [...].**

À l'échelle de l'ensemble du « Passage », on notera la présence insistante de métaphores filées à plusieurs pages d'intervalle, dédiées à la mer, et favorisant la représentation du passage en tunnel aquatique, en aquarium traversé par les sirènes, les algues, les phosphorescences, mais aussi d'images liées à la mort, qui transforment le tunnel vitré en cercueil de verre. La conjonction de ces deux grandes tendances de la vision et de l'imaginaire propage l'idée lancinante d'un monde ennoyé, d'une cité d'Ys envahie par les eaux.

Le rôle de la géographie parisienne

Le choix d'un microcosme architectural et humain situé au cœur de Paris ancre automatiquement *Le Paysan de Paris* dans une tradition littéraire dont les inspirateurs sont par exemple Honoré de Balzac (1799-1850), Gustave Flaubert (1821-1880) et surtout Émile Zola (1840-1902). Dans *Au Bonheur des dames* (1883), Émile Zola peint la transition souvent douloureuse qui eut lieu lorsque, à la fin du XIXe siècle, les petits commerçants parisiens durent fermer boutique devant le succès des « grands magasins », dont l'installation allait de pair avec la construction d'un Paris moderne et aéré, traversé par de grands boulevards et dont on avait confié l'architecture générale à Haussmann. Condamné par Aragon, qui reprend du reste les plaintes des commerçants du passage de l'Opéra, ce grand urbaniste, destructeur quant à lui de la poésie du monde ancien, sert de lien entre le roman zolien et *Le Paysan de Paris*. À bien des égards, Aragon reprend le point du vue de son illustre prédécesseur, en stigmatisant à la fois la rage du profit et la pusillanimité des commerçants. Mais ici, si la destruction programmée des passages parisiens sonne en effet le glas d'un monde littéraire, c'est au moment même où ils sont devenus les refuges d'un regard moderne. Aragon joue ici du pressentiment que les travaux haussmanniens, présentés comme un progrès de l'architecture urbaine, sont en réalité les dévorateurs des derniers vestiges du merveilleux, élaborant ainsi, à contre-courant, ou à rebours, un discours d'avant-garde. Mais il ne cherche pas à rejoindre tout de suite le caractère épique du Paris de Balzac ou le caractère social du Paris de Zola. Il privilégie le passage comme lieu devenu éphémère du bouleversement d'un monde, ce qui surdétermine le sens du mot « passage », qu'il faut entendre au sens propre comme au sens figuré : ce que nous décrit *Le Paysan de Paris*, ce n'est pas seulement le passage en tant que lieu où le regard se trouve modifiable, c'est le passage d'un monde à l'autre, c'est le lieu de la transformation et de la métamorphose, hostile à l'autre grande métamorphose du tracé des boulevards intérieurs qui symbolisent le passage d'un siècle à l'autre. La survivance temporaire du lieu implique donc l'urgence de l'écriture et de la célébration : « […] car c'est aujourd'hui seulement que la pioche les menace, qu'ils sont effectivement devenus les sanctuaires d'un culte de l'éphémère […] et que demain ne connaîtra jamais » (p. 51). Mais qu'on n'attende pas sur ce point une logique parfaite de la part d'Aragon, qui affirme à la page suivante aussi que l'évanouissement des mystères d'hier prépare ceux de demain. Le surréalisme joue assez librement, on le voit, avec le principe de non-contradiction.

Suivez le guide
L'organisation du « Passage de l'Opéra » repose sur le principe du parcours et de la visite guidée. Une fois passé le préambule sur les nou-

veaux lieux du culte du merveilleux, la description du « double tunnel » (p. 52) de la galerie marque le commencement d'une longue déambulation descriptive, dont on perçoit assez nettement les étapes : elles sont autant de pénétrations successives dans les secrets bien gardés du temple (« Si nous pénétrons dans la galerie du Thermomètre… », p. 52). Le « piéton de Paris » (titre d'un livre de Léon-Paul Fargue de 1939) combine alors un déplacement vers l'avant avec un regard qui balaye les hauteurs (« Ce *meublé*, au premier étage, est une maison de passe », p. 52). Ainsi pouvons-nous suivre les pas du Paysan devant la maison de passe, décrite de l'intérieur dans ses moindres détails, la librairie Rey (p. 55), l'immeuble n° 2 (p. 56), la « loge vitrée du concierge », la « devanture du marchand de cannes » (p. 58) et de là nous passons à la « boutique suivante », *Le Petit Grillon*, que nous visitons, et qui est l'occasion d'une mise en valeur de type journalistique des enjeux idéologiques du combat des commerçants contre les grands travaux haussmanniens. Dans ce cas, les « placards » de protestation occupent visuellement une partie de la page et viennent prendre la place des représentations descriptives antécédentes. Viennent ensuite le « marchand de timbres-poste » (p. 63), le « Théâtre Moderne » (p. 71), « deux coiffeurs » (p. 74), l'« Hôtel des Ventes » (p. 78), l'« imprimerie qui fait des cartes à la minute » (p. 83) et les « Bains » (p. 86). Tout devient ainsi parcours, arrêt, retour (« Je reviens sur mes pas », p. 85), arpentage systématique par un amoureux des lieux et des présences ondoyantes qui les traversent, quitte à se transformer souvent en journaliste du surréel.

Une écriture complexe

Écriture documentaire et journalistique

Dans *Le Paysan de Paris*, le surréalisme adopte les modes d'approche du réalisme pour créer une passerelle vers l'inaperçu, l'insolite ou le rêve. Aragon emprunte tout d'abord au réalisme documentaire : le style même du « Passage de l'Opéra » relève du genre qui fleurissait alors dans les journaux, représenté par Henri Béraud ou Albert Londres. C'est un aspect tout à fait passionnant du *Paysan de Paris*. Il renvoie le lecteur à certaines de ses habitudes «bourgeoises», qui consistent à trouver dans l'œuvre, au-delà du plaisir que l'on prend à lire, l'utilité scientifique d'une documentation directement donnée par un article de vulgarisation, la valeur intrinsèque d'un témoignage ou l'instruction diffusée par un roman fortement informé, à la manière aussi des récits de Jules Verne. À y regarder de près, le déplacement du locuteur dans le passage a certains traits du reporter et du journaliste en mission, à la fois dans la méthode (rigueur, précision du regard, sensibilité au détail révélateur, aux chiffres, exhaustivité, travail d'enquête) et dans le système énonciatif choisi, marqué par un présent qui fait coïncider le moment de la découverte avec le moment de l'énonciation, au prix d'effets stylistiques tout à fait remarquables de guide touristique. Dans le prolongement mi-sérieux mi-ironique de cette attitude aragonienne, qui joue avec les codes journalistiques, la voix du Paysan peut tout aussi bien emprunter les marques du discours scientiste, avec une allusion appuyée aux textes de Zola dans *Le Roman expérimental*, dont le titre ne convient qu'en partie au *Paysan de Paris* : roman, non ; expérimental, certainement. L'insertion dans le corps du texte de noms d'artistes ou de personnes contribue à rappeler l'ancrage de ce texte non seulement dans les souvenirs, mais aussi dans le présent de l'époque d'écriture (sa contemporanéité) : Breton, Noll, Tzara, Picabia... Ces références aux figures culturelles contrastent avec l'invention des noms utilisée dans *Anicet* et tend à faire du *Paysan de Paris*, outre un témoignage précieux sur l'état d'esprit des surréalistes parisiens, un document sur le Paris des années vingt, dont le principe culminera dans la pratique du collage, élément extrême d'une réalité convoquée au cœur du discours et de la voix du passeur des images, du sacré, du mythe et du merveilleux.

Dons d'observation et jeux d'optique

Un roman expérimental ? – Le passage de l'Opéra est un petit monde sous surveillance (p. 68) :

> Je quitte un peu mon microscope. On a beau dire, écrire l'œil à l'objectif même avec l'aide d'une chambre blanche fatigue véritablement la vue. Mes deux yeux, déshabitués de regarder ensemble, font

légèrement osciller leurs sensations pour s'apparier à nouveau. Un pas de vis derrière mon front se déroule à tâtons pour refaire le point [...]. J'ai peine, comme au matin un rêve effacé [...], à me remémorer le microcosme que j'éclairais tantôt de mes miroirs, que je faisais passer au petit diaphragme de l'attention.

Allégorie* étrange qui combine les attributs de la science et de la poésie, la figure du microscope est au cœur d'une toile optique plus vaste. L'introduction du regard pointilleux de la concierge (p. 56) est une marque caractéristique du système des focalisations dans le « passage » et plus généralement dans *Le Paysan de Paris* : autour d'une focale centrale, ou d'un point de vue unique, que l'on peut attribuer au locuteur initial, à qui on reproche son « don d'observation », apparaissent des figures-regards, des champs optiques attribués à des personnages secondaires, système qui installe le microcosme du passage dans un univers d'attentions visuelles croisées. Au fur et à mesure que se développe le texte, l'omniscience optique du locuteur tout comme sa capacité à pénétrer partout semblent recouvrir le principe de la déambulation et se présenter comme seules motivations d'un accès précis au réel. Trop lourdement chargée de l'influence de Zola, qui, dans *Le Roman expérimental,* s'inspire des modèles de la médecine expérimentale et utilise des métaphores visuelles très appuyées (la vitre transparente derrière laquelle se trouve le romancier pour scruter les comportements des individus dans tel groupe social), la posture de l'Observateur naturaliste vient très rapidement se concrétiser, sans doute de manière ironique ou parodique. Ainsi en est-il de la figure du scientifique penché sur son microscope, gigantesque médiateur optique conférant au locuteur-auteur la qualité du regard absolu, scientifique et total sur un monde de Lilliputiens hérité cette fois de Swift (*Les Voyages de Gulliver*).

Les instruments optiques – Par effet de suite ou de contamination, on rencontre souvent dans « Le Passage » comme dans « Le Sentiment de la nature aux Buttes-Chaumont » de curieux instruments d'optique qui semblent à la fois dire la dette d'Aragon à l'égard des anciennes théories du réalisme mais aussi souligner, par le jeu des déformations, des altérations, des confusions visuelles, en somme des erreurs des sens, la distance prise sur ce point avec l'héritage littéraire. Le point fixe de la focale du discours est elle-même concrétisée par une métaphore* photographique (p. 82) :

> [...] je les vois défiler comme si j'étais un de ces appareils de prises de vues au ralenti [...].

Plus loin, le vertige optique atteint une grande intensité, dans cette « zone étrange où tout est lapsus, lapsus de l'attention et de l'inattention, arrêtons-nous un peu pour éprouver ce vertige [...]. Deux univers se décolorent à leur point de rencontre [...] voilà quelqu'un qui traverse la rue, et l'espace autour de lui est solide, et il y a un piano sur le trottoir, et des voitures assises sous les cochers [...] ».

Incarnation de cette approche scientifique adaptée à la saisie de la surréalité, le « petit Kodak » (p. 115) dit bien la volonté du promeneur de capter l'instant d'une révélation et d'en rapporter les preuves. La plupart des médias optiques du *Paysan de Paris* basculent ainsi dans le domaine de la métaphore d'un regard qui capte une autre forme de réalité au moment indiscernable à un œil conventionnel qui ne serait pas équipé de lunettes surréalistes.

Faire apparaître un autre monde

Un paysan sociologue et ethnologue ?

Le ton a beau être souvent ironique ou parodique, nous n'en sommes pas moins devant un processus d'exploration du réel qui s'apparente à la sociologie et à l'ethnologie. Le microscope du grand observateur du Passage annonçait le travail d'accumulation d'un flâneur attentif aux comportements récurrents d'une peuplade définie par une série de métiers, de préjugés, d'habitudes. Ici encore, Aragon rejoint par la bande la conjonction du plaire et de l'instruire, ancestrale mission du roman. Les descriptions et la topologie (recensement des bâtiments, des façades, des lieux notables) ont ainsi souvent une fonction ethnologique qui introduit le lecteur à un univers quotidien revisité. La démarche n'est pas exempte de préjugés idéologiques. La description des commerces (*Le Petit Grillon*, par exemple, ou le Café Certa, les maisons de passe) met l'accent sur l'étonnant spectacle d'hommes et de femmes qui se regroupent en ces lieux pour des motivations obscures et dont profite le commerçant (« Qu'est-ce qui les attire ici ? », p. 61). De même, le combat des petits commerçants contre la destruction de leur passage est traitée simultanément comme un phénomène social légitime (c'est explicite au début du « Passage ») et un comportement ridicule qui se donne l'illusion de la révolte (p. 62) :

> Il s'agit d'une véritable guerre civile qui n'en est encore qu'aux chicanes légales et aux huées, [...] mais qui, si l'exaspération des victimes monte plus haut, tournerait aux barricades et aux coups de feu.

Le positionnement du locuteur reste ambigu : s'agit-il de pointer de petits mouvements révolutionnaires au cœur d'un Paris dévoré par une politique d'urbanisation capitaliste ou bien de tourner en dérision la démesure des revendications des petits commerçants ? La suite du texte donnerait plutôt raison à la seconde, en faisant du peuple des commerçants un petit peuple toujours prêt à s'autodévorer : « un consortium secret de tous les marchands du quartier qui escomptent du percement une recrudescence de passage » (p. 62). Mais la citation des noms des banques qui sont « à l'arrière-plan de leurs préoccupations comme la cervelle du monstre qui se prépare à les dévorer » (p. 62-63) les rangerait plutôt du côté des exploités.

Le culte de la femme

La « Préface » a déjà mis en place l'idée de la figure féminine comme point de départ et stimulateur d'une libération de l'esprit, comme manifestation du merveilleux, mais cela se fait d'abord sur le mode d'une reprise de la profession de foi de Don Juan (p. 37-38) :

> Au lieu de vous occuper de la conduite des hommes, regardez plutôt passer les femmes. Ce sont de grands morceaux de lueurs, des éclats qui ne sont point encore dépouillés de leurs fourrures, des mystères brillants et mobiles. Non je ne voudrais pas mourir sans avoir approché chacune, l'avoir au moins touchée de la main, l'avoir senti fléchir, qu'elle renonce sous cette pression à la résistance, et puis va-t'en !

Dans « Le Passage de l'Opéra », le choix est plus net : on chemine assez rapidement des « miroitements désirables » aux prostituées des maisons de passe. Entre les femmes de passage et les prostituées, toute une gamme de figures féminines en mouvement reviennent devant nous de manière cyclique. Il y a une part de provocation à choisir comme référent à la mythologie moderne la prostituée, vieille figure littéraire, présente chez Charles Baudelaire, Paul Verlaine, Arthur Rimbaud, Guy de Maupassant et chez Émile Zola, dont Aragon fait apparaître l'héroïne Nana comme allégorie* du temps (p. 77-78) :

> – Nana ! m'écriai-je, mais comme te voilà au goût du jour !
> – Je suis, dit-elle, le goût même du jour, et par moi tout respire [...].
> Tout ce qui vit de reflets, tout ce qui scintille, tout ce qui périt, à mes pas s'attache. Je suis Nana, l'idée de temps.

Mais c'est bien en tant que femme exposée, femme qui se manifeste, qui se montre, autrement dit comme spectacle et source de lumière qu'Aragon en fait un emblème. Toujours prête à surgir dans le passage, la figure de la prostituée renvoie aussi à une incarnation ambiguë du désir, à la fois reflet d'un mystère et détournement de l'amour. C'est pourquoi il serait excessif de lire dans l'évocation d'un désir infini et de ces lieux louches un éloge du donjuanisme et de la prostitution : le premier est fermement condamné lors des discussions du groupe surréaliste (en 1923-1924) parce qu'il est totalement incompatible avec « l'amour fou » et la seconde est rejetée pour les mêmes motifs. La prostitution, les lieux, les figures et les claires obscurités qui lui sont associés ne choquent le lecteur bourgeois que parce qu'il n'en voit pas la véritable dimension initiatique. Les maisons de passe, qui apparaissent au prétexte d'une description exhaustive du passage et de ses secrets, vont ainsi être décrites comme de véritables temples au seuil desquels le mélange du désir et de la honte tient lieu d'introduction au sentiment du sacré dans l'existence quotidienne et au franchissement d'un seuil. Les maisons de passe suggérées ou décrites dans « Le Passage de l'Opéra », parce qu'elles sont à la fois indiquées et voilées, mi-ouvertes et mi-fermées, tracent dans l'espace mental du visiteur ou du Paysan des limites qui s'apparentent à celles des espaces mystiques, qui jouent de l'articulation de l'intérieur et de l'extérieur, du profane et du sacré. Il s'agit de pointer dans l'esprit de l'homme et de la femme ce qui les relie mystérieusement au désir et ce qui dans ce lien relève d'une forme de métaphysique accessible à tous. S'il y a bien un aspect documentaire dans l'évocation ou la description des bordels parisiens, il s'agit donc moins d'une fascination pour le sordide des plaisirs bourgeois que d'une revendication de la volupté comme ce qui met en mouvement la poésie de l'être. Cela n'empêche pas toutes sortes de variations sur l'érotisme, du sordide au sublime.

Personnages, figures et allégories

On a bien du mal à dénicher dans *Le Paysan de Paris* quelque chose qui pourrait s'apparenter à la notion de personnage, notion très étroitement liée à l'univers de la fiction et du roman, genre avec lequel cette œuvre dialogue sans cesse, alors même qu'elle en fuit les principales caractéristiques. Or, *Le Paysan de Paris* ne peut absolument pas être intégré au genre de la fiction au sens où l'on entend traditionnellement ce terme, celui de fiction narrative ou romanesque. Premièrement, parce que nous ne sommes pas du tout dans les repères du récit de fiction, et encore moins dans le roman, sauf si l'on considère la quête générale qui anime le Paysan et le parcours qui est le sien. Deuxièmement, parce que l'idée de personnage achoppe sur l'idée qu'Aragon travaille à partir du matériau brut et très réel des habitants et commerçants du Passage. Enfin, parce que, s'il y a bien fiction dans *Le Paysan de Paris*, c'est comme élaboration poétique d'un univers de figures, c'est-à-dire d'incarnations humaines et très concrètes de concepts, de légendes, ou d'attitudes mentales. On peut constater très souvent la fragilité de la frontière dans cette œuvre, en particulier dans « Le Passage de l'Opéra », entre la figure et l'allégorie*, vers laquelle le lyrisme* toujours latent de la prose aragonienne nous entraîne à partir du réel. L'écriture aragonienne, dans le prolongement des déclarations et expérimentations d'André Breton, laisse la figure, l'allégorie et le symbole entrecroiser leurs réseaux par effet de contact, ce qui nous rapprocherait finalement plus des périodes baroques de la littérature (XVIe-XVIIe) que du mouvement symboliste, dont on doit cependant relever la marque indélébile dans *Le Paysan de Paris.* De même, ou en parallèle, le locuteur s'attribue les qualités de l'allégorie, du symbole ou du signe, phénomène qui commence sans doute en cet instant où il incarne le hasard pour culminer en ce passage où l'individu, s'arrachant la tête, efface son propre intellect pour s'épanouir en un pur « signe entre les constellations ». Cela dit, on aperçoit bien quelques « personnages » typiques du passage (la vendeuse de mouchoirs tenancière de maison close, la concierge, tel lecteur, le groupe des commerçants, la caissière du Théâtre Moderne…), dont on se demande s'il faut les considérer comme des créatures de papier, des êtres de fiction ou bien comme ce qu'on appelle, dans la vie courante, des « personnages », c'est-à-dire des personnalités folkloriques aux caractéristiques aisément identifiables.

Pour une lecture

Nous vous proposons d'étudier, sous forme d'un commentaire composé, les quelques pages où apparaît la « sirène » depuis « Un marchand de cannes sépare le café » (p. 57) jusqu'à « La clarté mourut avec le bruit de la mer » (p. 60).

Introduction

La description de l'hallucination visuelle devant la vitrine du marchand de cannes recèle une concentration d'effets littéraires et poétiques caractéristiques de l'atmosphère du « Passage ». À partir de repères bien réels, la vision soudaine apparue comme au cinéma dans l'écran de la vitrine fait passer l'observateur dans un univers mi-rêvé mi-vécu, habité par la femme, la mer et le mythe. Le moi s'en trouve à la fois exploré et bouleversé.

1 – L'effet spécial du fantastique

Volontairement ou non, l'écriture de ce passage renvoie assez nettement à une tradition de la littérature fantastique, telle qu'on peut la rencontrer chez Théophile Gautier (dans des nouvelles comme *Le Pied de momie* ou *La Cafetière*), chez Honoré de Balzac (*La Peau de chagrin*)

Dans le premier numéro de *La Révolution surréaliste*, une figure étrange : la sirène.

ou chez Hoffmann (les contes, par exemple *L'Homme au sable*). La présentation de la boutique comme lieu de sortilège emprunte aux célèbres prédécesseurs cette fascination pour les objets exposés, source d'un inventaire poétique (« roses d'ivoire, têtes de chien aux yeux lapidaires, demi-obscurité damasquinée de Tolède », p. 58) qui rappelle aussi certains poèmes en prose de Charles Baudelaire. Recensement hétéroclite qui commence à la manière d'un simple reportage, cette liste des pommeaux (affectionnés par Balzac comme par Breton) fait entrer une inquiétante étrangeté dans le texte (« niellés de petits feuillages sentimentaux, chats, femmes, becs crochus, matières innombrables du jonc tordu à la corne de rhinocéros », p. 58). C'est par l'hésitation intermittente de l'esprit (« je m'aperçus que... cela tenait de... cependant je devais m'avouer que... il ne semblait pas que... je m'aperçus qu'une forme nageuse... j'aurais cru... ») et l'erreur acceptée des sens (principalement l'ouïe et la vue) que cet assemblage ouvre une porte intérieure sur l'imaginaire, avec lequel lutte parfois la raison (« bien que des cannes après tout puissent avoir les propriétés éclairantes des habitants de la mer, il ne semblait pas qu'une explication physique pût rendre compte de cette clarté surnaturelle », p. 58-59), délibération très fréquente dans le récit fantastique traditionnel. L'animation des objets dans l'espace de la vitrine, le mouvement, l'apparition de la sirène, la convulsion finale et l'évanouissement de l'illusion n'ont rien d'original. Tout ceci fait en revanche écho à l'intérêt particulier des surréalistes (écrivains et peintres) pour le fonctionnement de l'imagination et pour les effets d'optique : l'hésitation sur la distance et la taille de la sirène comme la description typographique des cannes qui passent du X au V renvoient à un esprit qui veut suivre l'errance de ses sens et qui s'engage du même coup dans une autre dimension (p. 59) :

> Sa petitesse semblait plutôt ressortir de l'éloignement, et cependant l'apparition se mouvait tout juste derrière la vitre.

La sirène est par ailleurs porteuse d'une sensualité discrète (« Ses cheveux s'étaient défaits et ses doigts s'accrochaient par moments aux cannes », p. 59) dont l'« enchantement » submerge le contemplateur qui semble toucher un instant des yeux une incarnation métaphysique de l'« idéal » (p. 60). Ainsi l'héritage fantastique présent dans « Le Passage de l'Opéra » devient-il le vecteur d'une ascension à la fois intellectuelle et physique vers l'au-delà du rêve, seulement accessible à celui qui sait se placer en état de disponibilité.

2 – Si reine de l'imagination

L'apparition de la sirène s'inscrit comme image* dans la logique métaphorique du «Passage de l'Opéra», donné à plusieurs reprises comme un morceau noyé de la ville, un petit monde englouti par les eaux de l'imaginaire et de la mort, tout entier baigné dans une lumière marine. La découverte se fait d'abord par l'ouïe (« attiré par une sorte de bruit machinal et monotone », p. 58), puis par la vue (« une lumière verdâtre, en quelque manière sous-marine, dont la source restait invisible », p. 58), qui oriente vers l'univers aquatique, dont le champ lexical est aisément repérable au centre du passage et conduit progressivement l'imaginaire vers les profondeurs de l'océan (« phosphorescence des poissons », « Cotentin », « Port-Bail », « habitants de la mer », « varechs »). La transition vers la figure féminine se fait assez clairement sur la « voix de coquillages » qui tresse la ligne auditive du début avec celle des créatures sous-marines, suggérant peut-être aussi la figure de

Vénus, que le mythe grec représente sortant des eaux sur une vaste et lumineuse coquille.

Le jeu de mots sur «étoiles de cinéma» ne renvoie pas par hasard à l'univers cinématographique où les actrices phares s'appellent bien des «stars» et où l'image se construit dans la magie d'une autre vitrine. L'allure de cet «idéal» nageant parmi les formes phalliques des cannes qu'elle effleure incarne un subtil mélange d'érotisme et de poésie. L'érotisme est sensible dans le balancement des cannes comparées à des varechs, la «forme nageuse», la nudité, le «mouvement de ses lèvres» (p. 59). La poésie fait corps avec elle («il me semblait bien que ce charmant spectre nu jusqu'à la ceinture qu'elle portait fort basse se terminait par une robe d'acier ou d'écaille, ou peut-être de pétales de roses», p. 59). Allégorie* d'un rapport à la fois sensuel et métaphorique au monde, la sirène habite un monde de coquillages, de rumeurs et de vagues («Toute la mer dans le passage de l'Opéra», p. 59), à qui la mémoire de l'Enchanté prête le visage d'une prostituée qu'il a connue. Mais la trajectoire de l'image* se poursuit bien au-delà. La ville d'Ys apporte la mer, qui apporte la sirène, qui apporte la Lisel, la prostituée lyrique achevant peut-être le parcours associatif du côté de la Lorelei, mythe germanique suggéré par le chant des lèvres, la mention du Rhin, la lune et «l'ombre menaçante des falaises» (p. 60). C'est bien cette concentration d'images et d'émotions qui crée l'enchantement et le trouble d'un admirateur dépassé par sa propre création. Du reste, l'imagination ne rend pas sa proie, elle la conserve jalousement, et l'on devine que se livre derrière le hérissement des cannes un combat sans merci avec l'idéal. Le retour à la réalité sera brutal, après ce voyage à la fois sensuel et esthétique d'un Ulysse de passage.

3 – Persistance du moi

D'un bout à l'autre de cette scène, la permanence du moi est remarquable. Elle s'exprime tout d'abord à travers la persistance des marqueurs de la première personne et des verbes de perception qui lui sont souvent associés («je m'aperçus», «j'aurais cru», «il me semblait bien»). Mais la subjectivité du phénomène visuel ne se limite pas à cet effet de surface. À bien y regarder, la tension qui anime la scène semble provenir de l'attente inutile, au *Petit Grillon*, d'une «personne», que l'apparition de la sirène viendrait compenser. Renvoyé à lui-même et désinhibé par l'absorption d'une boisson énigmatique («la commande d'une consommation qui épuisait un peu chaque fois de ma puissance inventive», p. 58), le narrateur ne se quitte pourtant jamais tout à fait lors de l'expansion de la vitrine. L'ancrage personnel du prélude trouve un prolongement dans deux allusions d'apparence autobiographique. La première renvoie à un séjour dans le Cotentin («comme il m'a été donné de la constater lorsque j'étais encore enfant sur la jetée de Port-Bail», p. 58), la seconde à l'occupation de la Sarre par l'armée française à partir de 1918, à laquelle Aragon a véritablement participé. L'observation des poissons phosphorescents de Port-Bail, outre la référence qu'elle constitue à l'intérêt des surréalistes pour l'état d'émerveillement de l'enfance, rattache le fantastique à la mémoire autobiographique, non pour en limiter la portée mais bien pour souligner le dialogue de la mémoire et de l'imaginaire. Les théories de Sigmund Freud sur la combinaison, dans le rêve, du vécu et du désiré ne sont pas très éloignées de ce que ressent ici le Paysan qui arpente ses sentiers intérieurs. Le retour à l'enfance, qui s'accompagne du ballet des éléments aquatiques, et dont le parcours «régressif» se trouve aussi confirmé par la taille réduite de la sirène, s'efface devant le visage de la Lisel par la grâce d'un saut temporel que seule permet la mémoire associative. En transitant, à partir de la même chimère, des paysages phosphorescents et maritimes de l'enfance aux zones occupées de la Sarre, le narrateur passe aussi de l'admiration naïve d'une femme asexuée (tel est le paradoxe de la sirène) à la rencontre d'une prostituée allemande dans un décor guerrier où les cannes en V semblent figurer les chevaux de frise placés face à l'assaillant lors des guerres de tranchées (p. 60) :

> Ce fut comme si des piques brusquement avaient dérobé le spectacle d'une bataille.

Le doux souvenir se convulse en formes agressives et défensives et referme définitivement l'espace magique où se conjuguaient la perception libre, la mémoire, l'imaginaire et le mythe.

Conclusion

Dans le prolongement d'*Une vague de rêves* (1924), Aragon invite à une exploration du réel qui ne se limite pas à ce que l'œil peut voir conventionnellement (la vitrine d'une boutique) et qui s'étend aux parages étranges du rêve où l'image n'est pas un vain mot. Bien d'autres figures féminines (dont Nana, l'héroïne de Zola) traverseront le champ optique de l'Enchanté.

Texte en regard : extrait de *La Morte amoureuse* de Théophile Gautier

« Oh ! que Job a raison, et que celui-là est imprudent qui ne conclut pas un pacte avec ses yeux ! Je levai par hasard ma tête, que j'avais jusque-là tenue inclinée, et j'aperçus devant moi, si près que j'aurais pu la toucher, quoique en réalité elle fût à une assez grande distance et de l'autre côté de la balustrade, une jeune femme d'une beauté rare et vêtue avec une magnificence royale. Ce fut comme si des écailles me tombaient des prunelles. J'éprouvai la sensation d'un aveugle qui recouvrerait subitement la vue.

L'évêque, si rayonnant tout à l'heure, s'éteignit tout à coup, les cierges pâlirent sur leurs chandeliers d'or comme les étoiles au matin, et il se fit par toute l'église une complète obscurité. La charmante créature se détachait sur ce fond d'ombre comme une révélation angélique ; elle semblait éclairée d'elle-même et donner le jour plutôt que le recevoir.

Je baissai la paupière, bien résolu à ne plus la relever pour me soustraire à l'influence des objets extérieurs ; car la distraction m'envahissait de plus en plus, et je savais à peine ce que je faisais.

Une minute après, je rouvris les yeux, car à travers mes cils je la voyais étincelante des couleurs du prisme, et dans une pénombre pourprée comme lorsqu'on regarde le soleil.

Oh ! comme elle était belle ! Les plus grands peintres, lorsque, poursuivant dans le ciel la beauté idéale, ils ont rapporté sur la terre le divin portrait de la Madone, n'approchent même pas de cette fabuleuse réalité. Ni les vers du poète ni la palette du peintre n'en peuvent donner une idée. Elle était assez grande, avec une taille et un port de déesse ;

ses cheveux, d'un blond doux, se séparaient sur le haut de sa tête et coulaient sur ses tempes comme deux fleuves d'or; on aurait dit une reine avec son diadème; son front, d'une blancheur bleuâtre et transparente, s'étendait large et serein sur les arcs de deux cils presque bruns, singularité qui ajoutait encore à l'effet de prunelles vert de mer d'une vivacité et d'un éclat insoutenables. Quels yeux! avec un éclair ils décidaient de la destinée d'un homme; ils avaient une vie, une limpidité, une ardeur, une humidité brillante que je n'ai jamais vues à un œil humain; il s'en échappait des rayons pareils à des flèches et que je voyais distinctement aboutir à mon cœur. Je ne sais si la flamme qui les illuminait venait du ciel ou de l'enfer, mais à coup sûr elle venait de l'un ou de l'autre. Cette femme était un ange ou un démon, et peut-être tous les deux; elle ne sortait certainement pas du flanc d'Ève, la mère commune. Des dents du plus bel orient scintillaient dans son rouge sourire, et de petites fossettes se creusaient à chaque inflexion de sa bouche dans le satin rose de ses adorables joues.

Pour son nez, il était d'une finesse et d'une fierté toute royale, et décelait la plus noble origine. Des luisants d'agate jouaient sur la peau unie et lustrée de ses épaules à demi découvertes, et des rangs de grosses perles blondes, d'un ton presque semblable à son cou, lui descendaient sur la poitrine. De temps en temps elle redressait sa tête avec un mouvement onduleux de couleuvre ou de paon qui se rengorge, et imprimait un léger frisson à la haute fraise brodée à jour qui l'entourait comme un treillis d'argent.

Elle portait une robe de velours nacarat, et de ses larges manches doublées d'hermine sortaient des mains patriciennes d'une délicatesse infinie, aux doigts longs et potelés, et d'une si idéale transparence qu'ils laissaient passer le jour comme ceux de l'Aurore.

Tous ces détails me sont encore aussi présents que s'ils dataient d'hier, et, quoique je fusse dans un trouble extrême, rien ne m'échappait : la plus légère nuance, le petit point noir au coin du menton, l'imperceptible duvet aux commissures des lèvres, le velouté du front, l'ombre tremblante des cils sur les joues, je saisissais tout avec une lucidité étonnante.

À mesure que je la regardais, je sentais s'ouvrir dans moi des portes qui jusqu'alors avaient été fermées; des soupiraux obstrués se débouchaient dans tous les sens et laissaient entrevoir des perspectives inconnues; la vie m'apparaissait sous un aspect tout autre; je venais de naître à un nouvel ordre d'idées. 》》

à vous...

1 – Comparez l'apparition de la sirène dans la vitrine du marchand de cannes dans «Le passage de l'Opéra» à la scène que vous venez de lire, extraite de *La Morte amoureuse* de Théophile Gautier. Vous pourrez par exemple examiner :
les marqueurs de la perception (visuelle notamment);
les indicateurs d'une forme de vertige chez le narrateur;
l'organisation lexicale de la description, marquée par le souci du détail significatif.

2 – Recherchez dans *Le Paysan de Paris* l'apparition des instruments d'optique; analysez les effets d'écriture dont ils sont suivis.

3 – Retrouvez dans ce texte d'Émile Zola, extrait de *Nana* (1880), les éléments qui ont pu inspirer Aragon dans son évocation de Nana...

«Maintenant, la salle resplendissait. De hautes flammes de gaz allumaient le grand lustre de cristal d'un ruissellement de feux jaunes et roses, qui se brisaient du cintre au parterre en une pluie de clarté. Les velours grenat des sièges se moiraient de laque, tandis que les ors luisaient et que les ornements vert tendre en adoucissaient l'éclat, sous les peintures trop crues du plafond. Haussée, la rampe, dans une nappe brusque de lumière, incendiait le rideau, dont la lourde draperie de pourpre avait une richesse de palais fabuleux, jurant sur la pauvreté du cadre, ou des lézardes montraient le plâtre sous la dorure. Il faisait déjà chaud. À leurs pupitres, les musiciens accordaient leurs instruments, avec des trilles légers de flûte, des soupirs étouffés de cor, des voix chantantes de violon, qui s'envolaient au milieu du brouhaha grandissant des voix. [...] « Ça va mal, dit Mignon radieux à Steiner. Un joli attrapage, vous allez voir ! » À ce moment, les nuées, au fond, s'écartèrent, et Vénus parut. Nana, très grande, très forte pour ses dix-huit ans, dans sa tunique blanche de déesse, ses longs cheveux blonds simplement dénoués sur les épaules, descendit vers la rampe avec un aplomb tranquille, en riant au public. Et elle entama son grand air :

Lorsque Vénus rôde le soir...

Dès le second vers, on se regardait dans la salle. Était-ce une plaisanterie, quelque gageure de Bordenave ? Jamais on n'avait entendu une voix aussi fausse, menée avec moins de méthode. Son directeur la jugeait bien, elle chantait comme une seringue. Et elle ne savait même pas se tenir en scène, elle jetait les mains en avant, dans un balancement de tout son corps, qu'on trouva peu convenable et disgracieux. Des oh ! oh ! s'élevaient déjà du parterre et des petites places, on sifflotait, lorsqu'une voix de jeune coq en train de muer, aux fauteuils d'orchestre, lança avec conviction :

« Très chic ! » Toute la salle regarda. C'était le chérubin, l'échappé de collège, ses beaux yeux écarquillés, sa face blonde enflammée par la vue de Nana. Quand il vit le monde se tourner vers lui, il devint très rouge d'avoir ainsi parlé haut, sans le vouloir. Daguenet, son voisin, l'examinait avec un sourire, le public riait, comme désarmé et ne songeant plus à siffler ; tandis que les jeunes messieurs en gants blancs, empoignés eux aussi par le galbe de Nana, se pâmaient, applaudissaient.

« C'est ça, très bien ! bravo ! » Nana, cependant, en voyant rire la salle, s'était mise à rire. La gaieté redoubla. Elle était drôle tout de même, cette belle fille. Son rire lui creusait un amour de petit trou dans le menton. Elle attendait, pas gênée, familière, entrant tout de suite de plain-pied avec le public, ayant l'air de dire elle-même d'un clignement d'yeux qu'elle n'avait pas de talent pour deux liards ; mais que ça ne faisait rien, qu'elle avait autre chose. Et, après avoir adressé au chef d'orchestre un geste qui signifiait : « Allons-y, mon bonhomme ! », elle commença le second couplet :

À minuit, c'est Vénus qui passe...

C'était toujours la même voix vinaigrée, mais à présent elle grattait si bien le public au bon endroit, qu'elle lui tirait par moments un léger frisson. Nana avait gardé son rire, qui éclairait sa petite bouche rouge et luisait dans ses grands yeux, d'un bleu très clair. À certains vers un peu vifs, une friandise retroussait son nez dont les ailes roses battaient, pendant qu'une flamme passait sur ses joues. Elle continuait à se balancer, ne sachant faire que ça. Et on ne trouvait plus ça vilain du tout, au contraire ; les hommes braquaient leurs jumelles. Comme elle terminait le couplet, la voix lui manqua complètement, elle comprit qu'elle n'irait jamais au bout. Alors, sans s'inquiéter, elle donna un coup de hanche qui dessina une rondeur sous la mince tunique, tandis que, la taille pliée, la gorge renversée, elle tendait les bras. Des applaudissements éclatèrent. Tout de suite, elle s'était tournée, remontant, faisant voir sa nuque ou des cheveux roux mettaient comme une toison de bête ; et les applaudissements devinrent furieux. »

Entrons donc dans les Bains du Passage de l'Opéra avec un esprit positif. Et un petit Kodak. Il est contraire à la vraisemblance d'imaginer que ce local sert à autre chose qu'aux soins de l'hygiène. Il est peu fréquenté, mais honorablement. La boutique est entièrement occupée par le départ d'un grand escalier à rampe de bois brun qui s'enfonce dans le sous-sol. Au-dessus de l'escalier face au passage, il y a un magnifique tableau de fleurs, et sur le côté droit un portrait de femme du même peintre, de part et d'autre duquel on voit deux gravures romantiques, l'une, au fond, représentant un homme qui conduit trois chevaux, l'autre, vers la porte, Mazeppa poursuivi par les loups. Entre nous soit dit, les yeux des loups sont bien brillants et si l'on m'y poussait, j'apercevrais là quelque symbole. L'escalier après un palier imposant aboutit à un sous-sol constitué par deux grandes pièces, la première plus large, la seconde d'où part un long couloir dans la direction des boulevards, au-dessous du restaurant Saulnier. Sur la première comme sur la seconde pièce s'ouvrent quelques cabines de bains, qui semblent les plus luxueuses, avec canapé et table de toilette. Un grand nombre de placards complètent le décor. Ce lieu, tout en portes et en boiseries, qui ne prend le jour que par le plafond de verre dépoli, est assez poussiéreux et solennel. Médiocrement éclairé, il me porterait à la rêverie si je n'avais pris de sages résolutions. C'est sans commentaires que je signalerai ce fait que toutes les cabines du côté droit du couloir ont, à l'opposé de ce couloir, une porte qui ne ferme que de l'intérieur, donnant sur une seule immense salle où dorment divers appareils à douches, et que par conséquent si... mettons deux clients quittaient leur baignoire pour aller prendre le frais dans ce foyer d'ombre, ils se rencontreraient sans que personne en sût rien. Il n'y a là rien de plus mystérieux que les bizarres petits volets qui font communiquer au-dessus des baignoires deux cabines voisines dans beaucoup d'établissements parisiens (rue Fontaine, rue Cardinet, rue Cambacérès, etc.). Il n'est pas dit que l'architecte ait prévu l'usage qu'on devait faire de son œuvre : est-ce que l'ingénieur qui dressa les plans du pont de Solférino pouvait se douter des débauches que ses arches abriteraient un jour ? Il n'y a aucune perversité au cœur ingénu des architectes.

D'ailleurs, ce sous-sol, je vois à quoi il sert au vrai : c'est un laboratoire de calorimétrie. Le garçon et la bonne, couple de physiciens distingués déguisés, trempent les sujets bénévoles dans leurs calorimètres et se livrent à des calculs intrigants sur la dégradation de l'énergie. Ils espèrent prendre un beau jour en défaut le principe de Carnot. En attendant, lui baye, elle, lit des romans policiers.

LOUIS !

Je sors, je sors : qui est-ce qui m'appelle ? Au dehors le va-et-vient se poursuit. Personne de ma connaissance... ah si : le désir de voir mon prénom, si peu employé dans mon entourage, imprimé en capitales de quelque importance. Devant moi s'étend un grand espace désertique, une espèce de prairie reposante, ma parole c'est le restaurant Saulnier. Il va, rez-de-chaussée et entresol, des Bains au couloir transversal qui débouche en face de la porte du meublé. Une bénédiction du ciel, ce restaurant : je n'ai absolument rien à en dire, y ayant cent fois dîné. C'est ici que les grandes querelles du mouvement Dada, vous savez le mouvement Dada? faisaient relativement trêve, pour permettre aux combattants qui, depuis deux heures, défendaient leur réputation chez Certa de trouver dans une assiette anglaise un témoignage de haute moralité, de *haute couture* comme dit l'Antiphilosophe d'entre eux. Il y avait alors un tribunal de Salut Dada et rien ne faisait prévoir qu'à la Terreur succéderait un jour le Directoire, avec ses jeux, ses incroyables et ses robes fendues. Ce sont de petites gens qui se nourrissent ici. Par où entrent-ils, par où s'en vont-ils : une flèche ou une main indique à chacun sa destinée. Bonne chance, mes enfants.

Prenant le jour par trois côtés : sur la galerie du Thermomètre, sur le petit couloir que je dis, sur le boulevard des Italiens, un café Biard fait vis-à-vis à la librairie Rey. Salle du comptoir, arrière-salle, avec vos portes multiples, vos vitres qui regrettent toujours le café à deux sous, l'Américain à quatre des époques disparues, avec vos piliers et vos miroirs, vous constituez un joli palais de reflets qui ressemble à tout ce que nous savons, rêveurs d'Europe, de l'Amérique lointaine et de ses sanglantes épopées. Vous êtes le décor du crime qui se cache, de l'attentat projeté, de la poursuite et du traquenard. C'est dans vos perspectives rompues que se dénouera tout le ridicule d'une vie, le grand secret de ces inadaptés lyriques qui font nerveusement rire la bourgeoisie dans l'ombre. Et l'amour : l'amour dans ce café, quelle aise étrange il y prendrait ! dans ce café où tout est ménagé pour les regards. Faux jour complice des exaltations véritables : dans ce local aventureux, encore un conflit de lumières. Oh Dieu de l'enfer, pourquoi les grues désœuvrées caressent-elles ainsi chantonnant le marbre fêlé des tables ?

*

La Galerie du Baromètre, comme une taupinière au milieu du terreau rejeté, débouche sur le boulevard des Italiens au pied de l'étalage de la Librairie Flammarion, à quelque distance de la terrasse de la Taverne Pousset. Un bonnisseur s'y tient perpétuellement frappant de la canne une affiche du Théâtre Moderne ; des bouffées de shimmy se mêlent à son discours, attirant les regards vers le marchand de musique qu'on aperçoit à gauche, tout tapissé d'éditions Salabert. Les badauds aiment à s'arrêter ici, partagés entre les paroles de ce monsieur élégant et ennuyé qui promet monts et merveilles pour le second acte, et cette boutique où l'on voit une femme blonde amorcer au piano la mode et ses chansons.

Qu'il plaît à l'homme de se tenir sur le pas des portes de l'imagination ! Ce prisonnier voudrait tant s'évader encore, il hésite au seuil des possibilités, il a peur de connaître déjà ce chemin de ronde qui revient à sa casemate. On lui a enseigné le mécanisme de l'enchaînement des idées, et le malheureux a cru ses idées enchaînées. De sa raison, de son délire, il se donne des raisons délirantes. Il a médité le sophisme de Kant : *Si le cinabre était tantôt rouge, tantôt noir, tantôt léger, tantôt lourd ; si un homme se transformait tantôt en un animal tantôt en un autre ; si dans un long jour la terre était couverte tantôt de fruits, tantôt de glace et de neige, mon imagination empirique ne trouverait pas l'occasion de recevoir dans la pensée le lourd cinabre avec la représentation de la couleur rouge ; ou si un certain mot était attribué tantôt à une chose tantôt à une autre, ou encore si la même chose était appelée tantôt d'un nom et tantôt d'un autre, sans qu'il y eût aucune règle à laquelle les phénomènes fussent déjà soumis par eux-mêmes, aucune synthèse empirique de l'imagination ne pourrait avoir lieu.* Et l'homme doute, car il n'aime pas les pétitions de principes, et il voit où le petit Emmanuel veut en venir avec ses mots enchantés, et il voit le défaut de cette démarche intellectuelle et il se dit qu'on veut le duper avec les femmes nues du harem au second acte promis, avec cette musique sentimentale et vulgaire, et la dame après tout, ses beaux cheveux sont teints. Moustique, va ! Tu prends les marécages pour la terre ferme. Tu ne t'enliseras donc jamais ! C'est que tu ne connais pas la force infinie de l'irréel. Ton imagination, mon cher, vaut mieux que tu ne l'imagines.

L'HOMME CONVERSE
AVEC SES FACULTÉS
Saynète

LA SENSIBILITÉ, *à l'homme*. – Ta figure est bien rembrunie aujourd'hui, aurais-tu donc fait quelque mauvaise rencontre dans la vallée ? ou bien serait-ce un malin ourson qui t'aurait donné rendez-vous pour ce soir ?

LA VOLONTÉ, *se levant d'une bouteille de champagne.* – Plus souvent qu'il ira ce soir à la montagne *(d'un air résolu)* : s'il y va, j'y vais avec lui.

L'INTELLIGENCE, *se redressant tout à coup.* – Et moi donc ? J'irai de même, tu sais bien que je reste avec le troupeau pendant que l'homme fait la chasse aux isards ou aux ours.

L'HOMME, *souriant d'un air mélancolique.* – Allons, pour cesser ce débat, je ne sortirai pas de la journée. La connaissance, pauvre affligée ! depuis que je ne l'aime plus, n'a pas quitté sa couche, et peut-être aurait-elle encore cessé de vivre sans les soins et les ordonnances de ce brave et digne médecin étranger qui habite la maison isolée.

LA SENSIBILITÉ. – Oui, cette maison sur la hauteur, qui est bâtie avec les lettres d'une phrase ancienne, trop longue pour ma mémoire.

L'INTELLIGENCE. – «Ne sais-tu pas ce qui arrive aux amants quand ils voient une lyre, un habit ou quelque autre objet dont leurs amours ont coutume de se servir ? C'est qu'en reconnaissant cette lyre ils se remettent dans la pensée l'image de la personne à qui elle a appartenu… comme en voyant Simmias on se rappelle Cébès.»

LA SENSIBILITÉ. – C'est précisément cela.

LA VOLONTÉ. – Je ne l'aime pas, ton médecin ; chaque fois qu'il vient ici, il me fait peur.

L'INTELLIGENCE. – Pourquoi aussi ses grandes moustaches,

son bonnet à poils, sa figure maigre et peu aimable, et sa grande redingote fourrée? Je n'ai vu personne vêtu de la sorte.

L'HOMME. – C'est un étranger.

LA VOLONTÉ. – Je me méfie des étrangers, moi. On dit comme ça qu'ils mangent ou emportent les enfants.

LA SENSIBILITÉ. – Imbécile! Et tous ceux qui prennent l'homme pour guide, sous les cascades, sur les glaciers, le long des torrents : l'Amour, le Mensonge, le Rêve, quelqu'un de ces beaux étrangers masqués et richement vêtus a-t-il jamais mangé ou emporté son guide?

LA VOLONTÉ. – Oh, ce n'est pas la même chose! Ceux-là, on connaît leur pays. Mais le monsieur est un étranger d'autre sorte : L'IMAGINATION, ce n'est pas un nom chrétien, cela?

L'HOMME. – Ce n'est pas le nom qui vous inquiète. Ce nouvel habitant ne nous fait que du bien; et quand le bien arrive, à quoi rime d'en rechercher la provenance?

LA SENSIBILITÉ. – Nous ignorons sa profession, c'est vrai mais pourtant depuis que la connaissance est malade, c'est lui qui en a soin, fournit toutes les drogues, et il n'a rien encore demandé.

L'INTELLIGENCE. – Cette malice! Il attend que l'Homme ait tué un bon ours pour donner son mémoire.

LA VOLONTÉ. – Il sera joli, son mémoire, va! Il nous effraiera autant que sa figure, et puis il dit encore qu'il n'aime pas les petits garçons, que ça babille trop ; et ensuite qu'il n'est content que lorsqu'il se trouve seul.

L'HOMME. – Médisance, médisance. L'imagination est un excellent monsieur, bienfaisant et humain.

LA SENSIBILITÉ. – En es-tu sûr, cet étranger est arrivé de la vallée, un soir d'orage, personne ne le connaissait.

LA VOLONTÉ. – Oui, il est tombé chez nous comme un cerf-volant perdu.

L'HOMME. – Bavardage inutile.

L'INTELLIGENCE. – J'en ai entendu bien d'autres moi !

L'HOMME. – Voyons.

L'INTELLIGENCE. – Ce Monsieur…

LA SENSIBILITÉ. – Est un grand criminel, peut-être, qui s'est réfugié dans notre vallée pour se mieux cacher.

L'HOMME. – Un criminel ! Voilà, mais qu'est-ce qu'un criminel ? Que penses-tu de l'éclair, ô ma chère sensibilité, que penses-tu de cette fleur sauvage et brillante que les montagnes mettent parfois dans leurs cheveux ? L'éclair est-il un criminel, ou une divinité bienfaisante, et dis-moi encore, toi l'intelligence, ce que tu penses de l'imagination.

L'INTELLIGENCE. – Je n'aime pas l'incertitude.

À ce moment apparaît L'IMAGINATION, *tel que l'intelligence l'a décrite : c'est un vieillard grand et maigre, avec des moustaches à la Habsbourg, une longue redingote fourrée, et un bonnet à poils ; sa figure est animée de tics nerveux ; quand il parle, il fait le geste de saisir le parement imaginaire d'un interlocuteur invisible ; il tient sous son bras* Au 125, Boulevard Saint-Germain, *par Benjamin Péret. Une seule chose paraît vraiment bizarre en lui : c'est qu'il marche avec un patin à roulettes au pied gauche, le droit posant directement à terre. Il s'avance vers l'homme et lui dit :*

DISCOURS DE L'IMAGINATION

À la guerre comme à la guerre : vous tous avec votre façon de faire contre fortune bon cœur, vous aviez compté sans moi. D'une illusion à l'autre, vous retombez sans cesse à la merci de l'illusion Réalité. Je vous ai tout donné pourtant : la couleur bleue du ciel, les Pyramides, les automobiles. Qu'avez-vous à désespérer de ma lanterne magique ? Je vous réserve une infinité de surprises infinies. Le pouvoir de l'esprit, je l'ai dit en 1819 aux étudiants d'Allemagne, on en peut tout attendre. Voyez comme déjà de pures créations chimériques vous ont rendus maîtres de vous-mêmes. J'ai inventé la mémoire, l'écriture, le calcul infinitésimal.

Il y a encore des découvertes premières qu'on n'a pas soupçonnées, qui feront l'homme différent de son image comme la parole le distingue à sa grande ivresse des créatures muettes qui l'entourent. Que marmonnez-vous ainsi? Il ne s'agit pas de progrès : je ne suis qu'un marchand de coco, et ma neige à moi, votre manne, du souvenir à la méthode expérimentale, reconnaissez la griserie en elle du mirage. Tout relève de l'imagination et de l'imagination tout révèle. Il paraît que le téléphone est *utile* : n'en croyez rien, voyez plutôt l'homme à ses écouteurs se convulsant, qui crie *Allô!* Qu'est-il, qu'un toxicomane du son, ivre-mort de l'espace vaincu et de la voix transmise? Mes poisons sont les vôtres : voici l'amour, la force, la vitesse. Voulez-vous des douleurs, la mort ou des chansons?

Aujourd'hui je vous apporte un stupéfiant venu des limites de la conscience, des frontières de l'abîme. Qu'avez-vous cherché jusqu'ici dans les drogues sinon un sentiment de puissance, une mégalomanie menteuse et le libre exercice de vos facultés dans le vide? Le produit que j'ai l'honneur de vous présenter procure tout cela, procure aussi d'immenses avantages inespérés, dépasse vos désirs, les suscite, vous fait accéder à des désirs nouveaux, insensés; n'en doutez pas, ce sont les ennemis de l'ordre qui mettent en circulation ce philtre d'absolu. Ils le passent secrètement sous les yeux des gardiens, sous la forme de livres, de poèmes. Le prétexte anodin de la littérature leur permet de vous donner à un prix défiant toute concurrence ce ferment mortel duquel il est grand temps de généraliser l'usage. C'est le génie en bouteille, la poésie en barre. Achetez, achetez la damnation de votre âme, vous allez enfin vous perdre, voici la machine à chavirer l'esprit. J'annonce au monde ce fait divers de première grandeur :

un nouveau vice vient de naître, un vertige de plus est donné à l'homme : le *Surréalisme*, fils de la frénésie et de l'ombre. Entrez entrez, c'est ici que commencent les royaumes de l'instantané.

Les dormeurs éveillés des mille et une nuits, les miraculés et les convulsionnaires, que leur envieriez-vous, haschischins modernes, quand vous évoquerez sans instrument la gamme jusqu'ici incomplète de leurs plaisirs émerveillés, quand vous vous assurerez sur le monde un tel pouvoir visionnaire, de l'invention à la matérialisation glauque des clartés glissantes de l'éveil, que ni la raison ni l'instinct de conservation, malgré leurs belles mains blanches, ne sauront vous retenir d'en user sans mesure, envoûtés par vous-mêmes jusqu'à ce que, fichant en guise d'épingle une si belle image au croisillon mortel de votre cœur, vous deveniez enfin pareils à l'homme qu'une seule femme à tout jamais fixa et qui n'est plus qu'un papillon cloué à ce liège adorable ? Le vice appelé *Surréalisme* est l'emploi déréglé et passionnel du stupéfiant *image*, ou plutôt de la provocation sans contrôle de l'image pour elle-même et pour ce qu'elle entraîne dans le domaine de la représentation de perturbations imprévisibles et de métamorphoses : car chaque image à chaque coup vous force à réviser tout l'Univers. Et il y a pour chaque homme une image à trouver qui anéantit tout l'Univers. Vous qui entrevoyez les lueurs orange de ce gouffre, hâtez-vous, approchez vos lèvres de cette coupe fraîche et brûlante. Bientôt, demain, l'obscur désir de sécurité qui unit entre eux les hommes leur dictera des lois sauvages, prohibitrices. Les propagateurs de surréalisme seront roués et pendus, les buveurs d'images seront enfermés dans des chambres de miroirs. Alors les surréalistes persécutés trafiqueront à l'abri de cafés chantants leurs contagions d'images. À des attitudes, à des réflexes, à de soudaines trahisons de la nervosité, la police suspectera de surréalisme des consommateurs surveillés. Je vois d'ici ses agents provocateurs, leurs ruses, leurs souricières. Le droit des individus à disposer d'eux-mêmes une fois de plus sera restreint et contesté. Le danger public sera invoqué, l'intérêt général, la conservation de l'humanité tout entière. Une grande indignation saisira les personnes honnêtes contre cette activité indéfendable, cette anarchie épidémique qui tend à arracher chacun au sort commun pour lui créer un paradis individuel, ce détournement des pensées qu'on ne tardera pas à nommer le malthusianisme intellectuel. Ravages splendides : le principe d'utilité deviendra étranger à tous ceux qui pratiqueront ce vice supérieur. L'esprit enfin pour eux cessera d'être appliqué. Ils verront reculer ses limites, ils feront partager cet enivrement à tout ce que la terre compte d'ardent et d'insatisfait. Les jeunes gens s'adonneront éperdument à ce jeu sérieux et stérile. Il dénaturera leur vie. Les Facultés seront désertes. On fermera les laboratoires. Il n'y aura plus d'armée possible, plus de famille, plus de métiers. Alors, devant cette désaffection croissante de la vie sociale, une grande conjuration se formera, de toutes les forces dogmatiques et réalistes du monde, contre le fantôme des illusions. Elles vaincront, ces puissances coalisées du pourquoi pas et du vivre quand même. Ce sera la dernière croisade de l'esprit. Pour cette bataille perdue d'avance, je vous engage donc aujourd'hui, cœurs aventureux et graves, peu soucieux de la victoire, qui cherchez dans la nuit un abîme où vous jeter. Allons, le rôle est ouvert. Passez au guichet que voici.

Ce que l'imagination désigne ainsi d'un index translucide, c'est la petite baraque en bois où l'on délivre des places pour le Théâtre Moderne. Elle est accotée à une palissade grise, qui prend à l'heure du couchant des tons de grive, dans laquelle s'ouvre une porte de la Librairie Flammarion. Une caissière à chaque fois que vous traversez son champ optique psalmodie derrière son guichet le prix des fauteuils et la nature des attraits de sa maison, desquels trois ou quatre photographies accrochées à la cabane donnent une idée simple et suffisante. Ce sein, ces jambes résument clairement l'intention des auteurs, comme aux portes des cinémas les images avec revolver braqué, barque emportée par les torrents, cow-boy pendu par les pieds. Et c'est pour rien :

THÉÂTRE MODERNE

PRIX DES PLACES

Loges et **Avant-Scène.**	30 fr.	»
Fauteuils { Avancés..	25 fr.	»
Réservés.	20 fr.	»
1ʳᵉ Série ..	15 fr. 50
2ᵉ — ..	11 fr. 50
3ᵉ — ..	9 fr.	»

Stalles.. 5 fr. 75

*Tous droits
et taxes compris*

Au-delà de la palissade, jusqu'au corridor traversier, s'étend l'Hôtel de Monte-Carlo, qui dépasse ces limites aux étages, et qui franchit même transversalement la galerie à l'entrée du passage, évoquant invinciblement pour moi à ce niveau l'image du Pont des Soupirs, tel que je le connais d'après les cartes postales. Au rez-de-chaussée, l'Hôtel de Monte-Carlo laisse apercevoir par une façade vitrée à petits carreaux Louis XVI, aux barreaux blancs, un grand hall large et bas, tout à fait mélancolique, où se morfondent sous un lustre de cristal à pendeloques des plantes vertes et des voyageurs. Ceux-ci dans les fauteuils de paille lisent les journaux exotiques qu'on ne trouve à Paris que sur les boulevards. Monde cosmopolite assez particulier et particulièrement calme, souvent pittoresque, et presque toujours fatigué. Ces joueurs lassés n'échouent ici qu'après de belles expériences, mais qu'ils ont usé le globe avec leurs pas traînards ! Certains s'asseyent dans la galerie comme à une terrasse. Ils ont l'air d'attendre. Quoi ? Ce bonheur désiré n'arrivera jamais. Vous pouvez partir.

En face de l'hôtel, la loge du gardien du passage surveille une sorte de petit défilé par lequel on a accès sur une courette. À côté de la loge avec ses charmants rideaux au crochet, nous allons pouvoir faire une petite halte : c'est le cireur, cela ne coûte que douze sous et nous sortirons de là avec des soleils au pied. Ce sont, comme on dit, de bien belles boutiques modernes que les cireurs. Quel esprit décoratif dans les boîtes de brillant, malgré leur américanisme, et le peu d'ingéniosité apporté dans leur étalage. Et puis les cireurs voyez-vous, quels gens exquis ! Toute la politesse du monde, une façon de vous faire attendre un temps infini, tandis qu'ils frottent inexplicablement des souliers déjà aveuglants de reflets, emportés sans doute par la passion de leur art. Art mineur je le concède, mais art art art. On peut sans doute regretter l'étrange absence de toute métaphysique dans l'art du cireur. Peut-être serait-il moins contestable s'il tenait un peu mieux compte des récentes acquisitions de l'esprit. On peut regretter aussi que dans une civilisation comme la nôtre les cireurs n'aient guère fait que des progrès techniques sur leurs prédécesseurs romantiques. C'est plutôt dans le décor de leurs boutiques qu'ils ont jusqu'ici exercé leurs facultés inventives. La grande découverte dans ce domaine fut celle des fauteuils surélevés, desquels on dit que l'idée vint à un cireur new-yorkais, ou suivant d'autres auteurs à un cireur italien, qui avait débuté tout jeune dans les bars et médité sur la commodité des hauts tabourets de comptoir pour l'exercice de sa profession. Ces estrades au pied desquelles l'artiste cireur volontairement s'humilie sont extrêmement propres à la rêverie. Si les savants se faisaient cirer les souliers, quelles magnifiques machines, quelles conceptions grandioses de l'univers sortiraient des bras des fauteuils des cireurs ! Mais voilà bien le malheur : les savants gardent des chaussures sales, et des ongles douteux. Ce ne sont donc pas des savants, ces passagers d'un navire immobile, ces promeneurs qui viennent ici se dépouiller de la boue et de la poussière pour accéder à la méditation, et qui sans doute ont le cœur tout occupé d'un grand amour. Des poètes ? qui sait, des officiers en retraite, des escrocs, des boursiers, des courtiers, des placiers, des chanteurs, des danseurs, des déments précoces, des persécutés, jamais de prêtres, mais des cœurs élégiaques, des camelots millionnaires, des espions, des conspirateurs, des politiciens pervertis par les conseils d'administration, des policiers en bourgeois, des garçons de café à leur jour de sortie, des journalistes et des protestants, des étrangers, des assassins, des employés au ministère des Colonies, des maquereaux, des book-makers et des fantômes. Si j'étais fantôme, c'est ici que je reviendrais. Je donnerais mes souliers à reluire, et spectralement je me tiendrais dans un de ces trônes de hasard comme une statue de la Hantise. Le Commandeur tel que je l'imagine, c'est chez un cireur qu'il vient s'asseoir à côté de Don Juan. Celui-ci se perdait déjà dans les chimères. Il fumait. Aujourd'hui Don Juan fume. Il se préparait à une nouvelle aventure. Il lui fallait des souliers propres. C'étaient de jolis souliers à piqûres. Piqûres à fond crème sur des cuirs noir et brun, coupés de cuir blanc. Arlequin de pied. Avec des semelles de crêpe, et des talons de caoutchouc lamellé. Souliers pour l'adultère et la plage. Une sorte de verrou de sûreté des pas, garanti silencieux. Don Juan a pris le goût de ces chaussures caramel et chantilly à la vue d'un film de Los Angeles. Il a fait tout Paris pour en trouver, et enfin c'est à un laissés-pour-compte du quartier Saint-Georges qu'il a déniché cette paire qu'un nègre avait commandée dans un moment de splendeur avant que l'huissier, la cocaïne et la nonchalance le forçassent à s'en passer. Il n'y pense guère, Don Juan, et le nègre est à cent lieues de là, dans un dancing de province, entre une chaise cannée et un buvard réclame Tommysette, Don Juan somnole et se berce, les pieds à vau-l'eau du cirage. Don Juan s'abandonne et s'égare dans un dessin rose de chemise à trou-trou. Il entend négligemment la conversation du cireur avec son voisin. C'est la quatrième fois du jour que ce client revient, cinq fois en tout. Il explique que la rue Grange-Batelière est particulièrement poussiéreuse, qu'on se salit terriblement dans la rue Réaumur. Encore un fou, mais je connais pourtant cette voix. Levant la tête, Don Juan reconnaît le Commandeur. Ô destin, destin maniaque, te voilà donc tout près de moi. Le Commandeur est décoré du Christ de Portugal, ça singe la Légion d'honneur. Mon cher Seigneur, j'avais hésité entre ce cireur, celui du 12 du même passage (Rue Chauchat), et celui du passage Verdeau : au reste c'est la même maison, Brondex. Enfin je suis entré ici et vous voilà : je ne m'étais donc pas trompé. Vous permettez que l'on me cire ? J'ai rendez-vous, et le dessus de lit est formé par des motifs de filet représentant les saisons et les travaux d'Hercule, incrustés dans la broderie anglaise en encorbellements. Voyez-vous que la précipitation y vienne poser des souliers maculés ? « Veuillez, dit le Commandeur, votre cigarette s'éteint, accepter de moi ce cigare. » Moment précieux, Don Juan prend le cigare que lui tend le spectre. Ce spectacle ne peut se supporter, je quitte le cireur pour le marchand de timbres-poste.

Ô philatélie, philatélie : tu es une bien étrange déesse, une fée un peu folle, et c'est toi qui prends par la main l'enfant qui sort de la forêt enchantée où se sont finalement endormis côte à côte le Petit Poucet, l'Oiseau Bleu, le Chaperon Rouge et le Loup, c'est toi qui illustres alors Jules Verne et qui transportes par-delà les mers avec tes papillons de couleur les cœurs les moins préparés au voyage. Que ceux qui comme moi se sont fait une idée du Soudan devant un petit rectangle bordé de carmin où chemine sur fond bistre un blanc burnous monté sur un méhari, que ceux qui furent familiers de l'empereur du Brésil prisonnier de son cadre ovale, des girafes du Nyassaland, des cygnes australiens, de Christophe Colomb découvrant l'Amérique en violet, à demi-mot me comprennent ! Mais ce ne sont plus ces collections de prix divers que nous avons connues, qui ornent de reflets fatigants tout l'étal de la boutique où nous voici. Édouard VII a déjà l'air d'un monarque ancien. De grandes aventures ont bouleversé nos compagnons d'enfance, les timbres, que mille liens de mystère attachent à l'histoire universelle. Voici les nouveaux venus qui tiennent compte d'une récente et incompréhensible répartition du globe. Voilà les timbres des défaites, les timbres des révolutions. Oblitérés, neufs, que m'importe ! Je ne comprendrai jamais rien à toute cette histoire et géographie. Surcharges, surtaxes, vos noires énigmes m'épouvantent : elles me dérobent un souverain inconnu, un massacre, des incendies de palais, et la chanson d'une foule qui marche vers un trône avec ses pancartes et ses revendications.

Il n'y a pas de surprise, le prix est sur la porte, au-dessus de la porte dans la lanterne bleue et blanche qui s'éclaire le soir. Je veux parler librement des cabinets qui séparent Certa de la boutique de timbres. Je ne sais quelle défaveur primaire est jetée sur ces établissements. Cela suppose de la part des hommes des représentations vulgaires et bien peu de force nostalgique. De la galerie regardez pourtant le lavabo entrouvert où cette femme charmante se farde, et comprenez ce qu'est ce lieu, où la beauté se recompose après une crise naturelle, et l'accomplissement d'un besoin qui a sa grandeur. La toilette, ses détails infinis, j'en ai toujours chéri le spectacle. Jadis, dans un grand café où j'avais des habitudes quotidiennes, le prétexte de vagues études médicales auxquelles je me suis, enfant, laissé aller, et quelques relations recommandables, m'avaient donné le privilège de séjourner dans le lavabo des dames, et j'aimais y rester, oisif et complaisant pour l'une et l'autre, à surprendre ces transformations adorables des femmes que leur nature vient d'un peu défaire, et que leur art restitue à la séduction. Les variations infinies de leur maintien, leurs manières bouleversantes de se comporter, leurs pudeurs et leurs impudeurs, jusqu'à la grossièreté qu'elles se croyaient alors permise, leur dignité parfois, leur majesté même, je ne me lassais pas de me tenir dans ce lieu de transition où se dénouait l'esprit de la luxure. Il naissait une curieuse ardeur de la diversité des attitudes. Souvent les voyageuses de ce train fuyard s'y prenaient d'un goût mutuel, et cela rapprochait des mains ou des lèvres. Geste de la bouche qui se tend au fard, nuage de poudre, et vous lilas factices qui vous épanouissez devant moi sous les yeux.

Voici que j'atteins le seuil de Certa, café célèbre duquel je n'ai pas fini de parler. Une devise m'y accueille sur la porte au-dessus d'un pavois qui groupe des drapeaux :

« AMON NOS AUTES »

C'est ce lieu où vers la fin de 1919, un après-midi, André Breton et moi décidâmes de réunir désormais nos amis, par haine de Montparnasse et de Montmartre, par goût aussi de l'équivoque des passages, et séduits sans doute par un décor inaccoutumé qui devait nous devenir si familier ; c'est ce lieu qui fut le siège principal des assises de Dada, que cette redoutable association complotât l'une de ces manifestations dérisoires et légendaires qui firent sa grandeur et sa pourriture, ou qu'elle s'y réunît par lassitude, par désœuvrement, par ennui, ou qu'elle s'y assemblât sous le coup d'une de ces crises violentes qui la convulsaient parfois quand l'accusation de modérantisme était portée contre un de ses membres. Il faut bien que j'apporte à en parler une sentimentalité incertaine.

Délicieux endroit au reste, où règne une lumière de douceur, et le calme, et la fraîche paix, derrière l'écran des mobiles rideaux jaunes qui dérobent tour à tour et dévoilent au consommateur assis près des grandes vitres descendant jusqu'à terre, qui dévoilent et dérobent tour à tour la vue du passage, suivant que la main énervée d'attente tire ou tend leur soie plissée. La décoration y est brune comme le bois, et le bois y est partout prodigué. Un grand comptoir occupe la majeure partie du fond du café. Il est surplombé par des fûts de grande taille avec leurs robinets. À droite, au fond, la porte du téléphone et du lavabo. À gauche, un petit retrait sur lequel je reviendrai, s'ouvre à la partie moyenne de la pièce. Celle-ci, l'essentiel de son mobilier est que les tables n'y sont pas des tables, mais des tonneaux. Il y a dans la grande pièce deux tables, l'une petite, l'autre grande, et onze tonneaux. Autour des tonneaux sont groupés des tabourets cannés et des fauteuils de paille : vingt-quatre de chaque espèce environ. Encore faut-il distinguer : presque chaque fauteuil de paille est différent de son voisin. Confortables, au reste, toujours, quoique inégalement. Je préfère les plus bas, ceux qui ont une partie à claire-voie dans le haut du dossier. On est bien assis chez Certa, et cela vaut qu'on le souligne. Quand nous entrons, nous voyons à notre gauche un paravent de bois, et à notre droite un porte-manteau. Après celui-ci un tonneau et ses sièges. Contre le mur de droite quatre tonneaux et leurs sièges. Puis vers le lavabo un nouveau paravent de bois. Entre celui-ci et le comptoir, un radiateur, le meuble où se trouvent les annuaires, la grande table et ses sièges. En avant du comptoir et jusqu'à l'entrée du retrait que je signalais à la partie moyenne du mur de gauche, trois tonneaux et leurs sièges. Au milieu deux tonneaux et leurs sièges. À l'entrée du retrait une petite table et un fauteuil. Enfin entre le retrait et la porte du passage, à l'abri de celle-ci grâce au paravent de bois, un dernier tonneau, et ses sièges. Pour le retrait, on y trouve trois tables serrées sur le même rang, avec, au fond, une seule banquette de molesquine qui en tient toute la largeur, des chaises à l'opposé de la banquette, et dans le coin droit distal, un petit radiateur à gaz mobile, très appréciable en hiver. Ajoutez des plantes vertes à côté du comptoir, et au-dessus de celui-ci des étagères à bouteilles, la caisse à son extrémité gauche, près d'une porte fermée par une draperie, généralement relevée. Enfin, à la caisse, ou assise à la table du fond par moments, laissant couler le temps, une dame qui est aimable et qui est jolie, et dont la voix est si douce, que, je le confesse, je téléphonais souvent autrefois au Louvre 54-49 pour le seul plaisir de m'entendre dire : « Non, Monsieur, personne ne vous a demandé », ou plutôt : « Il n'y a personne des Dadas, Monsieur. » C'est qu'ici le mot dada s'entend un peu différemment d'ailleurs, et avec plus de simplicité. Cela ne désigne ni l'anarchie ni l'anti-art ni rien de ce qui faisait si peur aux journalistes[1] qu'ils préfé-

---

1. J'aurai passé dans ce monde avec quelques-uns qui sont tout ce que vous avez jamais aperçu de plus pur dans le ciel un soir d'été (André Breton, par exemple), au milieu du mépris, des insultes, sous les crachats. Mais si un jour mes paroles deviennent sacrées, elles le sont déjà, alors qu'on m'entende au loin rire. Elles ne serviront pas à vos fins misérables, hommes qui croyiez nous bafouer, crapules. Et quand je dis *journaliste* je dis toujours *salaud*. Prenez-en pour votre grade à *L'Intran*, à *Comœdia*, à *L'Œuvre*, aux *Nouvelles Littéraires*, etc., cons, canailles, fientes, cochons. Il n'y a pas d'exception pour celui-ci, ni pour cet autre : punaises glabres et poux barbus, vous ne vous terrerez pas impunément dans les revues, les publications équivoques. Tout cela sent. L'encre. Blatte écrasée. L'ordure. À mort vous tous, qui vivez de la vie des autres, de ce qu'ils aiment et de leur ennui. À mort ceux dont la main est percée d'une plume, à mort ceux qui paraphrasent ce que je dis.

raient désigner ce *mouvement* du nom de *Cheval d'enfant*. Être dada n'est pas un déshonneur, cela désigne et voilà tout, un groupe d'habitués, des jeunes gens un peu bruyants parfois, peut-être, mais sympathiques. On dit : un dada, comme on dit : le monsieur blond. Un signe distinctif en vaut un autre. Et même dada est si bien passé dans les mœurs qu'on appelle ici dada un cocktail.

Je veux consacrer un long paragraphe reconnaissant aux consommations de ce café. Et tout d'abord à son porto. Le porto Certa se prend chaud ou froid, il en existe diverses variétés, que les amateurs apprécieront. Mais le porto rouge ordinaire, qui vaut deux francs cinquante, est déjà si recommandable que je craindrais de lui nuire en parlant des autres. Je suis au regret de dire que le bon porto se fait de plus en plus rare à Paris. Il faut aller chez Certa pour en boire. Le patron m'assure que ce n'est pas sans sacrifice qu'il arrive à fournir celui-ci à sa clientèle. Il y a des portos dont le goût n'est pas mauvais, mais qui sont en quelque sorte labiles. Le palais ne les retient pas. Ils fuient. Aucun souvenir n'en demeure. Ce n'est pas le cas du porto de Certa : chaud, ferme, assuré, et véritablement *timbré*. Et le porto n'est pas ici la seule spécialité. Il y a peu d'endroits en France où l'on possède une gamme pareille de bières anglaises, stout et ales, qui vont du noir au blond par l'acajou, avec toutes les variations de l'amertume et de la violence. Je vous recommande, ce n'est pas le sentiment de la plupart de mes amis (Max Morise excepté) qui ne le goûtent pas comme moi, le strong ale à deux francs cinquante : c'est une boisson déconcertante. Je recommanderai encore le Mousse Moka, toujours léger et bien lié, le Théatra Flip et le Théatra Cocktail, pour des usages divers, ces deux derniers oubliés dans le tableau suivant :

"CERTA"

TARIF

DES CONSOMMATIONS

Martini Cocktail		
Perfect »		
Rose »		
Brandy »		
Champagne »		**3** F.
Gin »		
Grillon »		
St-James »		
Derby »		
Omnium »		
Max »		
Waller's »		
Manhattan »		
Oscar »		
Dada »		**4** F.
Sherry Cobler		
Champagne »		
Porto »		
Café Glacé	1 F. 50	

Porto Flipp		
Brandy		**3** F. 50
Sherry		
Egg Nogs		
Fizzes		**4** F.
Sours		
Sangarees		
Pick me Hup		**3** F. 50
Kiss me Quick		
Pousse Café	5 F.	
Pêle-Mêle Mixture	2 F. 50	
Grillon Cup	3 F. 50	
John Collins Gin		
Brom		**3** F. 50
Clover Club		
Mousse Moka	2 F. 50	
Florio		

Whisky

Soda

— 5 F —

Tableau situé dans la petite pièce, au-dessus duquel figurait, pour une consommation dont le nom m'échappe, une pancarte-réclame peinte par un des anciens garçons dans le goût des tableaux mécaniques de Francis Picabia, et qui a disparu depuis quelque temps. Un des charmes des cafés est dans les petites pancartes accrochées un peu partout ainsi, qui sont à profusion chez Certa, qu'elles vantent le Martini, le Bovril, la Source Carola ou le W. M. Youngers Scotch Ale. Parfois elles se succèdent en cascade :

FLIPS. . 3 F. 50

ROYAL FLIP 4 f.

IMPERIAL FLIP 4 f.

Liqueurs . . . . . 3 f.
Grandes Marques . 4 f.

PORTO CERTA . 2 F. 50
ROYAL . . . . 3 F. 50
IMPERIAL. . . 5 F.

Tout cela est d'ailleurs excellent, sans reproche. Et si vous avez l'envie d'un consommé, prenez un Bovril : on vous le servira avec du sel de céleri dont vous me direz des nouvelles, que vous devrez employer sans ménagement. Qu'on ne m'accuse pas de partialité envers Certa : je vais enfin lui faire un grief, le seul que je voie. Je n'aime pas beaucoup la façon dont on y sert le café filtre : pour enlever le filtre, qui est un pot de métal, sans se brûler il faut se servir de deux petites cuillers croisées placées dans la poignée et ce n'est pas sans difficulté. De plus le consommateur solitaire n'en a pas la possibilité. Ensuite, où poser le filtre qui continue toujours à goutter un peu ? On n'a guère à sa disposition que la soucoupe de verre guilloché dans laquelle se trouvait le sucre, et si on aime le café peu sucré, on y a laissé un morceau. Alors, ou l'on salit la table, ou l'on gâche un morceau de sucre. C'est là tout ce que j'ai à reprendre chez Certa. Sans quoi tout n'y est-il pas parfait ? Il n'y fait jamais trop froid, la maison est bien chauffée ; jamais trop chaud, l'été c'est comme une grotte et les ventilateurs sont bons. Sauf le samedi soir ce lieu n'est guère envahi. On y est complaisant, indulgent même. Et encore que depuis cinq années j'y aie vu passer bien des garçons, presque tous étaient la politesse et la discrétion mêmes, faisaient bien les cocktails, étaient plus ou moins artistes, et montraient de la finesse à faire les commissions. Le garçon actuel, René, est dans cette tradition. Il dessine des projets d'affiches humoristiques contre les expropriations, qui sont traités dans la manière des caricatures pamphlétaires contre l'Angleterre et les pantalons à pont, telles qu'on les aimait au temps du Directoire. C'est l'instant de dire aussi quel homme plein de réserve et de tact est le patron de cette maison. Je l'ai vu se tirer d'affaire vis-à-vis de consommateurs d'humeur fâcheuse ou de conduite difficile à bien apprécier, avec un esprit qui lui fait honneur. Il mérite un meilleur sort que celui que lui réserve une municipalité inconsciente, qui songe plutôt à agrandir les rues de sa ville qu'à y préserver et à y encourager une urbanité si rare et des dons de courtoisie qu'on voit de plus en plus disparaître des lieux publics parisiens. Je souhaite que le patron de Certa, quand les démolisseurs l'auront chassé, ouvre ailleurs un café ou un bar, duquel je prendrai plaisir à être le client[1]. Il est agréable, il est réconfortant de sentir autour de soi, grâce à la discrète intelligence d'un tel homme, une atmosphère de cordialité et de douceur comme celle qui est soigneusement entretenue chez Certa.

Je voudrais qu'on retînt un pareil exemple comme celui d'un Vatel ou d'un Montagné. On n'a pas assez l'habitude de faire porter l'esprit critique sur le rôle des patrons de bar. Ce sont des gens qui tiennent une place effective dans l'entretien de la véritable civilisation.

Et dans cette paix enviable, que la rêverie est facile. Qu'elle se pousse d'elle-même. C'est ici que le surréalisme reprend tous ses droits. On vous donne un encrier de verre qui se ferme avec un bouchon de champagne, et vous voilà en train. Images, descendez comme des confetti. Images, images, partout des images. Au plafond. Dans la paille des fauteuils. Dans les pailles des boissons. Dans le tableau du standard téléphonique. Dans l'air brillant. Dans les lanternes de fer qui éclairent la pièce. Neigez, images, c'est Noël. Neigez sur les tonneaux et sur les cœurs crédules. Neigez dans les cheveux et sur les mains des gens. Mais si, en proie à cette faible agitation de l'attente, car

1. Certa se trouve aujourd'hui rue de l'Isly, dans le local de l'ancien London Bar. Et moi, où suis-je ? Où est mon corps ? Voici déjà la nuit.

quelqu'un va venir, et je me suis peigné trois fois en y songeant, je soulève les rideaux des vitres, me voici repris par le spectacle du passage, ses allées et venues, ses passants. Étrange chassé-croisé de pensées que j'ignore, et que pourtant le mouvement manifeste. Que veulent-ils ainsi, ceux qui reviennent sur leurs pas? Fronts soucieux et fronts légers. Il y a autant de démarches que de nuages au ciel. Cependant quelque chose m'inquiète : que signifient les mimiques de ces Messieurs entre deux âges? Ils tournent, disparaissent, et puis les revoilà. Brusquement mes soupçons s'éveillent et mes regards se portent soudain sur la boutique de la marchande de mouchoirs.

La boutique aux mouchoirs donne sur la galerie du Baromètre par deux vitrines qui encadrent une porte, et sur le couloir qui s'enfonce en arrière de l'Hôtel de Monte-Carlo par un vitrage et une porte, séparée de la partie mitoyenne du restaurant Saulnier seulement par le noir débouché d'un escalier menant aux étages, où se trouvent, vestiges d'une agitation oubliée, les bureaux de *L'Événement politique et littéraire.* Tout le couloir baigne dans l'ombre, et le jour chiche qui vient du café Biard n'éclaire guère que le renfoncement où les garçons empilent quelques chaises de renfort au voisinage de l'Hôtel. Pourquoi ce boyau que rien ne désigne au passage abrite-t-il presque sans cesse un promeneur arrêté? Comme les gens y deviennent rêveurs, et détachés. Tout dans leur aspect révèle au moins qu'ils sont là par hasard, un pur hasard. Au bout du vitrage obscurci par des brise-bise de toile, la porte est close. Des hommes, des messieurs qui m'avaient l'air pourtant pressés, qui l'ont toujours, croisent pour la trois, quatrième fois le stationnaire. Tiens, voilà un agent de police : mais lui, se cache. Il boira d'un coup le demi blonde qu'à la dérobée un ami lui apporte du *Petit Grillon*. Pauvres sergents de ville, de quels yeux dévorez-vous l'éden interdit des cafés. L'agent s'en va. Les Messieurs repassent. Il y en a qui ont des cannes, il y en a qui n'en ont pas. Il y en a qui ont des moustaches. Il y en a qui n'en ont pas. Aux devantures de la galerie, les mouchoirs symétriquement exposés forment des triangles suspendus au-dessus de jupons de couleur sombre qui empêchent les regards de fouiller la boutique à leur aise. Drôles de mouchoirs, en vérité, qui ne répondent à aucune mode, en batiste rouge, ou verte, ou bleue, mais d'un goût impossible avec de petits dessins, de petites broderies sans luxe, des ourlets noirs. Il n'est pas vraisemblable qu'ils puissent jamais tenter quelqu'un. Et les jupons... il y a donc des femmes qui portent ces jupons prune à longues raies ton sur ton ? L'intérieur du magasin s'aperçoit difficilement si l'on ne colle pas son front aux vitres : on n'y remarque guère qu'une corbeille à ouvrage, et un ouvrage abandonné auprès d'un siège vide. Justement la marchande réapparaît au fond, reconduisant un client que j'ai mal aperçu, mais un homme d'âge en tout cas, vénérable, auquel vous céderiez, mon cher, avec votre jolie éducation, votre place dans le Métro. Il sort par le couloir. La porte reste ouverte. Le vieillard me double hâtivement : tiens, il a acheté une pochette rouge, ah non c'est la Légion d'honneur. La marchande s'est remise à son ouvrage. Personne mûre dont tout le maintien respire la dignité commerciale. Voici qu'on la dérange encore. Mais c'est le solitaire du couloir, je crois bien. Ils parlementent un peu, elle lui indique l'arrière-boutique et ne le suit que tirée la porte du couloir, qui n'a pas de bec-de-cane. À ce moment, un promeneur qui s'avançait s'arrête, un peu déconcerté. Puis se remet à faire les cent pas. J'ai souvent observé, de Certa, que la marchande traite ainsi ses pratiques. Une seule pénètre à la fois, demeure dix minutes, un quart d'heure, la porte verrouillée, puis sort, et la porte s'ouvre jusqu'à l'arrivée d'un nouveau visiteur. Coquetterie, infirmité ? On doit se moucher souvent quand on n'est plus très jeune. La porte ne bâille jamais longtemps, et si l'on veut entrer, il faut guetter l'instant propice. J'ai vu parfois la marchande parler à une amie qu'elle a, qui se tient dans la partie la plus dissimulée de la pièce, et qui lui fait la causette, sans qu'on puisse apercevoir ses traits. Mais ce n'est qu'une amie, et généralement la commerçante est seule dans sa maison à attendre les affaires. Je me présente au seuil comme il redevient praticable. J'ôte mon chapeau et je regarde la marchande.

Halte-là, malheureux ! assez de foudres s'apprêtent à faire au-dessus de ta tête les bruits de coulisse du Grand Opéra. Déjà par tes propos, tes bavardages, tu as sérieusement indisposé les commerçants de la galerie du Thermomètre, et ceux de toute une partie de la galerie du Baromètre, tu t'es mis à dos ceux dont tu n'as pas encore parlé et qui craignent ta manie d'écrire. Ces braves gens sont dans la consternation. Ils ont lu sans bien les comprendre ces pages que tu noircis inexplicablement, t'acharnant par un dessein qui ne peut sembler que burlesque à décrire ces méandres accroupis sous la menace d'une pioche levée. Ils ne peuvent faire le départ de ce qui vient de toi et de ce que tu leur prends. Ils sont malades comme des enfants devant un miroir déformant. Gare à toi, ils vont pleurer ou donner des coups de pied. Ils n'auraient jamais cru que dans une société policée on avait le droit d'appeler nommément chaque chose. Le mot *meublé* leur paraissant une garantie contre l'expression *maison de passe*, etc. Les voilà qui se font des cheveux, parce qu'ils croient leur réputation tout à coup perdue. Tu leur nuis : que va-t-il advenir de leurs droits dans la grande lutte contre *L'Immobilière du Boulevard Haussmann*? Si par malheur les gens de loi lisaient ce tissu d'inventions et de réalités, que penseraient-ils? «Voilà des gens bien peu dignes d'intérêt», qu'ils penseraient. Et chacune de tes épithètes pourrait rabattre d'autant le montant des indemnités. Les vieilles demoiselles qui vendent des cannes galerie du Thermomètre ont songé mourir de honte à la lecture de ta description de leur étalage. Une Allemande dans leurs pipes d'écume! On passe à moins en conseil de guerre. L'autre jour, il y avait réunion des notables du passage : l'un d'eux avait apporté les numéros 16 et 17 de *La Revue Européenne*[1]. On en a discuté avec âpreté. Qui donc t'avait donné tes renseignements? On a soupçonné un agent d'affaires bien innocent, qui servait jusque-là les intérêts du passage, de jouer un double jeu et de nouer de mystérieuses intrigues. Le pauvre homme te recherche pour se disculper. Il est venu chez Certa voir si tu y étais. D'autres de tes victimes y sont venues crier justice. Ils voudraient le connaître, cet ennemi acharné, ce machiavélique personnage, et que lui diraient-ils alors? Que diraient les abeilles au Baedeker des ruches? Dans un des derniers numéros de *La Chaussée d'Antin*, ce n'est pas sans amertume que l'on te cite longuement, car tu as, parait-il, exercé ton ironie aux dépens de cet organe de défense des intérêts du quartier, précisément parce qu'il prenait en main la cause des petits

1. Où *Le Paysan de Paris* paraissait en feuilleton. C'est ainsi que dans les années 20 déclinaient en France le niveau des mœurs et celui des romans.

requins contre les gros. Il est de fait que tu n'aimes pas beaucoup la veuve et l'orphelin. Mais tes révélations, on t'en laisse la responsabilité, effarent ces messieurs : d'où tiens-tu ces chiffres et, comme ils écrivent, *serait-il possible*?

Braves gens qui m'écoutez, je tiens mes renseignements du ciel. Les secrets de chacun, comme celui du langage et celui de l'amour, me sont chaque nuit révélés, et il y a des nuits en plein jour. Vous passez près de moi, vos vêtements s'envolent, vos livres de caisse s'ouvrent à la page des dissimulations et fraudes, votre alcôve est dévoilée, et votre cœur ! Votre cœur comme un papillon-sphinx au soleil, votre cœur comme un navire sur un atoll, votre cœur comme une boussole affolée par un petit morceau de plomb, comme la lessive qui sèche au vent, comme l'appel des chevaux, comme le millet jeté aux oiseaux, comme un journal du soir qu'on a fini de lire ! Votre cœur est une charade que tout le monde connaît. Ne craignez donc rien pour moi-même, pour votre réputation, et que j'entre chez la marchande de mouchoirs.

Cette dame vers moi tourne une tête qui n'est pas sans majesté. Les traits un peu grands, le nez bourbonien, la peau qui ne doit plus déjà avoir cette élasticité au pincement propre à la jeunesse, l'empâtement du cou qui n'empêche pas la maigreur du visage, des cils blonds rares et l'œil un peu rouge conférant quelque caractère nocturne à l'ensemble, point de fard, et juste assez de poudre de riz pour faire penser à une dame de compagnie ou à une gouvernante, les cheveux… les cheveux mériteraient un paragraphe, avec leur façon de ne pas se plier à la mode, d'être teints discrètement, de ne pas s'échafauder trop haut comme chez les caissières, de ne pas s'aplatir trop bas comme chez les nurses, la marchande pose doucement son ouvrage et s'avance vers moi. Je jouis alors de son habillement. La jupe est large, et plus courte qu'on ne les fait aujourd'hui, au goût de 1917 environ, coupée en forme, faisant la taille ronde. Tout le vêtement est dans une demi-teinte criarde (arrangez-vous) : c'est une sorte de quetsche rouge, un ton de vinaigre, qui donne l'idée de la couleur vive, comme les paillettes des forains donnent l'idée des diamants. Cela tire sur la groseille agonisante, sur la cerise becquetée, cela ressemble à ces rubans des palmes académiques qui virent acide à la clarté… là j'y suis, la robe est tournesol teintant un peu l'urine. L'échancrure du corsage dégage simplement la nuque, où les cheveux paraissent follets, et par devant le décolleté découvre à peine la fourchette où saillissent gracieusement les tendons convergents du cou. Mais la merveille des merveilles, c'est le corsage, chef-d'œuvre d'application dans un genre disparu. On ne porte plus de boléro de nos jours, et je le regrette : mais que dire alors du faux boléro, qui n'est pas libre comme le vrai, mais cousu à la robe, et retenu par des piqûres apparentes constituant un dessin ? Et songez que tout le corsage est patiemment agrémenté avec du ruban et de la passementerie d'un vert un peu plus vif qu'amande, un peu plus éteint que chou : que le ruban forme un petit plissé à plat, disposé en motifs rappelant invinciblement l'escargot et la décoration des mairies suburbaines. Ajoutez qu'alerte pourtant, ce Gainsborough, ce Winterhalter n'est guère sur le patron de la volupté : son corps s'est honnêtement déformé, et n'était dans l'habitus une certaine inquiétude de chouette, une sorte de quête du regard, cette personne, Monsieur, pourrait être votre mère ou votre femme de ménage.

Je sais : l'un des principaux reproches que l'on me fasse,

Vendeuse de mouchoirs

que l'on me fait, c'est encore ce don d'observation qu'il faut bien qu'on observe en moi pour le constater, pour m'en tenir rigueur. Je ne me serais pas cru observateur, vraiment. J'aime à me laisser traverser par les vents et la pluie : le hasard, voilà toute mon expérience. Que le monde m'est donné, ce n'est pas mon sentiment. Cette marchande de mouchoirs, ce petit sucrier que je vais vous décrire si vous n'êtes pas sages, ce sont des limites intérieures de moi-même, des vues idéales que j'ai de mes lois, de mes façons de penser, et je veux bien être pendu si ce passage est autre chose qu'une méthode pour m'affranchir de certaines contraintes, un moyen d'accéder au-delà de mes forces à un domaine encore interdit. Qu'il prenne enfin son véritable nom et que M. Oudin vienne en poser la plaque :

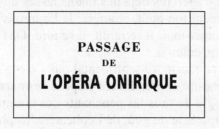

PASSAGE
DE
L'OPÉRA ONIRIQUE

L'étranger qui lit mon petit guide lève le nez et se dit : c'est ici. Puis se dirige mécaniquement vers le point où je viens de le quitter pour le plaisir de ma pancarte, et, s'adressant avec politesse à la marchande framboise et pistache, lui demande après un grand effort d'imagination quel est au juste son tarif. Le prix lui semble bien modique, et comme le photographe, la dame ne laisse à personne le soin délicat d'opérer. Mais ce qui plonge le visiteur dans un précipice conjectural, c'est que le prix n'est pas unique, et qu'il y a trois classes comme en chemin de fer. Il rêve de demander un *complet* comme chez le coiffeur, et dans le même temps s'en effare. Il songe à l'idée qu'il se faisait de l'amour, il revoit dans un souffle toute sa vie, et son enfance ingénue, sa jeune sœur et ses parents au coin de la cheminée, une peinture sur soie grise représentant Paul et Virginie fuyant l'orage, un cœur percé d'une flèche, et deux ou trois chambres meublées. Il se résigne alors au simulacre le moins cher. Mais ai-je bien lu dans ses yeux ? Ce saccage de ce qu'on respecte dans une ardeur qu'il se sent à l'instant aussi vive, cette basse recherche de l'éphémère sans illusion de durée, cette absence de prétexte et jusqu'à l'anonymat, l'isolement du plaisir, tout cela l'excite au plus haut point, et il est un peu pressé de disparaître dans l'ombre où j'aperçois déjà des mains lasses qui bougent. Suis bravement ton goût, étranger. Je t'approuve, et c'est beaucoup, crois-moi. Il se raidit. Il se tord. Oh ! il n'a pas été bien long, celui-là.

Quel est ce murmure sentimental qui s'élève ? Les fauteuils d'orchestre se prendraient-ils pour des musiciens ? Je fais l'apologie de tous les penchants des hommes, et par exemple l'apologie du goût de l'éphémère. L'éphémère est une divinité polymorphe ainsi que son nom. Sur ces trois pieds qui sonnent comme une légende peuplée d'yeux verts et de farfadets, mon ami Robert Desnos, ce singulier sage moderne, qui a des navires étranges dans chaque pli de sa cervelle, s'est longuement penché, cherchant par l'échelle de soie philologique le sens de ce mot fertile en mirages :

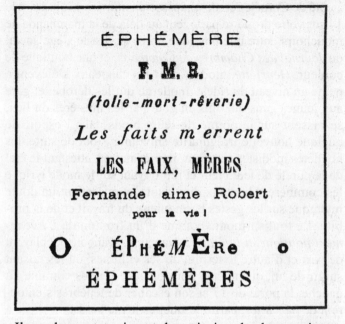

Il y a des mots qui sont des miroirs, des lacs optiques vers lesquels les mains se tendent en vain. Syllabes prophétiques : mon cher Desnos, prenez garde aux femmes dont le nom sera Faënzette ou Françoise, prenez garde à ces feux de paille qui pourraient devenir des bûchers, ces femmes éphémèrement aimées, ces Florences, ces Ferminas, qu'un rien enflamme ET FAIT MÈRES. Desnos, gardez-vous des Fanchettes.

Tandis qu'à votre gauche faite de malles, mallettes, caissettes, caisses, caisses à chapeaux, caisses à argenterie, caisses-caves, valises, valises porte-manteaux, sacoches, sacs, paniers, et tout l'ensorcellement des voyages, Vodable, que nous avons déjà rencontré dans l'autre galerie, occupe à côté de Certa le rez-de-chaussée du numéro 17, le 16 et le 14 sur votre droite se partagent au-delà de la marchande de mouchoirs entre une boutique noire qui est le siège social du *Journal des Chambres de Commerce* et une boutique de couleur, *Henriette*, modes, dont les chapeaux s'élèvent à peine au niveau du rideau moderne qui les dérobe, et gare aux jeunes gens qui, mis en goût par les mystères du lieu, se hissent sur la pointe de leurs pieds dans l'espoir de quelque nouvelle irrégularité enivrante : tout de suite, les honnêtes modistes sortiront, imprécatoires, attestant le ciel de la pureté de leur cœur et réprouvant sur le mode lyrique les commerces honteux du voisinage, qui jettent un doute mythique sur les gestes harmonieux du travail et de la probité. Le tout surmonté comme d'un fronton de *L'Événement politique et littéraire*. Avançons, avançons, déblayant de part et d'autre le terrain de ses énigmes, ou les faisant surgir de lui, quand cela nous chante, et nous entraîne : à gauche, la porte du 17 et son escalier de ténèbres s'entourent de pancartes, parmi lesquelles je me perds.

Démon des suppositions, fièvre de fantasmagorie, passe dans tes cheveux d'étoupe tes doigts sulfureux et nacrés, réponds : qui est Prato, et au premier étage avec son ascenseur paradoxal, quelle est cette agence que par esprit de système je ne peux croire qu'une vaste organisation pour la traite des blanches. Retournez-vous, et vis-à-vis, voici le petit restaurant où je trouve dans notre marche vers les profondeurs de l'imagination, les dernières traces du Mouvement Dada. Quand Saulnier nous paraissait trop cher, c'est ici que jadis, dans une atmosphère étouffante et vulgaire, nous rassasions mal nos appétits inopportuns avec une cuisine à la graisse et à la cocose, et un vin aigre et décevant. Médiocres lieux où l'on mange, ce qu'il traîne parmi eux de rêverie et de dégoût : là l'homme sent la table dans la viande qu'il mâche, et s'irrite des convives communs et bruyants, des filles laides et sottes, du Monsieur qui étale son médiocre inconscient et tout le tracas sans exaltation de sa lamentable existence. Là l'homme remue les pieds mal équarris de sa chaise, et tourne vers la pendule détraquée son impatience et ses rancœurs. Deux pièces : une salle de consommation avec zinc et porte ouverte sur une cuisine basse et enfumée, une salle de restaurant qui se prolonge au fond par un diverticule où il y a juste la place d'une table, d'un banc et de trois chaises, qui est une courette couverte pour donner la place de six clients de plus. Les figurantes du Théâtre Moderne, leurs amants, leurs chiens, leurs enfants, voilà avec quelques voyageurs de commerce le personnel courant des banquettes. L'ensemble, murs gras, gens et pitance, ressemble à une tache de bougie.

Mais entre l'armurier et le coiffeur, quel est ce vieillard gras et désagréable, qui joue au cerceau, et je suis seul à m'en étonner. Étrange cerceau bariolé, et peint de scènes qui s'enchaînent à la manière des stations d'un chemin de croix :

Première station : La mer, trois coquillages, une forêt et le Puy-de-Dôme.

Deuxième station : Une graine.

Troisième station : La vague, le feu, une plante verte ; une figure de l'égoïsme, sorte de dieu nu et tigré, sort d'une conque en brandissant une formule télégraphique, sur laquelle on a écrit : *C'est moi, c'est moi !* et oublié de mentionner le nom et l'adresse de l'envoyeur.

Quatrième station : Une femme qui crache des fleurs, l'Amour coiffé d'un buisson d'aubépines se penche au loin sur le calme des fontaines. Titre : *J'oublie.*

Cinquième station : La graine.

Sixième station : Des souffles sur la porte du silence attendent l'esclave qui ne revient pas.

Septième station : Le voile se déchirant laisse apercevoir le désir sous la forme d'un flamant.

Huitième station : Le flamant s'envole.

Neuvième station : Le flamant perd ses plumes en plein vent.

Dixième station : Le vent.

Onzième station : La graine dans le vent.

Douzième station : L'égoïsme et l'amour soutenant les armes d'un pays imaginaire emmêlent leurs cheveux comme le soleil sonne midi au-dessus du Puy-de-Dôme.

L'étrange vieillard s'éloigne vers les boulevards, frappant le cercle enluminé avec une baguette magique. Je demande au coiffeur qui est sur le pas de sa porte s'il connaît cette effroyable apparition :

— Mais comment donc, cher Monsieur, me dit cet affable artiste, si je le connais ! C'est un habitué de ma maison, un certain Sch…, qui passe sa vie à jouer à ce qu'il appelle la roue du devenir. Prenez donc la peine d'entrer.

Gélis-Gaubert, le coiffeur, qui occupe les numéros 19 et 21 du passage, a été mille fois décrit. Il n'y a pas dans tout ce passage, il n'y a presque pas dans Paris de boutique qui ait constitué pour les journalistes un plus plaisant et plus facile sujet de reportage du genre pittoresque et sentimental. *Le Coiffeur des Grands Hommes*, tous les trois mois quelqu'un le découvre et le tire en portrait, avec ses moustaches magnifiques qui tiennent du sable, du poivre et du coton-poudre. Du premier coup d'œil, on saisit aux étalages que ce coiffeur-ci n'est point de la nouvelle école, qui a inventé mille façons de vivre aux dépens des clients. Il appartient encore au temps de la barbe à cinq sous : ce n'était pas payé, alors, que de redonner la jeunesse et la fraîcheur aux hommes, d'user son temps et ses parfums, et le savon, tout ce qu'un coiffeur fournit, la pierre qui est comme un lac gelé, la poudre, pour ne recueillir qu'un ou deux sous de pourboire. Il aurait mieux valu se faire va-nu-pieds ou tout au moins voleur, ou balayeur des rues. Aussi un beau jour, la corporation en eut-elle assez, l'usage se répandit des frictions plus chères, des massages, des brûlages, des fumigations, et leurs modalités sans nombre, la note s'éleva et le pourboire atteignit des trois francs. L'âme d'un vieux coiffeur, s'il vient se faire raser, maintenant retiré des affaires, chez un confrère usant des méthodes nouvelles, se réjouit grandement quand le garçon annonce à la caisse la dépense que vient de faire entre ses mains celui qu'il déroule de ses linges et brosse avec des crins de soie. Mais chez Gélis-Gaubert, tout est resté fidèle aux façons du passé : à la devanture, on voit tous les objets que jusqu'au début de ce siècle il fallait habilement persuader les clients d'acheter, pour vivre en rasant et coiffant, si la manie de cet art, la vocation irrésistible vous en était venue, quand vous étiez trop jeune pour vous rendre compte de votre folie : trousses et flacons, flacons de voyage et flacons sédentaires, les uns dans leur housse de bois, les autres avec leur sentimentalité en guillochage, l'étoile taillée au cul qui en fait le prix pour les vrais amateurs, – les mains de linge, les peignes pliants ou incassables, le celluloïd et l'écaille inégalement combustibles, la corne et le métal ; les limes et tout ce qui fait du soin des mains une blanche magie, et les fards, et les philtres d'effarement ; et les savons, verts, roses, jaunes, ou de ce noir mélasse, et translucide, qui rappelle les voluptés de la mi-août, quand le soleil s'est mis de la partie, et que sur le parquet les nattes de paille ont foutu le camp tout de travers sous les pieds crispés et rompus ; et les brosses à dents, les dentifrices, les sels pour la migraine et les vapeurs, les eaux pour les yeux, les pâtes à miracles. De part et d'autre de la porte, les deux vitrines présentent à leur partie supérieure deux rayons symétriques, le premier peuplé de bouteilles de *velouté naturel*, le second de *Glykis*. Je n'ai pas l'expérience de cette dernière spécialité de la maison, lotion pour la peau, qui doit ce nom de néréide à sa belle couleur d'émeraude. Mais pour l'autre, qui est un liquide dulcifiant que l'on emploie après qu'on s'est rasé, on m'en a mis ici, et je déclare que c'est une merveille. Thym et lavande, l'odeur même des montagnes, et non pas de ces montagnes arrogantes qui ne portent que des glaces et des plantes vénéneuses, mais de celles qui sont résine et myrtille, où l'on voit les chalets s'orner mélancoliquement de fromages bleus, tout dans le *velouté naturel* est pareil à un paysage du matin, avant que les arbres aient encore secoué toute la nuit, un paysage pour les joues qui sous cette fresque tactile s'abandonnent au vertige des promenades forestières en automobile, n'oubliez pas de corner : tournant dangereux. Et que dire de l'étalage d'éponges qui complète cette boutique, née sur la fin du romantisme, quand *Les Burgraves* étaient sifflés, et les châteaux hantés laissés à l'abandon ? Éponges en bocal, éponges libres, au grain plus variable que le vent, au grain plus variable que celui de la peau des femmes, fin-fin comme une serviette nid d'abeille, ou poreux comme les grottes sonores de la mer où s'étirent toujours des tritons coiffés d'algues vertes, éponges qui gonflez sous les chagrins de l'eau. J'ai connu un homme qui aimait les éponges. Je n'ai pas l'habitude d'employer ce verbe au sens faible. Cet homme aimait donc les éponges. Il en avait de toutes tailles, de tous calibres. Des roses, des safranées, des purpurines. Il en teignait. Et il en avait de si tendres, qu'il ne pouvait se défendre de les mordre. Les plus belles parfois il les déchirait dans son délire, et il pleurait vraiment sur leurs splendeurs éparses. Certaines, il les léchait. Certaines, il n'eût osé les toucher, c'étaient des reines, des personnes tellement haut placées. D'autres, il les enfilait simplement. J'ai aussi un ami qui faisait l'amour en rêve avec des éponges. Mais lui, pour cela, se bornait à les prendre dans ses paumes et à les serrer : vous voyez comme c'est facile.

L'intérieur du magasin se compose d'une première pièce où se vend la parfumerie, où se trouve la caisse, et d'une seconde que les tables à coiffer partagent à son tour en deux. Celle-ci sous la lumière qui lui vient des appentis de verre, on n'y a pas ménagé la place : une sorte d'esprit de grandeur que nous avons un peu perdu avec la hausse des valeurs locatives y règne encore comme si nous vivions toujours dans des palais. Toute une partie de cette immense salle est consacrée à l'attente des clients, qui ne sont pourtant qu'un ou deux. Ils peuvent demeurer auprès de ceux qu'on rase, ou s'éloigner, choisir leur coin, pour lire ou seulement flâner, ou comme j'en ai le goût marcher de long en large. Il y a un escalier qui les amuse de sa volute. Enfin les murs sont décorés de mille souvenirs. C'est qu'ici passèrent tous ceux qu'une fausse gloire ou peut-être une gloire véritable retint au cours d'un demi-siècle dans ces parages boulevardiers où la renommée se fait et se défait avec son petit bruit de trompette : Grévin, Meilhac, Granval, Morny lui-même, et les Goncourt, cent têtes à gifles, cent grotesques, ambitieux, cent chansonniers, cent danseurs, cent écrivains, cent gobergeurs de monde, avec leurs barbes, leurs moustaches, leurs favoris et leurs cheveux. Tout cela prodiguait sa photographie, sa signature. Et il y a bien des gens qui ne sont éternels que pour les murs d'ici. Mais quelques-uns, qui étaient pauvres, payaient le coiffeur à leur façon : c'est ainsi que l'un d'eux donna un petit Horace Vernet, je crois, et qu'un nommé Gustave Courbet, qui tenait des propos anarchistes, et qui partit un jour pour Le Caire, solda sa note d'un tableau de son cru, là-bas, à droite.

Arrigoni, restaurant italien, occupe à la suite de Gélis-Gaubert, les numéros 23, 25, 27 et 29. On sait ce que sont dans ce quartier les restaurants italiens : on mange assez bien dans celui-ci, mais à un prix relativement élevé; et le service y est un peu guindé pour le niveau de la nourriture. Chez l'armurier qui lui fait vis-à-vis, l'étranger qui arrive à Paris avec la tête pleine d'un monde galant et léger, l'étranger qui cherche Montmartre et qui s'est besogné bien souvent devant une photographie du Moulin-de-la-Galette, trouvera peut-être un étrange aliment, préférable aux raviolis et au minestrone, un aliment qu'il n'espérait point pour son imagination vorace et langoureuse : fusils et leurs culasses. Songez qu'il pourra contempler ici une pièce unique : une carabine rayée avec projectile-harpon pour pêche à la baleine ! Et ne se prendra-t-il pas à ces miroirs à alouette ? à ces pièges à loup ? Il se demandera comme moi, et comme moi ne saura se répondre, quel est cet appareil insolite surmonté d'un disque de caoutchouc. Il aura envie de toucher les plombs rangés dans des casiers suivant leur numéro, les plus petits numéros pour les plombs les plus gros. Il admirera sur une cible épinglée au dos d'un vieux Bottin cette inscription explicative, accompagnée de la balle neuve d'une part, et déformée de l'autre, et du trou qu'elle est susceptible de faire :

Cette balle
tirée dans un Bottin
traverse plus de 1 000 pages.
Elle se déforme dans de telles proportions
que tout animal touché
reste sur place.

Elle peut être tirée
dans un fusil double-choke
avec n'importe quelle poudre
même avec la poudre T.

DÉFORMATION DE LA BALLE
TIRÉE DANS UN BOTTIN

Enfin, comment trouvera-t-il ce charmant découpage réclame représentant un chien, disant bonjour à un autre chien, avec cette inscription :

> **BONJOUR, CHER AMI !**
>
> Avez-vous pris
> vos biscuits
> **MOLASSINE ?**

et ces commentaires :

Après l'armurier vient le fournisseur en champagne de S.A.R. le duc d'Orléans. Il possède quatre vitrines que nous suivrons des boulevards au fond du passage : la première contient du Chianti, du Lacrima Christi, et de la Malvoisie ; la deuxième contient du Chianti, du Lacrima Christi et de l'Asti ; la troisième contient des radiateurs électriques en cuivre rouge. La quatrième, de l'autre côté de la porte, ne contient que du champagne aux armes des rois de France. Dans la devanture aux radiateurs, il y a des plans et dessins de villas situées à Domfront-en-Champagne (Sarthe), à trois minutes de la gare, sur la grande ligne de Paris au Mans. Enfin une pancarte annonce à l'amateur :

> **UNE RARETÉ : CALVADOS 1893**
> Mis en bouteille
> **APRÈS DIX-HUIT ANNÉES DE FÛT !**

Et nous voici au coin du second couloir, duquel nous avons l'extrémité au fond de la galerie du Thermomètre.

Cet angle, ainsi que, de l'autre côté du couloir, le fond même de la galerie, est occupé par un orthopédiste-bandagiste qui n'a pas trop de ses deux magasins pour son hétéroclite commerce. À côté du marchand de champagne, voyez comme il étale de belles mains articulées en bois, et d'autres d'une pièce. Et des cannes, des béquilles, des ventouses, des crayons antimigraines. Puis encore, qu'on m'explique ce crime passionnel, deux mains coupées dans un bidet. Des bandages herniaires pour toutes les variétés de hernies, simples ou doubles, avec leur tampon maintenu par une ceinture métallique qui fait ressort, des bandages herniaires pour adultes, des bandages herniaires pour enfants. Dans la boutique du fond du couloir, tous ces éléments se retrouvent avec beaucoup d'autres : bas élastiques, bas à varices, slips, bocks, bocks à fleurettes, ceintures pour femmes, roses, rouges, blanches, en caoutchouc, en soie, en coutil, irrigateurs, clysopompes, clystères, fumigateurs, canules, seringues, coussins à eau chaude, moines, œillères, éprouvettes et verres gradués, tubes à essai, etc., et une réclame pour le Conservatoire Renée Maubel. Une pancarte trilingue annonce aussi :

PRÉSERVATIFS
Contre diverses maladies

HIGIENIC PRESERVATIVE
Against various MALADIES

PRESERVATIVOS
para varias ENFERMEDADOS

Un curieux orgueil, un luxe insensé nous est soudain révélé : voici des bandages herniaires pour les dimanches. Au niveau du disque compresseur l'art intervient : ce sont des motifs ornementaux, et même une tête de gladiateur or et argent sur fond de cuir rouge. Le hernieux ne doit pas pouvoir résister au plaisir de montrer de temps à autre ce bijou intime et barbare. Un petit squelette d'or constitué uniquement des pièces que l'industrie humaine peut substituer à l'œuvre divine sans en détruire l'économie est pendu dans ce bazar de bizarreries : il est presque complet, ce gnome métallique et brillant, ce schéma de nous-mêmes. Et comme à ses côtés on nous a modernisé les dieux antiques : deux petites statuettes peintes, avec la chair rose, les cheveux et les poils noirs, figurent Apollon et Vulcain. Mais qui au bras, qui à la jambe, l'un à la tête et l'autre au ventre, ils sont complétés par des bandages et des pièces articulées qui achèvent les gestes classiques du Belvédère et de l'Etna. Ainsi nous voici donc parvenus à ce point extrême où, fier de ses illusions, vaniteux comme son rire, l'homme aux mamelles de grenat ne connaît plus de limites à ses sens et à son esprit : alors il retouche les dieux, il se substitue à eux-mêmes, il élève au bout d'un passage équivoque, au nœud même des courants d'air, là où la fuite est favorisée par l'ombre et l'architecture, il élève des temples paradoxaux à ses erreurs et à ses énigmes. Ici l'homme enfin se complaît à une espèce d'onychophagie intellectuelle : il se nourrit d'un mets arsénieux qui est sa substance propre et son propre poison. Qu'il jette un dernier coup d'œil sur le couloir qu'éclaire mal la fenêtre crasseuse qui sépare le bandagiste du cireur, juste en face des deux escaliers dont l'un mène au bar du Théâtre Moderne, un dernier coup d'œil sur la cuisine d'Arrigoni qui prend jour sur le passage à l'angle même, et maître-esclave de ses vertiges, qu'il les porte maintenant au 29 *ter*, dont la porte entre cette cuisine et l'entrée du théâtre s'orne d'un laconique appel :

Sombre escalier, c'est toi qui mènes à l'épanouissement du monde. Au deuxième, à gauche, on lit :

On ouvre au coup de sonnette. La sous-maîtresse blonde et fripée vous presse d'entrer. C'est dix francs et ce que vous voudrez à la petite dame. Traversée l'antichambre minuscule où l'on tient deux au plus, vous entendez des bruits de voix à droite, mais c'est à gauche qu'on vous mène par un défilé obscur, attention, il y a une marche, la porte et vous voilà dans la chambre. Allons Mesdames. Il ne vient que deux dames habillées, vous choisissez la moins grande, une blonde, aux cheveux coupés bouclés, avec une dent d'or bien visible sur le côté. Les autres s'effacent. Elle vous embrasse simplement et dit : Attends, j'enlève ma schapska et je reviens, et disparaît. La chambre est sale, mais quoi donc ? c'est un désir très général qui vous entraîne. Le lit de milieu large et bas meuble presque entièrement la pièce où quelques sièges peu d'aplomb, poussiéreux, avec leurs vieilles franges, peuvent encore servir d'auxiliaires aux parties accessoires du débat. Il y a une cheminée très plate, avec un dessus de velours. Une draperie derrière le canapé qui est entre la fenêtre et la cheminée. Entre la fenêtre et le lit, une porte condamnée, qui joint mal, on voit le jour en dessous d'elle. De petites statuettes démodées, quelques tableaux : deux surtout qui s'imposent, au-dessus du lit, au fond de la pièce. Ce sont deux gravures, assez chastes à tout prendre, deux suppléments sans doute du *Soleil du Dimanche* d'il y a beau temps. Elles semblent traitées par le même auteur. L'une représente dans un champ un couple qui se tient vers la droite dans des habits romantiques, à la Roméo et Juliette, et qui semble éprouver quelque langueur bien naturelle : car tout le champ, où les papillons exécutent d'habitude de grandes glissades multicolores, est aujourd'hui voletant de petits amours ailés dans le plus grand désordre, les uns en l'air, les autres culbutés dans l'herbe, et d'autres malicieux qui s'accrochent aux chausses du jeune homme trop réservé ou chuchotent aux oreilles de sa belle. La seconde gravure, en noir comme la précédente, représente une alcôve dont la draperie est négligemment froissée, où une belle fille dort, sans prendre garde, il fait bien chaud, que le drap a glissé, et qu'un sein pudique encore se montre et va bientôt se découvrir. Elle rêve. Et ce sont les mêmes amours qui la visitent, comme une pelletée de pollen, qui se lutinent dans les rideaux, sur le plancher de la chambre, et jusqu'à l'ombre adorable de ses cheveux défaits. Un secret dans la retenue de ses gravures les rend préférables pour décorer ce lieu, par un instinct irraisonné, à ces images licencieuses qu'on rencontre aux murs des maisons de plus haut rang. Une sorte d'esprit *poétique*. Mais où ai-je rencontré cette poésie même? cette sensualité donnée? ce métier? À l'instant que son nom me vient aux lèvres, je pénètre une vérité fondamentale : aujourd'hui c'est l'ombre de Théodore de Banville qui règne à Paris sur la plus basse prostitution. Sort enviable pour un poète, après tout, que d'avoir ainsi légué son âme aux petits bocards clandestins. Cela vaut bien d'avoir réussi à faire apprendre aux lycéens un poème où le laurier parle à la première personne. La porte s'ouvre, et vêtue seulement de ses bas, celle que j'ai choisie, s'avance, minaudière. Je suis nu, et elle rit parce qu'elle voit qu'elle me plaît. Viens petit que je te lave. Je n'ai que de l'eau froide, tu m'excuses? c'est comme ça, ici. Charme des doigts impurs purifiant mon sexe, elle a des seins petits et gais, et déjà sa bouche se fait très familière. Plaisante vulgarité, le prépuce par tes soins se déplie, et ces préparatifs te procurent un contentement enfantin.

On m'accuse assez volontiers d'exalter la prostitution, et même, car on m'accorde certains jours un curieux pouvoir sur le monde, d'en favoriser les voies. Et. cela ne va pas sans que l'on soupçonne l'idée qu'*au fond* je pourrais me faire de l'amour. Eh quoi, ne faut-il pas que j'aie de cette passion un goût et un respect bien grands, et que tout bas je crois uniques, pour qu'aucune répugnance ne puisse m'écarter de ses plus humbles, de ses moins dignes autels? N'est-ce pas en méconnaître la nature que de la croire incompatible avec cet avilissement, cette absolue négation de l'aventure, qui est pourtant encore une aventure de moi-même, l'homme qui se jette à l'eau, avec ce renoncement à toute mascarade, qui a une saveur enivrante pour celui qui aime vraiment? Je dénonce ici un mensonge, une hypocrisie que pourtant celui qui une fois a eu l'esprit entièrement possédé d'une femme ne devrait jamais renforcer de son assentiment : est-ce que vos liaisons, vos aventures, si sottes, si banales, desquelles vous ne songez pas à interrompre le cours alors même qu'un vertige plus grand s'est emparé de votre inquiétude, est-ce que ces misérables expédients avec leurs vertueuses niaiseries, la pudeur et le caractère d'éternité, sont autre chose que ce que je trouve au bordel lorsque, ayant une partie du jour tourné dans les rues avec une préoccupation croissante, je pousse enfin la porte de ma liberté? Que les gens heureux me jettent la première pierre : ils n'ont pas besoin de cette atmosphère où je me retrouve plus jeune, au milieu des bouleversements qui ont sans cesse dépeuplé mon existence, avec le souvenir d'habitudes anciennes, dont les traces, les foulées sont encore bien puissantes sur mon cœur. Que peut me faire qu'un homme, fier d'avoir réussi à s'accoutumer à un seul corps, tienne ce plaisir que je trouve ici de temps en temps, quand par exemple j'ai plusieurs jours manqué d'argent et qu'après la paye une sorte de sentiment populaire me jette brutalement vers les filles, que peut me faire qu'il tienne ce plaisir pour une sorte de masturbation? Mes masturbations valent les siennes. Et il y a un attrait qui ne se définit pas, qui se ressent : je crois parler une langue étrangère, s'il faut que je vous explique ce qui me ramène ici, sans que vous l'ayez éprouvé, ou si pour vous c'est quelque music-hall spécial où venir après boire, en bande, et vous pliant à une légende du Palais-Royal, pour la rigolade. Encore aujourd'hui ce n'est pas sans une émotion collégienne que je franchis ces seuils d'une excitabilité particulière. Il ne me vient pas à l'idée, la gauloiserie n'est

pas dans mon cœur, que l'on puisse autrement aller au bordel que seul, et grave. J'y poursuis le grand désir abstrait
qui parfois se dégage des quelques figures que j'aie jamais
aimées. Une ferveur se déploie. Pas un instant je ne pense
au côté social de ces lieux : l'expression *maison de tolérance* ne peut se prononcer sérieusement. C'est au
contraire dans ces retraites que je me sens délivré d'une
convention : en pleine anarchie comme on dit en plein
soleil. Oasis. Rien ne me sert plus alors de ce langage, de
ces connaissances, de cette éducation même par lesquels
on m'apprit à m'exercer au cœur du monde. Mirage ou
miroir, un grand enchantement luit dans cette ombre et
s'appuie au chambranle des ravages dans la pose classique
de la mort qui vient de laisser tomber son suaire. Ô mon
image d'os, me voici : que tout se décompose enfin dans le
palais des illusions et du silence. La femme épouse docile-
ment mes volontés, et les prévient, et, dépersonnalisant
tout à coup mes instincts, désigne avec simplicité ma
queue, et me demande avec simplicité ce qu'*elle* aime.

On a sonné. Un autre visiteur est introduit, et je ne perds
pas une parole tandis qu'on l'emmène dans une chambre
voisine. Grosses plaisanteries, allusions à ce qu'il vient
faire : c'est un habitué, sans doute. Et la même voix qui
répète : Allons, Mesdames. Comme le jour sous la porte,
les soupirs passent à travers le carton des murs. Pendant
que je me rhabille, ma partenaire, soulevant la draperie
au-dessus du canapé, scrute un vide sous elle. Elle se
trouble. Oh ! ce n'est rien qu'un placard. Mes soupçons,
cette phrase seule les éveille. Bon, m'aurait-on épié : de
vieilles histoires de voyeurs me reviennent. Je ne ferai rien
pour le savoir.

Le 29 *bis* est le Théâtre Moderne. Par cet escalier étroit qui contourne un guichet vitré, on accède au bas de ce premier étage, dont nous avons vu la sortie sur le couloir, et au même niveau, au bureau du directeur situé à droite du vestiaire, au-delà d'une sorte de parloir au fond duquel se trouvent les cabinets, mesquins et sales. Le bar, comme il y faut consommer, la plupart des spectateurs le regardent pauvrement de l'entrée. C'est un lieu orangé, où l'on danse au piano, avec un petit coin pour boire. On y retrouve les dames de la scène, et leurs hommes. Le tout teinté de l'espoir insensé de rencontrer l'Américain ou le vieillard rançonnable. On se croirait dans la province allemande : une imitation délabrée, sans décor expressionniste, de la Scala de Berlin. Quelques marches plus haut, on entre dans la salle.

Le Théâtre Moderne eut-il jamais son époque de lustre et de grandeur ? À y voir trente spectateurs, les jours d'affluence, on se prend à penser au sort de ces petits théâtres, desquels on ne manque pas à dire qu'ils sont de véritables bonbonnières. Des garçons de quinze ans, quelques gros hommes, et des gens de hasard se glissent aux fauteuils les plus éloignés qui sont les moins chers, tandis que quelques fondants roses, professionnelles ou actrices entre deux scènes, se disséminent aux places à vingt-cinq francs. Parfois un marchand de bœufs ou un Portugais au risque d'apoplexie se paie la folie d'un premier rang, pour voir la peau. On a joué ici des pièces bien inégales, *L'École des Garçonnes*, *Ce Coquin de Printemps*, et une sorte de chef-d'œuvre, *Fleur de Péché*, qui reste le modèle du genre érotique, spontanément lyrique, que nous voudrions voir méditer à tous nos esthètes en mal d'avant-garde. Ce théâtre qui n'a pour but et pour moyen que l'amour même, est sans doute le seul qui nous présente une dramaturgie sans truquage, et vraiment moderne. Attendons-nous à voir bientôt les snobs fatigués du music-hall et des cirques se rabattre comme les sauterelles sur ces théâtres méprisés, où le besoin de faire vivre quelques filles et leurs maquereaux, et deux ou trois gitons efflanqués, a fait naître un art aussi premier que celui des mystères chrétiens du Moyen Âge. Un art qui a ses conventions et ses audaces, ses disciplines et ses oppositions. Le sujet le plus souvent exploité suit à peu près ce canevas : une Française enlevée par un sultan se morfond au sérail jusqu'à ce qu'un aviateur en panne ou un ambassadeur vienne l'y divertir, contrecarré dans ses amours par la passion ridicule qu'il inspire à la cuisinière ou à la sultane mère, et tout finit le mieux du monde. Un prétexte quelconque, fête du harem, album de photographies feuilleté en chantant, suffit pour faire défiler cinq ou six femmes nues qui représentent les parties du monde ou les races de l'empire ottoman. Les grands ressorts de la comédie antique, méprises, travestissements, dépits amoureux, et jusqu'aux ménechmes, ne sont pas oubliés ici. L'esprit même du théâtre primitif y est sauvegardé par la communion naturelle de la salle et de la scène, due au désir, ou à la provocation des femmes, ou à des conversations particulières que les rires grossiers de l'auditoire, ses commentaires, les engueulades des danseuses au public impoli, les rendez-vous donnés, établissent fréquemment, ajoutant un charme spontané à un texte débité de façon monotone et souvent détonante, ou ânonné, ou soufflé, ou simplement lu au pied-levé, sans fard. Quelques caractères constants forment le fond assez restreint de la faune dramatique : une sorte de mégère, un scapin niais et robuste, un prince efféminé, un héros sorti de *La Vie Parisienne*, une faune exotique qui a de l'amour un sens tragique, une Parisienne qui en a la pratique et la philosophie suivant le goût du boulevard, des femmes nues, une ou deux servantes ou messagères. La morale est celle de l'amour, l'amour la préoccupation unique : les problèmes sociaux ne sauraient y être effleurés que s'ils sont prétexte à exhibition. La troupe n'est pas payée et prend des libertés avec ses rôles, elle vit d'aventures. Aussi est-elle âpre, comme une véritable troupe d'*artistes* et supporte-t-elle mal les plaisanteries ou le chahut. Aux entractes les mauvais plaisants sont pris à partie par les défenseurs naturels des interprètes : Qu'est-ce qu'elle t'a fait, cette petite? On défend son bifteck, etc.

Dans cet alhambra de putains se termine enfin ma promenade au pied de ces fontaines, de ces confusions morales, qui sont marquées à la fois de la griffe du lion et des dents du souteneur. Dans le geste à l'antique de la petite esclave qui se souvient de la rue Aubry-le-Boucher, tandis que son rôle se déroule : *Salut, maîtresse!* et que le chœur chante :

> *C'est le mois de Vénus.*
> *C'est le mois le plus beau.*

(sacrilège de fausses perles et de cache-sexes pailletés) se fige la dentelle arabe de pierres roses où ni le visage humain ni les soupirs ne retrouvent le miroir ou l'écho cherché. L'esprit se prend au piège de ces lacis qui l'entraînent sans retour vers le dénouement de sa destinée, le labyrinthe sans Minotaure, où réapparaît, transfigurée comme la Vierge, l'Erreur aux doigts de radium, ma maîtresse chantante, mon ombre pathétique. Le filet qui enrobe ses cheveux fait une pêche magnifique de couteaux et d'étoiles. Les superstitions s'élèvent à la façon des martinets, qui retombent comme des cailloux frondés sur les fronts incertains le long des routes mal éclairées de la nuit. Ce qui m'importait tant, ma pauvre certitude, dans ce grand vertige où la conscience se sent un simple palier des abîmes, qu'est-elle devenue ? Je ne suis qu'un moment d'une chute éternelle. Le pied perdu ne se retrouve jamais.

Le monde moderne est celui qui épouse mes manières d'être. Une grande crise naît, un trouble immense qui va se précisant. Le beau, le bien, le juste, le vrai, le réel... bien d'autres mots abstraits dans ce même instant font faillite. Leurs contraires une fois préférés se confondent bientôt avec eux-mêmes. Une seule matière mentale enfin réduite dans le creuset universel, subsistent seuls des faits idéaux. Ce qui me traverse est un éclair moi-même. Et fuit. Je ne pourrai rien négliger, car je suis le passage de l'ombre à la lumière, je suis du même coup l'occident et l'aurore. Je suis une limite, un trait. Que tout se mêle au vent, voici tous les mots dans ma bouche. Et ce qui m'entoure est une ride, l'onde apparente d'un frisson.

Arrêt
sur
lecture 3

L'écriture au défi de la description

La technique balzacienne en filigrane

Est-ce pour agacer Breton, qui ne supportait pas les descriptions systématiques dans les romans, qu'Aragon semble parfois vouloir épuiser le réel ? Force est de constater, en tout cas, que l'auteur ne nous épargne guère et qu'il se livre régulièrement à un recensement à prétention exhaustive de certains lieux, comme le Café Certa, où se réunissaient les dadaïstes (p. 134) :

> La décoration y est brune comme le bois, et le bois y est partout prodigué. Un grand comptoir occupe la majeure partie du fond du café. Il est surplombé par des fûts de grande taille avec leurs robinets. À droite, au fond, la porte du téléphone et du lavabo. À gauche, un petit retrait sur lequel je reviendrai, s'ouvre à la partie moyenne de la pièce. Celle-ci, l'essentiel de son mobilier est que les tables n'y sont pas des tables, mais des tonneaux. Il y a dans la grande pièce deux tables, l'une petite, l'autre grande, et onze tonneaux. Autour des tonneaux sont groupés des tabourets cannés et des fauteuils de paille : vingt-quatre de chaque espèce environ.

Saturée de détails, inféodée aux techniques de description balzaciennes, la description aragonienne joue à la fois le rôle documentaire qu'elle s'est assignée et met l'écriture au défi de tout dire, vainement (« Tu te crois, mon garçon, tenu à tout décrire. Illusoirement. Mais enfin à décrire. Tu es loin du compte », p. 250). Dans « Le Passage de l'Opéra », la description ne se limite pourtant pas à cet effet de saturation et tend au moins autant vers la création de « vignettes mentales » successives, d'« images » dont la boutique philatélique pourrait bien être la métaphore* (p. 131) :

> Ô philatélie, philatélie : tu es une bien étrange déesse, une fée un peu folle, et c'est toi qui prends par la main l'enfant qui sort de la forêt enchantée [...] et qui transportes par-delà les mers avec tes papillons de couleur les cœurs les moins préparés au voyage.

Ce n'est pas un hasard si la boutique de timbres, ces « papillons de couleur », apparaît dans le contexte d'une vaste réflexion sur l'imagination. Un peu à la manière du collectionneur, Aragon insère les descriptions des commerces du Passage dans son propos, avant de coller la réalité elle-même sur la page du livre, comme une autre forme d'invitation au voyage.

La réalité et le collage

L'inclusion du poème parodique sur la réalité (« Il y avait une fois une réalité / Avec ses moutons en laine réelle », p. 91) a pour but de reléguer au rang de comptine ancienne et conventionnelle la religion du réel et du tangible. Paradoxalement, Aragon va répondre à cette attente supposée du lectorat en ayant recours au collage de véritables fragments arrachés au réel. C'est une manière provocatrice de dépasser ce qui relève du réalisme littéraire et de le développer dans ses ultimes conséquences. Ce qu'Aragon lui-même appellera la « technique du collage » consiste, en peinture, en musique, en sculpture, en photographie, en littérature, à insérer au cœur de l'œuvre un élément de réalité brute qui vient à la fois confirmer la vocation réaliste d'une toile parfois abstraite et créer une tension entre deux modes de représentation. Passionné par l'usage qu'en font à cette époque Picasso (un paquet de cigarettes, un pinceau, une chemise collés dans le tableau, par exemple) ou Max Ernst (collage de cartes postales dont les figures sont modifiées, prolongées ou détournées de leur sens initial), Aragon convoque lui aussi dans son discours

Un collage réalisé par Picasso : différents matériaux, extraits de textes mélés à des objets représentés sommairement par leur forme.

des fragments du réel tels qu'ils apparaissent dans le Passage. Typographiquement, l'effet est imparable.

BONJOUR, CHER AMI !

Avez-vous pris
vos biscuits
MOLASSINE ?

et ces commentaires :

MOLASSINE { dogs & puppy } { biscuits }

Après l'armurier vient le fournisseur en champagne de S.A.R. le duc d'Orléans. Il possède quatre vitrines que nous suivrons des boulevards au fond du passage : la première contient du Chianti, du Lacrima Christi, et de la Malvoisie ; la deuxième contient du Chianti, du Lacrima Christi et de l'Asti ; la troisième contient des radiateurs électriques en cuivre rouge. La quatrième, de l'autre côté de la porte, ne contient que du champagne aux armes des rois de France. Dans la devanture aux radiateurs, il y a des plans et dessins de villas situés à Domfronten-Champagne (Sarthe), à trois minutes de la gare, sur la grande ligne de Paris au Mans. Enfin une pancarte annonce à l'amateur :

UNE RARETÉ : **CALVADOS 1893**
Mis en bouteille
APRÈS DIX-HUIT ANNÉES DE FÛT !

La lecture linéaire est interrompue et le langage littéraire s'efface devant l'évidence de l'objet transposé sur la page : plaque, enseigne, panneau, ardoise, réclame de journal. Pourtant, il est encore donné à lire et il y a peu de dessins ou de graffitis insérés dans *Le Paysan,* ce qui tendrait à souligner la volonté d'Aragon de faire jouer au maximum de ses possibilités la concurrence représentative entre une rue rythmée par les enseignes, les panneaux, les ardoises et la surface de la page rythmée par les collages de ses objets reproduits en fac-similé. Aussi neutres soient-ils en apparence, les inserts ont une fonction idéologique assez lisibles : le premier collage que l'on peut lire / voir est bien une allusion à la Première Guerre mondiale et à ses conséquences (p. 62). Le paradoxe de la description exhaustive, comme celui du collage, est que ces phénomènes textuels font image* sans nécessairement libérer l'imagination. Saturant le champ de la représentation mentale du réel, ils ne laissent plus rien espérer au-delà. L'imagination libre est peut-être ailleurs, dans les images créées par le langage.

L'imagination et ses techniques

La mise en scène de l'imagination

Le groupe surréaliste se penche très sérieusement, dans les années vingt, sur l'enjeu de l'image littéraire et lie cette étude à l'exploration du fonctionnement de l'imagination, dont Freud vient de montrer qu'elle pouvait aussi être conditionnée par des paramètres totalement obscurs pour la conscience. L'allégorie* de l'imagination, qui surgit au cœur du « Passage » (p. 123), vieille, vacillante, incertaine, apparaît dans le contexte fantaisiste du dialogue de l'homme avec ses facultés. Elle vaut pourtant comme une sorte d'arbitre de toutes les autres. De manière significative, l'imagination s'exprime dans un registre proche de celui de la « Préface à une mythologie moderne ». Grand initié du pouvoir de l'image, bonimenteur du surréalisme, le subterfuge de l'imagination balaye de manière autoritaire tous les autres (p. 124-125) :

> Aujourd'hui je vous apporte un stupéfiant venu des limites de la
> conscience, des frontières de l'abîme. Qu'avez-vous cherché jusqu'ici

dans les drogues sinon un sentiment de puissance, une mégalomanie menteuse et le libre exercice de vos facultés dans le vide ? [...] un vertige de plus est donné à l'homme : le *Surréalisme*, fils de la frénésie et de l'ombre. Entrez entrez, c'est ici que commencent les royaumes de l'instantané.

Apôtre du « stupéfiant *image* », l'imagination place l'image* nouvelle au plus haut degré du poétique et souligne sa capacité à changer le monde (p. 125) :

> Et il y a pour chaque homme une image à trouver qui anéantit tout l'Univers.

Toujours soucieux de désamorcer ce qui peut être perçu comme trop théorique, Aragon transforme le splendide discours de l'imagination en une opération de séduction destinée à enrôler et à entraîner les badauds vers le Théâtre Moderne, où les images vendues sont surtout des femmes nues. L'intervention de l'imagination déclenche cependant un peu plus loin dans le texte la mise en œuvre et en pratique des conseils de la vieille faculté, grâce à l'écriture automatique.

Neige d'images : l'influence de l'écriture automatique

Ce qu'André Breton appelle « écriture automatique » est l'un des exercices de libération de l'esprit et du langage qui font fureur dans le groupe surréaliste dans les années 1920 à 1924, en complément d'autres pratiques comme les sommeils, les cadavres exquis et les jeux d'associations linguistiques arbitraires comme les collages d'expressions découpées dans les journaux. Aragon est l'auteur de très nombreux textes de ce type, lancés d'un seul trait à la table d'un café sur de simples cahiers d'écolier – on peut en lire dans *Le Mouvement perpétuel* (1920-1924) ou *Le Libertinage* (1924). La description du Café Certa, où se réunissent les surréalistes, est l'occasion pour Aragon d'évoquer cette expérimentation singulière d'un totale liberté d'écriture (p. 140) :

> On vous donne un encrier de verre qui se ferme avec un bouchon de champagne, et vous voilà en train. Images, descendez comme des confetti. Images, images, partout des images. Au plafond. Dans la paille des fauteuils. Dans les pailles des boissons. [...] Neigez, images, c'est Noël.

Dans *Le Paysan de Paris*, certains passages imitent le style de ces textes « automatiques », où la main à plume, libérée de nombreuses entraves, est sommée de laisser apparaître tout ce qui traverse l'esprit, loin des censures ordinaires, en particulier les images (métaphores, comparaisons). Dans la description des spectacles du Théâtre Moderne, relativement réaliste, on voit tout à coup surgir, dans la parole émerveillée du locuteur, d'étranges images dédiées à « l'Erreur aux doigts de radium » (p. 168-169) :

> Le filet qui enrobe ses cheveux fait une pêche magnifique de couteaux et d'étoiles. Les superstitions s'élèvent à la façon des martinets, qui retombent comme des cailloux frondés sur les fronts incertains le long des routes mal éclairées de la nuit. Ce qui m'importait tant, ma pauvre certitude, dans ce grand vertige où la conscience se sent un simple palier des abîmes, qu'est-elle devenue ? Je ne suis qu'un moment d'une chute éternelle. Le pied perdu ne se retrouve jamais.

L'utilisation de l'image* décalée (le sème commun qui relie le comparé et le comparant est particulièrement mobile, à l'intérieur même d'une métaphore* filée), d'une forme d'esthétique de la surprise, ici parfaitement contrôlée par le commentaire qui la suit, ne correspond pas exactement au principe de l'écriture automatique, d'où la raison et la conscience doivent s'absenter autant qu'il est possible. En revanche, Aragon exploite tout le potentiel d'émotion et d'émerveillement que recèlent ces images inattendues, inentendues, qui flirtent parfois avec la suggestion de la folie (p. 145) :

> Braves gens qui m'écoutez, je tiens mes renseignements du ciel. Les secrets de chacun, comme celui du langage et celui de l'amour, me sont chaque nuit révélés, et il y a des nuits en plein jour. Vous passez près de moi, vos vêtements s'envolent, vos livres de caisse s'ouvrent à la page des dissimulations et fraudes, votre alcôve est dévoilée, et votre cœur ! Votre cœur comme un papillon-sphinx au soleil, votre cœur comme un navire sur un atoll, votre cœur comme une boussole affolée par un petit morceau de plomb, comme la lessive qui sèche au vent, comme l'appel des chevaux, comme le millet jeté aux oiseaux, comme un journal du soir qu'on a fini de lire ! Votre cœur est une charade que tout le monde connaît. Ne craignez donc rien pour moi-même, pour votre réputation, et que j'entre chez la marchande de mouchoirs.

Si c'est de la folie, il y a de la méthode en elle : les apparences de l'écriture automatique sont assurées par la cascade de comparaisons, mais l'orientation du discours reste maîtrisée par la parodie du boni-menteur au début et par le retour allusif final aux boutiques étranges du passage, qui assure une transition habile vers le principe descriptif.

L'inventaire de l'étrange

Le locuteur, une fois connue la protestation des commerçants du Passage qui ont lu des extraits publiés du *Paysan de Paris* («Déjà par tes propos, tes bavardages, tu as sérieusement indisposé les commerçants de la galerie du Thermomètre», p. 143), ne se lasse pas de forcer encore le trait, en soulignant davantage encore l'étrangeté des étalages et des créatures de certaines «boutiques». Le portrait de la marchande de mouchoirs, fidèle à la tradition balzacienne de l'allusion picturale, inaugure une série d'aperçus mordants (p. 146) :

> Tout le vêtement est dans une demi-teinte criarde (arrangez-vous) : c'est une sorte de quetsche rouge, un ton de vinaigre, qui donne l'idée de la couleur vive, comme les paillettes des forains donnent l'idée des diamants. Cela tire sur la groseille agonisante, sur la cerise becquetée, cela ressemble à ces rubans des palmes académiques qui virent acide à la clarté... là j'y suis, la robe est tournesol teintant un peu l'urine.

Particulièrement écœurante, cette description d'une tenancière est à l'image de la petite maison de passe qu'elle dissimule derrière ses mou-choirs, où défilent des hommes entre deux âges, pressés de savourer le plaisir de l'éphémère et de l'instant sublime, qu'Aragon valorise par ailleurs. Dans la même veine, Aragon décrit les salons de massage en faisant l'inventaire du glauque et du sordide (p. 162) :

> Le lit de milieu large et bas meuble presque entièrement la pièce où quelques sièges peu d'aplomb, poussiéreux, avec leurs vieilles franges, peuvent encore servir d'auxiliaires aux parties accessoires du débat.

Le tout s'achève par l'évocation du Théâtre Moderne, où, selon le prin-cipe de la liste, récurrent dans le «Passage», Aragon fait l'inventaire des pièces érotiques qui sont proposées à quelques amateurs isolés. Par

La poésie du quotidien,
l'étonnement qu'il procure aussi :
Brassaï saisit un passant
devant une vitrine de lingerie.

ailleurs, sur le mode du « Avançons, avançons » (p. 150), le guide trop curieux poursuit son recensement des boutiques plus officielles : restaurants malsains, armurier, déployant parfois une nouvelle arborescence descriptive, comme c'est le cas pour les ustensiles du coiffeur (p. 153-154), dont l'approche aboutit à la description en cascade de toutes sortes d'éponges, ou encore pour les articles du bandagiste. Dans tous les cas de figure, le principe de l'inventaire aboutit à la poésie de l'hétéroclite.

Humour et humeur noire

Fait de distanciation et de détachement, l'humour aragonien joue un rôle considérable dans « Le Passage de l'Opéra », où il vient, non sans risque, empêcher qu'on prenne quoi que ce soit au sérieux, à commencer par l'auteur lui-même (p. 116-117) :

LOUIS !

Je sors, je sors : qui est-ce qui m'appelle ? Au dehors le va-et-vient se poursuit. Personne de ma connaissance... ah si : le désir de voir mon prénom, si peu employé dans mon entourage, imprimé en capitales de quelque importance.

Particulièrement sensible au « ridicule d'une vie » (p. 118), le regard du Paysan fait feu de tout bois : rencontres illicites aux Bains (p. 116), petits dadaïstes aux jeux dérisoires, cireurs de chaussures dépourvus de conscience métaphysique. Il touche même à la philosophie, lorsqu'il s'agit des limites qu'Aragon voit dans la définition kantienne de l'imagination :

Et l'homme doute, car il n'aime pas les pétitions de principes, et il voit où le petit Emmanuel veut en venir avec ses mots enchantés.

De même, sans révérence particulière, Aragon semble prêter à l'allégorie* de l'imagination, bancale et secouée de tics, les traits conjugués des philosophes Hegel et Nietzsche, au cœur d'une parodie de dialogue philosophique empreinte par ailleurs du principe des psychomachies* médiévales où s'affrontaient des allégories morales (Amour et Désir entraient par exemple en débat avec Loyauté). C'est une des composantes essentielles du surréalisme, même si elle s'articule souvent, notamment chez Aragon, avec une forme de désespoir et de pessimisme. Cet humour naît par exemple à partir du décalage entre l'étonnement lyrique du Paysan et les choses quotidiennes et sordides, ou de certains collages qui, révélant les « massages » du premier étage, non seulement créent un effet de surprise et d'ironie (ce lieu respectable cache des commerces peu reluisants) mais font jeu de mots avec le passage de l'Opéra. De même, la mention de la publicité pour les préservatifs renvoie à l'humour de collégien pourtant dénoncé ailleurs. On notera cette part d'enfance que recèle toujours la voix du Paysan et qui pourrait correspondre à la recherche toute surréaliste d'une capacité d'étonnement, d'émerveillement et de rire perdue par les adultes. La description minutieuse joue évidemment un rôle considérable dans le déclenchement des effets humoristiques ou franchement comiques. La description de la vendeuse de mouchoirs, qui revendique une forme d'objectivité, fait rapidement basculer la figure dans la caricature.

L'évocation de figures mécaniques peut également produire certains effets, comme cette caissière du Théâtre Moderne dont la voix se déclenche dès que l'on traverse son «champ optique». Au total, on distinguera les effets humoristiques liés au ton employé et au recul du locuteur par rapport à l'objet décrit, les effets comiques liés au langage, aux situations, aux répétitions et les effets sarcastiques nés de certaines provocations. À cela s'ajoutent les effets humoristiques des pastiches et parodies dont Le Paysan de Paris regorge (parodie du guide touristique, du reportage journalistique, de la description exhaustive). Incitation au recul critique, l'humour aragonien, avec ses inflexions variées (sarcasme, caricature, allusion, ironie, dérision, autodérision, grotesque), est en étroite liaison avec l'humeur noire. C'est que pèse sur cette conscience un pessimisme radical, dont les pages 84 et 85 donnent un aperçu ludique et comique, à travers l'image de l'accordéon typographique. Lié au soupir et à l'épuisement du souffle, le «rien» final apparaît comme l'aboutissement probable d'une attitude de conscience vouée au néant. Il n'est pas certain qu'Aragon veuille en faire un obstacle insurmontable, même s'il reste toujours en embuscade. Le surréel arrache l'être à la contemplation vaine de son inutilité dans la réalité et l'invite à la découverte d'un nouveau monde, plus exaltant.

à vous...

Recherches

1 – Faites des recherches au CDI sur les peintres et les photographes surréalistes. Quels sont les thèmes, quelles sont les figures que vous retrouvez chez eux et qui correspondent à l'univers du Paysan de Paris?

2 – Intéressez-vous à un lieu commercial à la fois banal, magique et un peu mystérieux de votre ville, puis étudiez-en le fonctionnement économique et social.

Travaux d'écriture

1 – À partir du «mode d'emploi» de l'écriture automatique transmis par André Breton dans le premier *Manifeste du surréalisme* (1924) et que nous vous invitons à lire maintenant, expérimentez à votre tour les effets linguistiques, rhétoriques et poétiques d'une écriture libérée de ses habitudes.

«SECRETS DE L'ART MAGIQUE SURRÉALISTE
Composition surréaliste écrite, ou premier et dernier jet

Faites-vous apporter de quoi écrire, après vous être établi en un lieu aussi favorable que possible à la concentration de votre esprit sur lui-même. Placez-vous dans l'état le plus passif, ou réceptif, que vous pourrez. Faites abstraction de votre génie, de vos talents et de ceux de tous les autres. Dites-vous bien que la littérature est un des plus tristes chemins qui mènent à tout. Écrivez vite, sans sujet préconçu, assez vite pour ne pas retenir et ne pas être tenté de vous relire. La première phrase viendra toute seule, tant il est vrai qu'à chaque seconde il est une phrase étrangère à notre pensée consciente qui ne demande qu'à s'extérioriser. Il est assez difficile de se prononcer sur le cas de la phrase suivante ; elle participe sans doute à la fois de notre activité consciente et de l'autre, si l'on admet que le fait d'avoir écrit la première entraîne un minimum de perception. Peu doit vous importer, d'ailleurs ; c'est en cela que réside, pour la plus grande part, l'intérêt du jeu surréaliste. Toujours est-il que la ponctuation s'oppose sans doute à la continuité absolue de la coulée qui nous occupe, bien qu'elle paraisse aussi nécessaire que la distribution des nœuds sur une corde vibrante. Continuez autant qu'il vous plaira. Fiez-vous au caractère inépuisable du murmure. Si le silence menace de s'établir pour peu que vous ayez commis une faute – une faute, peut-on dire, d'inattention –, rompez sans hésiter avec une ligne trop claire. À la suite du mot dont l'origine vous semble suspecte, posez une lettre quelconque, la lettre *l* par exemple, toujours la lettre *l*, et ramenez l'arbitraire en imposant cette lettre pour initiale au mot qui suivra. »

2 – Pratiquez le même exercice à partir de fragments de journaux collés les uns à la suite des autres, au hasard, puis avec une part de contrôle.

LE SENTIMENT DE LA NATURE
AUX BUTTES-CHAUMONT

Ausschauende Idee

I

Par ces temps magnifiques et sordides, préférant presque toujours ses préoccupations aux occupations de mon cœur, je vivais au hasard, à la poursuite du hasard, qui seul parmi les divinités avait su garder son prestige. Personne n'en avait instruit le procès, et quelques-uns lui restituaient un grand charme absurde, lui confiant jusqu'au soin des décisions infimes. Je m'abandonnais donc. Les jours coulaient à cette sorte de baccara tournant. Une idée de moi-même était tout ce que j'avais en tête. Une idée qui naissait doucement, qui écartait doucement les ramures. Un mot oublié, un air. On le sent lié à tout soi-même, et comme une forme qui en recherche une autre avec sa lanterne au milieu de la nuit, la voyez-vous qui va et vient, on prend le moindre pli du terrain pour un homme, l'arbuste ou quelque ver luisant. Dans ce calme et cette inquiétude alternés qui formaient alors tout mon ciel, je pensais, comme d'autres du sommeil, que les religions sont des crises de la personnalité, les mythes des rêves véritables. J'avais lu dans un gros livre allemand l'histoire de ces songeries, de ces séduisantes erreurs. Je croyais qu'elles avaient perdu, je croyais voir qu'elles avaient peu à peu perdu leur puissance efficace en ce monde qui m'entourait et qui me semblait en proie à des obsessions toutes nouvelles, et en tout différentes. Je ne reconnaissais pas les dieux dans la rue, chargé de ma vérité précaire sans savoir que toute vérité ne m'atteint que là où j'ai porté l'erreur. Je n'avais pas compris que le mythe est avant tout une réalité, et une nécessité de l'esprit, qu'il est le chemin de la conscience, son tapis roulant. J'acceptais sans examen cette croyance commune, qu'il est, au moins un instant, une figure de langage, un moyen d'expression : je lui préférais follement la pensée abstraite, et me félicitais de le faire. L'homme malade de la logique : je me défiais des hallucinations déifiées.

Pourtant qu'était-ce, ce besoin qui m'animait, ce penchant que j'inclinais à suivre, ce détour de la distraction qui me procurait l'enthousiasme ? Certains lieux, plusieurs spectacles, j'éprouvais leur force contre moi bien grande, sans découvrir le principe de cet enchantement. Il y avait des objets usuels qui, à n'en pas douter, participaient pour moi du mystère, me plongeaient dans le mystère. J'aimais cet enivrement dont j'avais la pratique, et non pas la méthode. Je le quêtais à l'empirisme avec l'espoir souvent déçu de le retrouver. Lentement j'en vins à désirer connaître le lien de tous ces plaisirs anonymes. Il me semblait bien que l'essence de ces plaisirs fût toute métaphysique, il me semblait bien qu'elle impliquât à leur occasion une sorte de goût passionné de la révélation. Un objet se transfigurait à mes yeux, il ne prenait point l'allure allégorique ni le caractère du symbole ; il manifestait moins une idée qu'il n'était cette idée même. Il se prolongeait ainsi profondément dans la masse du monde. Je ressentais vivement l'espoir de toucher à une serrure de l'univers : si le pêne allait tout à coup glisser. Il m'apparaissait aussi dans cet ensorcellement que le temps ne lui était pas étranger. Le temps croissant dans ce sens suivant lequel je m'avançais chaque jour, chaque jour accroissait l'empire de ces éléments encore disparates sur mon imagination. Je commençais de saisir que leur règne puisait sa nature dans leur nouveauté, et que sur l'avenir de ce règne brillait une étoile mortelle. Ils se montraient donc à moi comme des tyrans transitoires, et en quelque sorte les agents du hasard auprès de ma sensibilité. La clarté me vint enfin que j'avais le vertige du moderne.

Ce mot fond dans la bouche au moment qu'elle le forme. Il en est ainsi de tout le vocabulaire de la vie, qui n'exprime point l'état mais le changement. Il me fallut me convenir de l'insuffisance de la pensée pure à rendre compte de ce qui me possédait. Le sens de la possibilité logique, comment en aurais-je tiré celui du mystère ? Cependant telle était la voie que je suivais que je ne pouvais plus en négliger la carte, et dans ces méandres, étonné mille fois, je commençai de deviner une sorte de présence que tout me poussait à nommer divine. La démarche intellectuelle qui m'amenait à ce point, ce qui me frappait en elle, c'est qu'elle ne trouvait sa source que dans cette pensée figurative, dont j'ai dit que je la méprisais. Je me souviens d'une cire frissonnante chez un coiffeur, les bras devant le sein croisés et les cheveux défaits trempant leur ondulation permanente dans l'eau d'une coupe en cristal. Je me souviens d'un magasin de fourrures. Je me souviens de la mimique étrange de l'électroscope à feuilles d'or. Ô chapeaux hauts-de-forme ! vous avez eu pour moi toute une semaine le noir aspect d'un point d'interrogation. Au seuil de l'émotion sensible un rien pouvait m'induire à penser que dans mon idée limitative et particulière de chaque chose, il y a plus de certitude que dans l'intuition absolue que j'en ai. Ce fut l'affaire de peu de temps. Puis, sans peine désormais, je me mis à découvrir le visage de l'infini sous les formes concrètes qui m'escortaient, marchant le long des allées de la terre.

Ainsi sollicité par moi-même d'intégrer l'infini sous les apparences finies de l'univers, je prenais constamment l'habitude d'en référer à une sorte de frisson, lequel m'assurait de la justesse de cette opération incertaine. J'en arrivai à le considérer comme une preuve effective, et je m'inquiétai de sa nature. J'ai dit d'une autre façon que je la tenais pour essentiellement métaphysique. La liaison intime que je découvrais ainsi dans cent circonstances entre l'activité figurative et l'activité métaphysique de mon esprit, qui s'élevaient de conserve à ma conscience, me tourna vers la révision des créations mythiques, que j'avais jadis assez sommairement condamnées. Il ne put m'échapper bien longtemps que le propre de ma pensée, le propre de l'évolution de ma pensée était un mécanisme en tout point analogue à la genèse mythique, et que sans doute je ne pensais rien que du coup mon esprit ne se formât un dieu, si éphémère, si peu conscient qu'il fût. Il m'apparut que l'homme est plein de dieux comme une éponge immergée en plein ciel. Ces dieux vivent, atteignent à l'apogée de leur force, puis meurent, laissant à d'autres dieux leurs autels parfumés. Ils sont les principes mêmes de toute transformation de tout. Ils sont la nécessité du mouvement. Je me promenai donc avec ivresse au milieu de mille concrétions divines. Je me mis à concevoir une mythologie en marche. Elle méritait proprement le nom de mythologie moderne. Je l'imaginai sous ce nom.

II

La légende moderne a ses enivrements, et sans doute qu'il se trouve toujours quelqu'un qui croit en montrer l'enfantillage, comme de l'Olympe ou de l'Eucharistie. Je n'écouterai ni le scepticisme ni la peur de la vulgarité. Les signes extérieurs d'un culte, la représentation figurée de ses divinités avant tout m'importent, et je laisse aux habiles leurs interprétations de finesse des plus belles histoires auxquelles l'homme ait su mêler le ciel. Je traverserai ces champs énormes semés d'astres.

Si je parcours les campagnes, je ne vois que des oratoires déserts, des calvaires renversés. Le cheminement humain a délaissé ces stations, qui exigeaient un tout autre train que celui qu'il mène. Ces Vierges, les plis de leur robe supposaient un procès de la réflexion point compatible avec le principe d'accélération qui gouverne aujourd'hui le passage. Devant qui s'arrêtera-t-elle donc, la pensée contemporaine, le long de ces routes où des dangers nouveaux la limitent, devant qui humiliera-t-elle la vitesse acquise et le sentiment de sa fatalité? Ce sont de grands dieux rouges, de grands dieux jaunes, de grands dieux verts, fichés sur le bord des pistes spéculatives que l'esprit emprunte d'un sentiment à l'autre, d'une idée à sa conséquence dans sa course à l'accomplissement. Une étrange statuaire préside à la naissance de ces simulacres. Presque jamais les hommes ne s'étaient complu à un aspect aussi barbare de la destinée et de la force. Les sculpteurs sans nom qui ont élevé ces fantômes métalliques ignoraient se plier à une tradition aussi vive que celle qui traçait les églises en croix. Ces idoles ont entre elles une parenté qui les rend redoutables. Bariolés de mots anglais et de mots de création nouvelle, avec un seul bras long et souple, une tête lumineuse sans visage, le pied unique et le ventre à la roue chiffrée, les distributeurs d'essence ont parfois l'allure des divinités de l'Égypte ou de celles des peuplades anthropophages qui n'adorent que la guerre. Ô Texaco motor oil, Eco, Shell, grandes inscriptions du potentiel humain! bientôt nous nous signerons devant vos fontaines, et les plus jeunes d'entre nous périront d'avoir considéré leurs nymphes dans le naphte.

Maintenant que nous avons couché à nos pieds l'éclair comme un petit chat, et que sans plus frémir que l'aigle nous avons compté sur sa face les taches de rousseur du soleil, à qui porterons-nous le culte de latrie? D'autres forces aveugles nous sont nées, d'autres craintes majeures, et c'est ainsi que nous nous prosternons devant nos filles, les machines, devant plusieurs idées que nous avons rêvées sans méfiance, un matin. Quelques-uns d'entre nous qui prévoyaient cette domination magique, qui sentaient qu'elle ne tirait pas son principe du principe d'utilité, crurent reconnaître ici les bases d'un sentiment esthétique nouveau. Ils confondaient naïvement le beau et le divin. Mais voici que les raisons profondes de ce sentiment plastique qui s'est élevé en Europe au début du XXe siècle commencent à apparaître, et à se démêler. L'homme a délégué son activité aux machines. Il s'est départi pour elles de la faculté de penser. Et elles pensent, les machines. Dans l'évolution de cette pensée, elles dépassent l'usage prévu.

Elles ont par exemple inventé les effets inconcevables de la vitesse qui modifient à tel point celui qui les éprouve qu'on peut à peine dire, qu'on ne peut qu'arbitrairement dire qu'il est le même qui vivait dans la lenteur. Ce qui s'empare alors de l'homme, devant cette pensée de ma pensée, qui lui échappe et qui grandit, que rien n'arrêtera plus, pas même sa volonté qu'il croyait créatrice, c'est bien la terreur panique, de laquelle il imaginait les pièges déjoués, présomptueux enfant qui se flattait de se promener sans elle dans le noir. Une fois de plus, à l'origine de cette terreur, vous trouverez l'antagonisme de l'homme qui se considère, et se considère étant, et de sa pensée qui devient. Caractère tragique de toute mythologie. Il y a un tragique moderne : c'est une espèce de grand volant qui tourne et qui n'est pas dirigé par la main.

III Le Jardin

Tout le bizarre de l'homme, et ce qu'il y a en lui de vagabond, et d'égaré, sans doute pourrait-il tenir dans ces deux syllabes : jardin. Jamais qu'il se pare de diamants ou souffle dans le cuivre, une proposition plus étrange, une plus déroutante idée ne lui était venue que lorsqu'il inventa les jardins. Une image des loisirs se couche dans les gazons, au pied des arbres. On dirait que l'homme s'y retrouve avec son mirage de jets d'eau et de petits graviers dans le paradis légendaire qu'il n'a point oublié entièrement. Jardins, par votre courbe, par votre abandon, par la chute de votre gorge, par la mollesse de vos boucles, vous êtes les femmes de l'esprit, souvent stupides et mauvaises, mais tout ivresse, tout illusion. Dans vos limites de fusains, entre vos cordeaux de buis, l'homme se défait et retourne à un langage de caresses, à une puérilité d'arrosoir. Il est lui-même l'arrosoir au soleil, avec sa chevelure fraîche. Il est le râteau et la pelle. Il est le morceau de caillou. Jardins vous ressemblez à des manchons de loutre, à des mouchoirs de dentelle, à des chocolats aux liqueurs. Parfois vous accrochez vos lèvres aux balcons; les toits vous les couvrez comme des bêtes, et vous miaulez au fond des cours intérieures. J'ai dormi dans vos pirogues : mon bras s'était déroulé, de petites fourmis fuyaient sur la terre. Les fleurs se massaient sur le ciel. Le banc vert regrettait le Nil où sur un sol brûlant s'enfuyaient devant lui de grandes écharpes blanches. J'ai joué sur vos pelouses et mon pied dans vos allées a poussé mon cœur entre le ciel et l'enfer. Devant vos plates-bandes j'ai agité mon mouchoir comme un émigrant à bord. Et déjà le bateau s'éloigne. Aux agrès du jardin les désirs les plus simples, les douceurs du soir sèchent avec ma chemise. Le soleil par testament nous laisse un pot de géranium.

Les jardins, ce soir, dressent leurs grandes plantes brunes qui semblent au sein des villes des campements de nomades. Les uns chuchotent, d'autres fument leurs pipes en silence, d'autres ont de l'amour plein le cœur. Il y en a qui caressent de blanches murailles, il y en a qui s'accoudent à la niaiserie des barrières et des papillons de nuit volent dans leurs capucines. Il y a un jardin qui est un diseur de bonne aventure, un autre est marchand de tapis. Je connais leurs professions à tous : chanteur des rues, peseur d'or, voleur de prairies, seigneur pillard, pilote aux Sargasses, toi marin d'eau douce, toi avaleur de feu, et toi, toi, toi, colporteurs de baisers, tous charlatans et astrologues, les mains chargées de faux présents, images de la folie humaine, jardins de mousse et de mica. Ils reflètent fidèlement les vastes contrées sentimentales où se meuvent les rêves sauvages des citadins. Tout ce qui subsiste chez les adultes de l'atmosphère des forêts enchantées, tout ce qui participe encore en eux de l'habitude du miracle, tout ce qui respire dans leur souffle un parfum des contes de fées, sous la piètre apparence démente de ces paysages faiblement inventés se révèle et dénonce l'homme avec son trésor insensé de verroteries intellectuelles, ses superstitions, ses délires. Il s'accroupit ici au milieu de toutes les pierres rondes qu'il a pu trouver, et il les compte, et il rit : il est content. Il a mis aussi des boules de verre aux arbres, un peu d'eau dans le creux d'un rocher. Que vont en dire les femelles ? Il ronge ses ongles, et il rit. Quand il fera la sieste dans un hamac, il essayera du même coup le sommeil de la mort et la paix du cimetière. Qu'un oiseau chante et voici qu'il a les larmes aux yeux. Il s'attendrit et se balance au milieu de cette figuration crétine du bonheur. Six-et-trois des vergers, double-blanc des terrasses, joue-t-il aux dominos ou se conforme-t-il à une liturgie primitive ? Il rit tout doucement à côté des fuchsias.

Ceux qui ont voyagé tout le cours de leur vie, ceux qui ont rencontré l'amour et ses climats, ceux qui ont brûlé leur barbe au sud, gelé leurs cheveux dans le nord, ceux dont la peau est faite de tous les soleils et les vents, ceux qui furent dans la bouche de l'Océan une chique perpétuelle entre ses récifs et ses salives, les servants de la fumée, les poux de la voile, les fils de la tornade, au bout de leur long cauchemar quand ils reviennent un perroquet sur l'épaule, et le pas prévoyant les tremblements de terre, n'ont plus qu'un seul désir c'est d'avoir un jardin. Alors dans les banlieues mentales où l'on relègue ces vieux monstres hantés par les traîtrises de la mer, des palmiers nains, des giroflées et des bordures de coquilles évoquent pour eux l'infini. Et la femme qui vient des confins du plaisir, celle qui fut un cerne, une lèvre mordue, celle qui touchait aux hommes inconnus et qui restait sous un fanal, dans l'immense pénombre d'argent des villes, là où tournent les chiens, les couteaux, les romances, la femme qui prenait la forme du désir, abandonné enfin l'éventail des caresses, pour prix de ses sanglots et de ses comédies, ne demande qu'un fond de verdure où profiler le reste absurde de ses jours. Pour tous ces cœurs obscurs dont je suis entouré, l'éternité commence un soir par un jardin. Allez-vous-en, vieux fous parqués dans vos parterres, arrimés à vos fleurs en pleine barbarie. Allez-vous-en, vous mes semblables. Vous, mes semblables ? À cette idée mes joues saignent de honte. Que la bâche du ciel vous couvre à tout jamais, qu'elle dissimule à mes regards votre tranquille saoulerie, vos résédas et vos fauteuils de rotin clair. Que le pic-vert du temps qui frappe à votre tempe sa cascade de coups perfore vos tympans. Les toits rouges s'écroulent pour donner l'exemple à votre sang. Ô brebis si vous n'avez pas renoncé à toute dignité humaine, il est grandement l'heure de mourir puisque enfin vous avez le goût de jardiner !

IV

J'avais été frappé à plusieurs reprises de diverses étrangetés dans le train de la vie des hommes. Qu'ils reproduisent sur des toiles ce que leurs regards peuvent saisir, et particulièrement la mer, les montagnes, les rivières. Qu'ils voyagent. Qu'ils ont le goût des jardins. Je sentais qu'un seul mot devait unir ces passions disparates, et je le cher-

chais ou plutôt je le trouvai : c'est qu'ils éprouvent un sentiment confus à ces occupations, et commun à elles toutes,
analogue à cette inquiétude que j'avais, les voyant agir, et
qu'ils nomment *le sentiment de la nature*. Je ne m'étais pas
demandé si je possédais ce sentiment. J'interrogeai sur lui
plusieurs personnes qui étaient connues pour l'avoir, et y
exceller. Je m'aperçus assez rapidement qu'elles n'avaient
de la nature qu'une connaissance vulgaire, et qui ne me
satisfaisait guère ; qu'elles n'étaient spécialisées que dans
le sentiment et tout ignorantes de son objet. J'examinai
donc seul l'idée de nature.

Ayant un peu rêvé à celle-ci, l'ayant confrontée tant bien
que mal avec les idées les plus courantes que je me faisais
de l'univers, je dus reconnaître qu'elle était entendue, non
point dans le sens large, le sens philosophique, mais dans
un sens esthétique restreint, qui n'embrasse que les objets
d'où l'homme est absent. Acception ancienne d'un mot,
qui nous vient de ce temps que l'œuvre humaine était répu-
tée laide, et répudiée par son père, et opposée par lui à une
œuvre divine distincte à laquelle il ne se croyait point de
part. Il me sembla donc dans l'abord qu'elle ne devait avoir
aucun rôle dans cette conception mythique du monde
moderne à laquelle je m'attachais. Mais bientôt l'analyse
des mythes nouveaux me força de revenir sur ce point.
Ceux-ci, substitués aux antiques mythes naturels, ne peuvent leur être réellement opposés, car ils puisent leur force,
leur magie à la même source, par là même qu'ils sont au
même titre des mythes, et à ce titre ce qui m'émeut en eux
c'est leur prolongement dans toute la nature ; et c'est la
reconnaissance de ce prolongement qui les sacre, et leur
donne sur moi ce pouvoir. Je m'avouai ne pas trouver
l'ombre de raison à ce sens partitif du mot nature. Je ne

l'employai plus que pour signifier d'un coup le monde extérieur. Et cela convenait mieux à la représentation que j'en avais, qui en fait une seule construction de mon esprit, en tant que limite de cet esprit. Limite que je crois faussement découvrir par un mécanisme qui est justement celui de la conscience. Le monde me vient peu à peu à la conscience, et par moments. Ce qui ne veut point dire qu'il m'est donné. *Je me le suis donné* par un point de départ que je lui ai choisi, comme le mathématicien son postulat initial. De moi naît sa nécessité. Ainsi la nature entière est ma machine : l'ignorance que j'en ai, que je puisse être ignorant, est un simple fait d'inconscience. Comme le mathématicien qui détermine d'un coup sa science en ignore pourtant les conséquences immanquables. L'expérience sensible m'apparaît alors comme le mécanisme de la conscience, et la nature, on voit ce qu'elle devient : la nature est mon inconscient. Ce que, pour parler le langage de l'habitude, mes sens m'en livrent, n'en est point séparé. Mais c'est par instants, à des seuils rares, que je reconnais ce lien qui unit les données de mes sens, quelques-unes de ces données, à la nature même, à l'inconscient. Cette conscience exquise d'un passage est le frisson dont je parlais[1]. L'objet qui en est l'occasion est le mythe, au sens que je donne à ce mot.

Ayant pris ces clartés en moi de la nature, des mythes, de leurs liens, j'éprouvais une sorte de fièvre à la recherche de ces mythes. Je les suscitais. Je me plaisais à m'en sentir cerné. Je vivais dans une nature mythique qui allait se multipliant. Dans tout ceci, me demandais-je, qu'est le sentiment de la nature ? L'idée première qui en vient est toujours unie à ce sens vicieux du mot nature que j'ai abandonné.

1. Cf. § 1, *in finem*.

Cette idée[1] est en connexion étroite avec le monothéisme chrétien, et les théismes qui en sont issus. Elle suppose, je le disais, l'opposition de l'œuvre divine et de l'œuvre humaine. C'est aux époques auxquelles les paganismes cèdent le pas au merveilleux chrétien que l'on voit ce sentiment faire irruption dans l'art, avec ses caractères impérieux. Mais que le dogmatisme chrétien rétrocède à son tour dans la foi humaine, et plus rien ne soutient le sentiment vulgaire de la nature, qui est décrié. Il faut qu'il fasse place à un mouvement qui soit en rapport intime avec la pensée philosophique du siècle. C'est ainsi qu'aujourd'hui je crois pouvoir avancer qu'il ne répond plus à rien. Tout au contraire, entendons-le au sens général et nouveau que lui donne l'acception véritable du mot nature. On voit qu'il est le sens du monde extérieur, et pour moi le sens de l'inconscient. Il faut s'entendre sur cette dernière expression.

À vrai dire, on n'imagine pas qu'il puisse y avoir un sens véritable de l'inconscient, si l'on s'en tient à la conception générale de celui-ci. Ou du moins on ne saurait avoir de lui qu'une connaissance abstraite, proprement une intuition logique. Mais si l'on songe que le conscient ne puise nulle part ses éléments, si ce n'est dans l'inconscient, on est bien obligé de convenir que le conscient est contenu dans l'inconscient. C'est alors un sens liminaire du conscient à l'inconscient, un sens dont le départ est figuratif, alors que son prolongement est logique[2], et qui ainsi occupe tout l'esprit, que nous aurons le droit de nommer le sens de l'incons-

---

1. Et l'on voit qu'elle naît de la déficience dans l'esprit des divinités figuratives des religions anciennes, qui personnifiaient les forces naturelles. Le christianisme leur substitue cette puissance sentimentale, la nature, qui perd toute valeur métaphysique. Les théismes n'agissent pas autrement un peu plus tard quand ils remplacent le Dieu triple, et figuré, par le sentiment du bien, par exemple.
2. Une sorte de marche arrière sentimentale.

cient. Qu'on se reporte à la définition que je donnais du mythe, et l'on verra que ce sens se confond en tous points avec le sens mythique, qu'il est le sens mythique. Et sa description nous explique sa puissance et ses effets.

Ainsi *sentiment de la nature* n'est qu'un autre nom du sens mythique. C'est au début de tout ceci ce que j'exprimais au négatif, voulant marquer de quelle ignorance lointaine je revenais : «*Je n'avais pas compris que le mythe est le chemin de la conscience, son tapis roulant.*» Il me faut ajouter que le mythe est la seule voix de la conscience, j'entends hors du domaine de l'intuition logique, et que si cette vérité répugne à notre conscience même, c'est qu'elle ne se pense jamais, qu'elle ne peut se penser dans ses formes changeantes, mais s'imagine fixée, statique en quelque sorte, et par là extérieure à l'inconscient, indépendante. Que cette orgueilleuse en rabatte : elle n'est qu'une modalité, et si elle se survit ce n'est que parce qu'en chaque point elle porte la marque de la mort. Elle est le phénix de l'esprit, condamné au bûcher perpétuel.

À ce point de mes réflexions, il me vint à la pensée de considérer le détour par lequel j'y étais parvenu. J'y remarquai je ne sais quel air fortuit mêlé à la nécessité. Ce qui m'avait mené d'ici à là, ce qui m'avait rejeté ailleurs, tous ces recoupements de moi-même étaient les fruits de rencontres, de circonstances qui semblaient en tout étrangères au sujet même du débat : des rendez-vous manqués, de petites déceptions, des voyages. Je me retrouvais en wagon, dans un lieu où dansaient les autres, et un rien remettait en route une idée qui dans l'obscur silence avait déjà fait son chemin. Il m'apparut à une occasion assez mince pour que je n'en aie point gardé le détail que j'avais négligé un des thèmes les plus fantasques de ma rêverie. C'était l'idée ancienne de la nature. Je me dis qu'après tout, réserves faites du langage, on pouvait se demander s'il n'existait point un sentiment mythique particulier, aujourd'hui efficace, qui se restreignît à ce qui fut jadis la nature. Y a-t-il des mythes naturels modernes? Ainsi se posait la question. On pouvait toutefois prévoir, me semblait-il, que seule une sorte de rhétorique saurait maintenant les distinguer, et bien artificiellement, des autres mythes, et que, s'il existait, ce sentiment moderne de la nature n'était explicable que grâce à la notion que j'avais acquise du sens mythique général. Je m'appliquai quelque temps à de petites notions qui ne me donnèrent grand éclair de presque rien. Puis je me lassai, et je fus tout à autre chose pendant six mois, quand un jour que je rentrais chez moi, je trouvai, assis sur une chaise et me regardant, l'ennui vêtu de son grand uniforme.

V

Douce femme du vent, faneuse de lumières, toi dont les cheveux purs par un chemin rayé de comètes parviennent en fraude à mes yeux, encore une fois Alcyone, charmante Alcyone aux cils de soie, laisse-moi rénover le mythe de Mœdler. Que le dard figuré des pesanteurs, blonde arborescence des abîmes du ciel, vienne encore une fois frapper ton sein, qu'il te pénètre, nudité d'amiante, encore une fois qu'il te pâme. Ainsi de temps en temps au cœur du carrousel la main qui groupe les attractions planétaires laisse échapper le nœud des ballons du soleil. Les lignes de force alors tombent en pleines Pléiades, et sous cette pluie Alcyone sourit. La clarté de ses dents illumine un instant la terre. C'est à cet instant que je rêve et que je vois dans l'air le spectre absurde de mon sort.

Ce spectre c'est l'ennui, jeune homme de toute beauté qui baye et se promène avec un filet à papillons pour attraper les poissons rouges. Il a dans la poche un podomètre et des ciseaux à ongles, des cartes et toutes sortes de jeux basés sur les illusions d'optique. Il lit à haute voix les affiches et les enseignes. Il sait les journaux par cœur. Il raconte des histoires qui ne font pas rire. Il passe sur ses yeux une main de ténèbres. *N'est-ce-pas?* disent les Français à tout bout de champ. Mais lui, une cheville terrible scande ses paroles : *À quoi bon?* Il ne peut voir un bouton électrique qu'il ne le tourne. Il ne peut voir une maison qu'il ne la visite, un seuil qu'il ne le passe, un livre qu'il ne l'achète. À quoi bon? tout cela sans curiosité ni plaisir, mais parce qu'il faut faire quelque chose, après tout, et que nous voici tout de même après tout. Et qu'était ce TOUT qui s'enfle dans la voix qui le forme?

Rien

Rien vraiment, qui valût de se mordre ainsi les doigts d'être dupés. Écoutez la chanson de l'ennui sur un air connu, la chanson connue sur un air d'ennui :

À quoi À quoi À quoi bon
À quoi bon À quoi bon
À quoi À quoi À quoi bon
À quoi À quoi bon bon bon

Ad libitum :

À À À – À À À quoi bon.

L'ennui regarde passer les gens dans la rue. Il entre dans un café : il en sort. Il entre chez une fille : il en sort. Il bouleverse une vie : il en sort. Il tuerait bien : il en sort. Il se tuerait :

C'est le second couplet de la chanson.

Donc, ce jour-là, l'ennui était assis à ma table et faisait bonnement comme chez lui. Il avait retroussé ses manches et écrit de petits récits qu'il me lut :

« L'épilepsie avait fait connaissance dans un arbre de couche avec un ouvrier vannier qui délirait en chambre. Elle lui offrit des oiseaux-mouches. En peu de temps elle apprit à rester maîtresse de ses paresses et c'était là tout ce qu'elle désirait. Tandis que l'argent durait, digérant au soleil, les brins d'osier menaçaient de se faire contrebandiers comme leur père. Le garde-champêtre des nuits sombres ne se serait pas contenté de pain et d'eau sans l'herbe verte et le petit bâton. Mais le rêve des roues de carriole revenait avec une précision toute mathématique chaque fois que la persienne battait le petit garçon mal élevé, seul héritier de la Maison Vents et Cie, commission exportation. »

L'ennui s'arrêta, me regarda, puis se remit à lire : «Bois en cachette la sournoiserie à paillettes qui sert de costume à ces danseuses de corde suicidées à l'aurore avec des poignards dans les sourires et des catastrophes aux doigts. Tu retrouveras sous les pierres les soleils endommagés par l'usage des stupéfiants qui m'ont livré à d'énormes scorpions dont je ne peux voir que les pattes mais dont l'ombre totale me révèle la présence au-dessus de ma tête, là où mes cheveux rejoignent les préoccupations nattées à la pensée de la mort. La mort aujourd'hui lundi est une nageuse dont je vois bouger le sexe dans l'argent à la clarté du magnésium.

«Sous son maillot étoilé le plaisir a dessiné des nerfs au ramage enfantin. À la toucher l'eau devient phosphore. La mort se nomme Lucie, ce soir. Je m'enfonce dans son sillage où des lueurs de maisons perdues dans les campagnes alternent avec des brasiers d'Inquisition et des feux de naufrageurs. À moi la nuit qui se déroule suivant une ellipse dont l'axe se déplace au fur et à mesure que mon esprit parvient à comprendre sa loi et qui ressemble ainsi étonnamment à une robe qui tombe d'un corps aperçu par hasard au pied des réverbères. Qu'on serve les cailloux sur les caresses et les assassinats sur des rames de métro ! Je m'enfonce, disais-je, au sein de ce camélia qui m'est connu depuis des années, l'impossibilité de me retrouver le matin sur la table où j'ai fait ma prière au sommeil. Déjà de grands lions apparaissent au levant et font entendre une incroyable mélodie. Déjà s'ouvrent les fenêtres de l'aventure et voici que commence la croisade du baiser et des oiseaux. Une troupe de silences s'approche. Elle semble acclamer quelqu'un dans un miroir. C'est la grève de la faim avec ses splendides manchettes et l'ombre du confesseur m'entre par un œil pour sortir par l'autre. Que je me damne, prêtre, si tu es autre chose que l'attrait du danger. Tu ris comme une folle et les cloisons s'abattent. Carton carton, les midinettes. À tout instant les maisons de couture lâchent ces plaies dans ma cervelle. Sont-ce bien de vraies libellules ? Je suis en proie à leur déploiement. Après le déluge des pensées, les mains jointes se dispersent sur les toitures et retrouvent au pied des paratonnerres le couple mystérieux que vient d'unir sous un platane le besoin de s'enfuir habillé en officier de paix. »

Tout à coup l'ennui se leva et me chassa de ma chambre. C'est alors que l'idée me vint de rendre visite à mon ami André Breton.

VI

En 1924, quand à bout de ressources l'homme, ayant fait le tour de sa curiosité et des divertissements un peu simples qu'il tient de ses père et mère, cherchait à se distraire par un moyen qui fût en rapport avec les événements qu'il traversait, il n'avait d'autre recours que de restituer à la vie la couleur tragique qui était en grande faveur cette année-là, où les catastrophes furent la menue monnaie des jours. De là cette vague de sincérité héroïque, et la vogue des petits jeux qui lui donnaient le loisir de se manifester : notes aux qualités et aux défauts de chacun, jeu de la vérité forcée, jeu des préférences, qui sont gros de drames et qui aident à rendre aux pensées devenues inopérantes dans la vie de société cette efficacité, cette offensivité première où les ruptures, les jalousies, les soupçons, les ruines de l'amour et de l'amitié trouvent leur origine. J'ai toujours vu que ces occupations qu'on croyait innocentes laissaient de lointaines traces dans ceux qui s'y adonnaient, et qu'après tout c'est à ces ravages qu'ils prenaient plaisir, malgré leurs dénégations, et à leurs retentissements imprévisibles. Un goût du désastre était en l'air. Il baignait, il teignait la vie : tout *le moderne* de ce temps-là, cette fonction de la durée en prenait un accent qui paraîtra bientôt singulier, et en quelque manière inexplicable.

Je trouvai chez André Breton, au dessert du dîner, au pied des tableaux qui fixent au mur quelques aspects de la magie passagère, plusieurs personnes qui avaient consumé l'après-midi dans ce lieu de convergences, à ces jeux que je disais. Elles étaient dans la stupeur qui les suit, quand on n'a plus l'envie de poursuivre, mais seulement de considérer les connaissances qu'on peut tirer de cet exercice achevé. Il faisait lourd sur les têtes et il ne semblait pas que rien pût naître de cette combinaison d'hommes et de femmes, qui achevaient un repas, à côté d'un petit chien. C'est alors qu'André Breton décida de sortir avec Marcel Noll et moi.

Marcel Noll participait de l'accablement général : celui-ci s'accroissait pour lui de plusieurs coïncidences qui le troublaient, qu'il avait subies dans les dernières heures. Nous nous sentions tous trois de faibles ressources dans la basse clarté humide du printemps, sur les pentes de Montmartre où diverses tentations clignaient de l'œil sans acquérir ce pouvoir que nous aurions aimé leur reconnaître. Tout ce charme de lumières qui s'éveillait aux portes banales du plaisir ne nous retenait pas dans les rues où nous glissions avec une brume légère et nos brouillards particuliers. Ce quartier qui est fait de paillettes où les marchands de pacotille profitent de l'égarement de tout un peuple sentimental, ce quartier qui a une lueur d'œil près du khol, il était trop tôt pour les boîtes de nuit, il était trop tard pour le cinéma, nous laissait fuir par ses mailles de ténèbres vers la place Saint-Georges, que vainement pour nous contournait la rue Laferrière avec son hémicycle de baisers. Dans le bas de la rue Notre-Dame-de-Lorette, sensiblement au niveau de l'oculiste qui a dans sa devanture un petit buste de femme coiffée à la 1907, en composition polychrome, qu'il a muni de bésicles, et que familièrement nous avons coutume de nommer *La Beauté future*, nous retrouvâmes au fond de notre abattement l'usage incertain de la parole. André Breton ne voulait pas marcher plus loin. Marcel Noll proposait d'aller à Montparnasse, et moi boire était tout ce que j'imaginais. Cette espèce de crépuscule de la décision se traîna avec nous jusqu'au carrefour de Châteaudun, qui est celui où les accidents à Paris aiment le mieux à se produire. Prendre un taxi nous parut alors plus facile que de prendre une résolution. Noll, toujours hanté par des coïncidences récentes, à tout hasard donnait l'adresse du Lion de Belfort, parce que le jour même Robert Desnos avait dû s'y trouver et qu'à la même heure quelqu'un d'autre… quand André Breton proposa d'aller aux Buttes-Chaumont, qui sans doute étaient fermées.

Certains mots entraînent avec eux des représentations qui dépassent la représentation physique. Les Buttes-Chaumont levaient en nous un mirage, avec le tangible de ces phénomènes, un mirage commun sur lequel nous nous sentions tous trois la même prise. Toute noirceur se dissipait, sous un espoir immense et naïf. Enfin nous allions détruire l'ennui, devant nous s'ouvrait une chasse miraculeuse, un terrain d'expériences, où il n'était pas possible que nous n'eussions mille surprises, et qui sait ? une grande révélation qui transformerait la vie et le destin. C'est un signe de cette époque que ces trois jeunes gens tout d'abord imaginent, et rien d'autre, une telle figure d'un lieu. Le romanesque a pour eux le pas sur tout attrait de ce parc, qui pendant une demi-heure sera pour eux la Mésopotamie. Cette grande oasis dans un quartier populaire, une zone louche où règne un fameux jour d'assassinats, cette aire folle née dans la tête d'un architecte du conflit de Jean-Jacques Rousseau et des conditions économiques de l'existence parisienne, pour les trois promeneurs c'est une éprouvette de la chimie humaine où les précipités ont la parole, et des yeux d'une étrange couleur. S'ils supposent avec exaltation que les Buttes peuvent rester ouvertes la nuit, ils n'y espèrent pas une retraite, la solitude, mais au moins la retraite de tout un monde aventureux, que le singulier désir de venir dans cette ombre a trié et groupé, selon une ressemblance cachée, à la pointe du mystère. Ils ne redouteront guère que de donner dans un rendez-vous déjà fréquenté de cette clique, qu'ils ont rencontrée dans les nuits du Bois de Boulogne, et qui est sans énigme aujourd'hui pour eux. Ce qu'ils recherchent, ce ne sont pas des amateurs de plaisir : ils cherchent des *curieux*, et ce mot dans leur bouche caractérise une forme active de l'intelligence. Ils cherchent, ils attendent de ces bosquets perdus sous les feux du risque une femme qui n'y soit pas tombée, une femme de propos délibéré, une femme ayant de la vie un sens si large, une femme si vraiment prête à tout, qu'elle vaille enfin la peine de bouleverser l'univers. Ici les trois amis constatent qu'ils ne sont pas armés.

Ces préoccupations n'étaient pas nouvelles pour nous : elles tenaient à une grande chimère, sortie de l'impossibilité moderne de se soustraire aux lois, qui établissent une envahissante morale universelle, où les individus ne trouvent plus leur compte. Il y avait entre nous un thème habituel, un domaine de franchise, où tout serait permis à des expérimentateurs animés du nouvel esprit qui les liait, nous l'inventions à l'échelle de la vie de ce temps-là, avec ses grandes villes, ses usines, ses pays de la culture, nous le placions dans la marge la plus favorable à la liberté et au secret, qui nous semblait cette grande banlieue équivoque autour de Paris, cadre des scènes les plus troublantes des romans-feuilletons et des films à épisodes français, où tout un dramatique se révèle. Sans nous représenter ce lieu, nous nous en figurions les voies d'accès, les routes désertes avec de petites maisons fermées, les grandes pancartes LUCILINE, et une voiture abandonnée non loin d'un pont de chemin de fer. Une semblable fiction, pour ceux qui n'y voient pas l'envers de plusieurs existences, n'a pas de peine à paraître enfantine. Qu'on ne s'y trompe point : l'imagination ne reste jamais impayée, elle est déjà le début redoutable d'une réalisation, et ce mythe devait entraîner fort loin un ou deux de ceux qui avaient présidé à sa naissance. Voilà que dans le désœuvrement nous nous prenions à penser qu'il y avait peut-être dans Paris, au sud du dix-neuvième arrondissement, un laboratoire qui à la faveur de la nuit répondît au plus désordonné de notre invention. Le taxi qui nous emportait avec la machinerie de nos rêves ayant franchi par la ligne droite de l'interminable rue La Fayette le neuvième et le dixième arrondissement en direction sud-ouest nord-est, atteignit enfin le dix-neuvième à ce point précis qui portait le nom de l'Allemagne avant celui de Jean Jaurès, où par un angle de cent cinquante degrés environ, ouvert vers le sud-est, le canal Saint-Martin s'unit au canal de l'Ourcq, à l'issue du Bassin de La Villette, au pied des grands bâtiments de la Douane, au coude des boulevards extérieurs et du métro aérien qui réunit dérisoirement ces deux extrêmes, Nation et Dauphine, devant la compagnie des Petites Voitures, le café de la Rotonde et le café de la Mandoline, à deux pas de la rue Louis-Blanc où *Le Libertaire* a son siège, au nord du fief de la vérole et au sud des Pompes funèbres, entre les magasins généraux de La Villette et les ateliers du matériel roulant des chemins de fer du Nord. Puis piquant droit vers le sud-est, il prit l'avenue Secrétan qui est plantée d'arbres, et qui au-delà du cinéma et de la compagnie générale des omnibus traverse une région d'écoles et de dispensaires, triomphe de l'organisation laïque. Elle était déserte à cette heure, et toute livrée à l'espace, grand paysage de bâtisses mortes et utiles, où la pierre prenait un aspect de bravade, à côté des murs de briques et de plâtras, des baraquements qui à des hauteurs inégales limitaient plusieurs idées philanthropiques du voisinage. Au niveau de la rue de Meaux nous ne vîmes pas le petit pointillé rouge qui trace la limite du quartier de La Villette et du quartier du Combat. Déjà nous dépassions le métro Bolivar où aboutit par une marche en hélice la rue Bolivar qui s'ouvre sur un pacage d'immeubles neufs. La rue Secrétan alors s'élève, elle arrive au grand dépôt des Pavés, à faible distance de l'École professionnelle Jacquard. C'est ainsi qu'aux approches du parc où est niché l'inconscient de la ville, les grands facteurs de la vie citadine prennent des figures menaçantes, et surgissent au-dessus des terrains vagues et de leurs cabanes de chiffonniers et de maraîchers avec toute la majesté conventionnelle, et le geste figé des statues. Il eût été difficile à cette heure, et à la vitesse de la voiture, de constater le nombre anormal d'opticiens que l'on rencontre dans la rue Secrétan, de la rue Bolivar à la rue Manin, où enfin le taxi s'arrêta devant le chalet Édouard, Noces et Banquets, qui allie avec sa frise de bois découpé le style de la Forêt-Noire à celui du Bas-Meudon.

À l'instant où ils constatent que la porte des Buttes est ouverte, on imagine l'état d'esprit des trois compagnons. L'un d'eux, Noll, n'est jamais venu dans ce lieu auquel il est amené après une journée de superstitions, d'inquiétude et d'ennui, dans un brusque sursaut imaginatif qu'aident encore ses deux amis par le propos qu'ils tiennent de ce jardin, duquel ils ont retenu le grand pont des Suicides où se tuaient avant qu'on ne le munît d'une grille même des passants qui n'en avaient pas pris le parti mais que l'abîme tout à coup tentait ; ils en ont retenu le Belvédère, il ne semble pas croyable qu'on puisse aller la nuit au Belvédère, le Belvédère et le lac, et l'invraisemblable diversité de cette construction de vallons et d'eau vive. Il est neuf heures vingt-cinq, et une brume épaisse est descendue sur toute la ville. Les hauts becs de gaz comprimé qui éclairent le parc forment de grandes traînées sulfureuses dans cette double nuit où montent les troncs d'arbres. Quelques garçons en casquette sortent des Buttes et s'éloignent sans chanter. Nous entrons dans le Parc avec le sentiment de la conquête et la véritable ivresse de la disponibilité d'esprit.

VII

Le parc des Buttes-Chaumont vu de haut a la forme d'un bonnet de nuit dont l'axe sensiblement orienté d'ouest en est joindrait l'abouchement de la rue Priestley dans la rue Manin à celui de la rue d'Hautpoul dans la rue de Crimée, la base rectiligne étant formée par la rue de Crimée, orientée nord-sud, légèrement oblique vers le sud-est, de la rue Manin à la rue du Général-Brunot. Des deux côtés curvilignes de cette figure, le septentrional convexe vers le nord-ouest est formé par la rue Manin, le méridional concave vers le sud-est par la rue Botzaris. De plus, la pointe, l'angle opposé à la base, formé par la réunion de ces deux côtés est déviée vers le sud, et légèrement vers l'est, formant une corne qui prolonge le parc au sud entre la rue Manin au-delà des rues Priestley et Secrétan, et la rue Bolivar qui lui fait suite du coin de la rue Manin jusqu'au-delà de la rue des Dunes, d'une part, et d'autre part de la rue Botzaris de la rue Fessart à la rue Bolivar. La base de ce prolongement est constituée par les allées du parc qui joignent la porte de la rue Secrétan à la porte de la rue Fessart. Le relief, et les allées qu'il détermine sont organisés suivant trois systèmes : l'un à l'ouest formant le prolongement décrit, le deuxième au centre autour du lac qui en occupe la partie moyenne, le troisième à l'est, autour de la ligne de chemin de fer de ceinture qui traverse le parc de l'angle de la rue de Crimée et de la rue Manin à la rue Botzaris, au niveau du Réservoir, suivant une droite perpendiculaire au segment correspondant de la rue Botzaris. Les portes du parc sont situées au nord place Armand-Carrel, deuxièmement à l'extrémité de l'avenue Secrétan, troisièmement à l'angle de la rue de Crimée et de la rue Manin; au sud à la corne Bolivar-Botzaris, deuxièmement au niveau de la rue Fessart, troisièmement un peu à l'ouest du Réservoir Botzaris; enfin au voisinage de la corne sud-est en face de la rue de La Villette. Il n'y a pas de porte sur la rue de Crimée.

Le secteur occidental, dont nous avons décrit les limites, forme une seule butte entourée de six massifs, sans compter les longs massifs limitrophes des rues Botzaris, Bolivar et Manin. Cette butte placée à l'est de la corne domine immédiatement l'entrée de la rue Fessart. On y accède par un chemin en spirale, qu'il faut emprunter à nouveau pour en redescendre. Elle borne vers l'est le chemin de la rue Fessart à la rue Secrétan, lequel longe avant elle les trois premiers massifs dont je parlais, placés au nord de la butte, tandis que les trois autres sont placés au sud et à l'ouest par rapport à elle.

Le second secteur, central, de dimensions très supérieures à celles de l'occidental, présente à sa partie moyenne un lac sensiblement quadrilatère dont la base méridionale est parallèle à la rue Botzaris, tandis que la septentrionale, curviligne, est dirigée dans l'ensemble obliquement du sud-est au nord-ouest pour former avec la rue Manin un angle obtus ouvert au sud-ouest. De telle sorte que le côté occidental du lac est plus petit que l'oriental. Une île triangulaire s'y rencontre : les côtés en sont, le septentrional parallèle au côté septentrional du lac, les deux autres convergents vers la portion moyenne de la côte sud de ce lac. Elle est unie à la terre par deux ponts, l'un court au sud, l'autre beaucoup plus long à son angle ouest. Elle constitue une butte, surmontée d'un belvédère. Deux buttes limitent au sud le lac, l'une à l'est contient les grottes sur son bord septentrional, l'autre à l'ouest domine la porte centrale de la rue Botzaris. Entre la corne et cette dernière butte une autre butte ferme à l'ouest le cirque dont le lac est le centre. Le vallonnement formé par ces deux dernières buttes, après s'être infléchi légèrement à la hauteur de l'angle occidental du lac, se relève, sans atteindre sa hauteur préalable, pour constituer vers le nord-est un relief qui ne mérite pas le nom de butte, un dos-d'âne dont le versant oriental limite le lac au nord-ouest et présente le café du Parc. Puis à l'entrée de la place Armand-Carrel la pente s'abaisse pour remonter en croissant le long du bord septentrional du lac, et se confondre avec le relief du troisième secteur.

Celui-ci contient une butte qui occupe la corne sud-est du parc, une autre située au nord-est du lac avec ses appentis, et entre ces deux systèmes de hauteurs un grand vallonnement orienté le long du chemin de fer de ceinture qui est à ciel ouvert sur les deux tiers nord du parcours, et qui s'enfonce dans un tunnel au sud : et à ce niveau le centre du vallonnement se relève pour former un pli de passage entre les deux buttes du secteur.

Dans son ensemble le parc des Buttes-Chaumont couvre vingt-cinq hectares de terrain : exécuté pendant la seconde moitié du XIXe siècle il est dû à Barillet Deschamps et à Alphand, directeur des Promenades et Jardins. Il s'étend sur un quart de la superficie du quartier du Combat, enfoncé comme un coin dans ce quartier de l'est à l'ouest, à la partie moyenne de la ligne de la rue de Crimée qui le sépare du quartier d'Amérique.

VIII

Parmi les forces naturelles, il en est une, de laquelle le pouvoir reconnu de tout temps reste en tout temps mystérieux, et tout mêlé à l'homme : c'est la nuit. Cette grande illusion noire suit la mode, et les variations sensibles de ses esclaves. La nuit de nos villes ne ressemble plus à cette clameur des chiens des ténèbres latines, ni à la chauve-souris du Moyen Âge, ni à cette image des douleurs qui est la nuit de la Renaissance. C'est un monstre immense de tôle, percé mille fois de couteaux. Le sang de la nuit moderne est une lumière chantante. Des tatouages, elle porte des tatouages mobiles sur son sein, la nuit. Elle a des bigoudis d'étincelles, et là où les fumées finissent de mourir, des hommes sont montés sur des astres glissants. La nuit a des sifflets et des lacs de lueurs. Elle pend comme un fruit au littoral terrestre, comme un quartier de bœuf au poing d'or des cités. Ce cadavre palpitant a dénoué sa chevelure sur le monde, et dans ce faisceau, le dernier, le fantôme incertain des libertés se réfugie, épuise au bord des rues éclairées par le sens social son désir insensé de plein air et de péril. Ainsi dans les jardins publics, le plus compact de l'ombre se confond avec une sorte de baiser désespéré de l'amour et de la révolte.

Elle donne à ces lieux absurdes un sens qu'ils ne se connaissaient pas. À l'encontre de l'idée courante ce n'est pas pour le faste que Louis XIV fit construire Versailles, mais pour l'amour, qui a aussi sa majesté, avec les cachettes du feuillage taillé, les promenoirs des grottes, et le peuple dément des statues. Aujourd'hui l'hygiène tient lieu de pompe aux habitants des villes, et c'est en son nom que dans l'inconscience ils aménagent ces retraites de verdure qu'ils tiennent naïvement pour un refuge contre la tuberculose. Et puis, la nuit descend, et les parcs se soulèvent. Comme un homme qui s'endort dans le train se balance, et sa main pend, et bientôt tout ce grand corps qui oublie la vitesse du wagon va se plier dans l'immobilité du rêve, ainsi la moralité urbaine soudain vacille sous les arbres. Une espèce de langueur qui a l'accent et la grâce de l'inconnaissable franchit les petits ponts rustiques dont plusieurs ne sont point en véritable bois. C'est alors que les gens croient chercher le plaisir. Dans les plis du terrain où tout les sollicite, ils sont les jouets de la nuit, ils sont les marins de cette voilure en lambeaux, et voici que déjà tout un peu d'eux-mêmes naufrage. La grande clameur de l'imagination leur fait oublier le silence. Sur les eaux d'agrément, à la cheville nue des cascades, on voit glisser le cygne. Et *caetera*. Ici commence une région d'éclipse. Ce bruit de chaînes qui tombent, au premier pas vers le cœur sombre du jardin!

Il y a un moment où tout le monde est trop faible pour son amour, il y a un moment qui ressemble à une baie bien mûre, un moment qui est gorgé de soi-même. Par deux voies complices le désir et le vertige se sont accrus, et quand ils confinent, quand ils se mêlent, par un bond, un sursaut de tout le regard, je m'atteins au-delà de mes forces, au-delà des circonstances, qui ne sont plus ces quelques aspects luisants des choses, mais ma vie, et la vie, et l'instinct de survivre, la pensée que je suis un être continuel, au-delà de tout ce que j'entreprends, de ma mémoire, je m'atteins, j'atteins au sentiment concret de l'existence, qui est tout enveloppé par la mort. Me voici dans l'excellence du destin. L'air est sauvage, et brûle aux yeux. Il faut que l'événement tourne à ma folie. Je sais contre la raison que ma folie a pour elle un pouvoir irrépressible, qui est au-dessus de l'humain. Ombre ou tourbillon c'est tout comme : la nuit ne rend pas ses vaisseaux.

L'homme pris au piège des étoiles. Il se croyait un animal donné. Il se croyait captif des péripéties et des jours. Ses sens, son esprit, ses chimères, il ne prenait le temps de la réflexion que pour coordonner, et poursuivre, des idées qu'il avait eues, qu'il pensait tenir dans sa tête, d'un bout à l'autre, du souvenir au présent, comme un oiseau vivant entre les doigts des mains. Il attendait de soi sa conclusion, sa cohérence. Il s'organisait dans sa personne autour des épisodes liés de son sort. Il se confrontait, se suivait; il était lui-même son ombre, une hypothèse et son décours. Il voyait avec une lucidité enivrante le tracé des forces qui le dominaient. Il les comptait. Il se choyait surtout pour ses perspectives tranquilles. Or, une nuit enfin, la nuit l'a regardé, la nuit qui se regarde dans les jardins comme dans des miroirs, et qui s'y multiplie par la croix de leurs arbres, la nuit qui retrouve ici sa légende et son visage d'autrefois.

Mais le peuple des passants et des promeneurs dans ces grandes villes qui n'en finissent pas où il bouge, et meurt, n'a pas le choix de sa nostalgie. Rien ne lui est offert que ces mosaïques de fleurs et de prés ou ces réductions arbitraires de la nature, qui constituent les deux types de paradis courant. Ce sont ces derniers qu'il préfère, parce qu'il est ivre encore de l'alcool romantique. Il se jette à cette illusion, tout prêt à réciter aux Buttes-Chaumont *Le Lac* de Lamartine, qui fait si joli en musique. Une fois qu'il s'y est jeté, ce n'est pas à la rumeur des torrents que son esprit chavire : le chemin de fer de ceinture est là, et le halètement des rues borne l'horizon. De grandes lampes froides surmontent toute la machinerie moderne, qui plie aussi, qui comprend aussi les rochers, les plantes vivaces et les ruisseaux domptés. Et l'homme, dans ce lieu de confusion, retrouve avec effroi l'empreinte monstrueuse de son corps, et sa face creusée. Il se heurte à lui-même à chaque pas. Voici le palais qu'il te faut, grande mécanique pensante, pour savoir enfin qui tu es.

IX

À peine avancions-nous dans le parfum du grand cyclamen nocturne qu'abandonnant la route pour le plus ombreux des sentiers nous découvrions au creux des feuillages noirs des figures couplées sur leurs chaises sacrées, sur les bancs pareils à des trous dans l'immense solitude humaine. Ô couples! dans votre silence un grand oiseau se profile soudain. Mimiques lentes, mains serrées, postures divines : j'ai pris à vos manières, à la diversité de vos manières un goût damnant, un damné goût de la surprise. Ceux qui sont immobiles, qui ne se regardent point, qui se perdent, ceux qu'un seul pont unit, par exemple aux épaules, ceux qui sont tout mêlés du haut au bas du corps, ceux qui s'écoutent, ceux qui sont dissipés dans l'air du paysage, les amoureux distants, les peureux, les pressés, ceux qui se croient invisibles au fond d'un baiser sans fin, ceux qui se lèvent soudain, et qui marchent, ceux qui frémissent, ceux qui découvrent tout à coup le sentiment de l'existence, blottis dans ce plaisir que tout retardera, les voluptueux qui évitent la volupté, les couples des parcs savent au-delà de l'humain faire durer le plaisir. Promenons-nous dans ce décor des désirs, dans ce décor plein de délits mentaux, et de spasmes imaginaires. Peut-être à la trahison d'un geste ou d'un soupir, comprendrons-nous ce qui lie ces fantômes sensibles à l'émouvante vie des buissons trembleurs, au gravier bleu qui crisse sous nos pieds. Qui me dira le secret des arceaux de fer qui limitent les chemins, le long des pelouses, le secret de ces cœurs soumis à tout un protocole de verdure et à l'accablante loi d'un pays inventé? Avançons, mes amis, dans cette nuit peuplée.

Voilà donc l'amour, le hiératique amour qui fait la haie sur notre passage. À la recherche du plaisir, ou de quelque confusion innombrable, tout le désespoir humain est là, se pliant à ce rite imaginaire, dans un temple de fusains, où tout se ligue, le froid vif et les regards, contre le culte qu'on y célèbre. Mais je suis un objet de ce culte, ma présence, la nôtre : on croirait voir les candélabres d'argent ciselé en promenade au milieu des autels où cette messe basse est officiée par des prêtres hérétiques soumis à d'étranges canons variables, dans leurs chapelles de baiser. Ô déplacements insensibles des corps, vous signifiez à chaque coup une grande résolution philosophique des ténèbres, rien n'est perdu, douces translations, de l'intentionnel de votre naissance. C'est l'heure du frisson, qui ressemble à crier à un trait d'encre noire. Nous nous réjouissons d'être des encriers.

MARCEL NOLL :

Quel chemin parcouru depuis la forêt primitive ! D'abord j'usais de mes pieds nus l'herbe vers la rivière. Ce fut une foulée, et une première idée que j'eus du souvenir. Puis ma trace persistant, le spectre des sentiers se leva dans mon intelligence. Il me dit avec douceur comment rejoindre une amoureuse. Il me conduisit vers des lieux de rêverie où l'habitude enfin me façonnait le cœur. L'allée ! mes premiers esclaves, leurs dos luisants pliés sur leur pagne de paille, me frayèrent une route, et firent l'arbre et la pierre complices de mes pas. L'allée ! ce n'était encore qu'une voie utile, une trouée pour mon âme de sauvage, et ce serpent grandit, et relia les villes, mais ce n'était pas l'allée, au nom nostalgique, l'allée qui surgit seulement dans l'esprit magnifique et pur d'un fou, qui devait être un monarque très jeune, et sans désir, à la lueur écrouie d'un siècle finissant. L'allée ! dès que j'y pénètre, j'aperçois toute sa perspective et l'issue ménagée de cette grande association d'idées plantée d'un bout à l'autre d'arbres taillés dont l'essence est choisie. Sa largeur est proportionnée à l'usage prévu, sa longueur à la mélancolie du jardinier-paysagiste. Elle épouse les formes des pelouses, elle épouse le front pâle du promeneur. Ne multipliez pas les allées, recommandent les traités techniques. Et moi je dis : qu'importe, ô jardiniers, vos lois, votre sagesse ? Vous craignez qu'un jardin, s'il est trop morcelé, ne paraisse petit. Ah ! vous êtes gâchés par la clientèle de la banlieue, à ce que je vois. Vous avez oublié le goût des grandes choses. Que le concept sinueux de l'allée vous reprenne, et vous mène à de véritables folies labyrinthiques, qu'on lise sur la terre où nous nous égarons l'expression bouffonne et désespérée de votre inquiétude, nouez comme la voile au vent toujours changeur les allées au jardin où vos mains s'abandonnent. Et si les inscriptions philosophiques gravées sur la pierre des monuments paraissent nécessaires au détour combiné des buissons et de la méditation solitaire, allez-y des inscriptions philosophiques, de la pierre moussue à plaisir, de la dalle ébranlée par le pied d'un fantôme : ne redoutez pas le sourire odieux de celui qui n'a point conçu les jardins comme des poèmes. Allez-y du ridicule fastueux des cascades, de l'hybride plaisir des bosquets ténébreux. Que votre main suspende une liane, à cet endroit précis où montent les regards. Ô Krafft, allemand hydrocéphale et triste, à la veille des temps modernes, tandis qu'on entendait au loin le bruit des bûcherons qui abattaient des têtes, sur ton pays alors en proie à cette division qui est jugée de mauvais goût dans la distribution des parterres par les architectes de notre époque, les Duchêne, les Martinet, les Édouard André, les Vacherot... sur ton pays en miettes, Krafft, génial rêveur, tu promenais un œil dément et c'est sans doute alors devant ces dominos de frontières que tu inventas ces tortueux dessins desquels on voit de moins en moins s'éprendre la jeunesse qui dans ces jours maudits les trouve fatigants. Et pourtant toi seul sus donner aux jardins leur idéalité : tu les rendais ensemble attirants et burlesques. Ils s'ouvraient à l'oubli ainsi qu'au souvenir. Tu les courbais sous tes doigts magiciens à l'image de ton délire, et tu ne faisais point appel à ces couleurs qui tirent aujourd'hui d'affaire les jardiniers sans imagination : il te suffisait de petites variations du vert au brun et au gris pâle dans la ramure pour limiter le fond fuyard du songe, là où l'espoir des visiteurs cherchait à s'évader par l'essaim des regards. Tu n'avais pas à ton service le pélargonium vigoureux, le chrysanthème lourd, ni la sauge éclatante, à peine le sainfoin d'Espagne et l'ancolie, l'oreille d'ours et la pensée éclairaient-elles un peu tes massifs métaphysiques, tes bordures de soupirs et de regrets. Je te salue, pétrisseur de planètes. Et mes hommages à Madame Krafft.

Noll se tait. Le chemin serpente au flanc d'une butte, au sommet de laquelle un lampadaire luit. Sur le plan de la nuit et sur le plan du parc suivons les trois amis qui s'avancent avec le sentiment fugitif de la bizarrerie et un désir qui tient à l'essence du monde.

X

Ils arrivent à la plate-forme qui domine la nuit, à laquelle un bec de gaz flanque une volée de lumière violette et violente. À ce sommet de l'esprit, les bancs sont vides, en demi-cercle autour du gravier. Il semble qu'on ne puisse aller plus loin : «Depuis dix mille ans…», tu parles. Nos jeunes gens cherchent une issue, mais partout ils se heurtent au fil de fer du nommé La Bruyère, et dans la brume à leurs pieds c'est une prairie qui dévale. Enfin l'un d'eux reconnaît l'amorce d'un chemin, et nous assistons à l'un de ces départs coutumiers dans l'histoire de la science, quand une hypothèse à la taille de guêpe est abandonnée par un volage professeur de chimie ou de biologie comparée, sur le piton inaccessible, ou réputé tel, où par pur défi si ce n'est par orgueil mal placé elle avait été se jucher pour ne pas déchoir dans l'estime de ses contemporains. Alors le chargé de cours, ayant retroussé ou frisé, ou calamistré ses moustaches, part d'un air dégagé sur une piste toute nouvelle, sans se soucier de la désespérée qui agite son mouchoir, et rappelle, dans ses propos, les douces nuits, les angoisses communes, et les communications impatiemment attendues à des sociétés savantes de second ordre, les articles complimenteurs dans des revues-à-côté, scientifiques et littéraires, où Horace, le poète latin, est cité à tout bout de champ quand l'auteur ramenant à de justes proportions le sujet qu'il traite veut montrer en même temps que le charme et la culture de son esprit… que disais-je? veut montrer qu'on ne la lui fait pas… *desinit in piscem*. Vous me la copierez.

Le dessein qui me pousse à raconter cette aventure, et l'infini de ses détails, par exemple qui marche devant, si

André Breton porte aujourd'hui sa canne, – une belle canne, au reste, que les garçons de café apprécient comme il se doit, achetée chez un antiquaire de la rue Saint-Sulpice, qui vend aussi de faux étains, une canne de provenance douteuse, africaine pour les uns, asiatique pour d'autres, pour d'autres encore due au génie exotique et intellectuel de Gauguin, l'homme du corail et de l'eau verte, une canne ornée de reliefs obscènes, hommes, femmes et bêtes, en veux-tu, en voilà, limaces rampant vers les vulves, postures faciles à comprendre, et drôle de spectacle terrifiant un nègre barbu qui bande vers le bas – ce dessein qui me pousse à raconter cette promenade somnambulique dans le creux de l'indulgence édilique, là où tout le conseil municipal réuni a décidé que nous porterions sans risquer la prison nos petites révoltes nocturnes et l'insociabilité de nos cœurs, ce dessein me paraît tout soudain assez mystérieux. Étrange, étrange : et je devine le développement qui va suivre.

Quand, dans une ville de province, un chien et voici déjà le grand jour, dans les rues vides soudain assis sur ses pattes de derrière, rejette ses oreilles à la cantonade et lève vers le soleil, semble-t-il, une gueule glapissante pour hurler indéfiniment à la mort, le commis du magasin de chapeaux et de couronnes mortuaires est tout joyeux de trouver dans la monotonie d'une vie misérable une raison plausible de se mettre les poings aux hanches sur le pas de la porte de ce magasin. Il hurle à la mort, ce chien, c'est que dans le monde matinal il y a quelqu'un qui trépasse avec minutie, ou bien il nous faudrait douter de la sincérité canine, et le chien, ce grand signe mythique, ne nous a jusqu'à présent jamais donné lieu de manquer de confiance en sa prévoyance cynique. Alors le commis du double comptoir où se pourvoient contre les intempéries et l'ingratitude les vivants et les morts de ce gros chef-lieu de canton, le commis se prend à supputer quel citadin vient de passer de l'une à l'autre catégorie de sa clientèle. Il essaye un peu la réalité de la mort de chacun. Ainsi…

Ah je te tiens, voilà l'ainsi qu'attendait frénétiquement ton besoin de logique, mon ami, l'ainsi satisfaisant, l'ainsi pacificateur. Tout ce long paragraphe à la fin traînait avec soi sa grande inquiétude, et les ténèbres des Buttes-Chaumont flottaient quelque part dans ton cœur. L'ainsi chasse ces ombres opprimantes, c'est un balayeur gigantesque, dont les cheveux se perdent parmi les étoiles, dont les pieds pénètrent par les soupiraux dans les caves des maisons humaines. L'ainsi scandalise les poètes dans leur lit de plumes. L'ainsi se promène de porte en porte, vérifiant les verrous mis, et la sécurité des habitations isolées. L'ainsi appartient à la société des veilleurs de l'Urbaine. Et je ne parlerai pas de la bicyclette de l'ainsi.

… Ainsi j'éprouve la force de mes pensées, ainsi je me demande ce qui est mort en moi, ce qui est encore efficace, et sur le seuil de mon esprit, un instant arrêté par une clameur sinistre, je me promène dans mes demeures mentales par le moyen de l'écriture, une à une, en quête d'un cadavre et d'un enterrement;

… ou bien ainsi je fais le chien et je gueule au crevé, le commis est le lecteur, et j'annonce par cet absurde récit composé et fallace, j'annonce les malheurs de l'humanité nouvelle, je précipite par leur énonciation criminelle la survenance des catastrophes, et ne lisez plus ce texte maudit;

… ou bien ainsi prêt à passer des chapeaux aux couronnes, l'homme est averti des révolutions de son sort par une voix animale qui semble tout d'abord s'adresser aux nuages, qui parle par exemple du charme ressenti d'un parc citadin, où se mêlent les symboles blêmes de l'amour et du brouillard;

... ou bien ainsi je vous emmène à la remorque avec ma gaffe de mots, et rien d'autre dans le cœur et l'esprit que le goût insensé de la mystification et du désespoir.

XI

Le chemin se termine par une colonne de bronze qui mesure la température, l'heure et la pression atmosphérique en face d'un vaste entonnoir où sont jetées comme les dés du silence les buttes dissimulées par la nuit. De grandes lueurs révèlent au loin le Belvédère et plusieurs sourires des ténèbres, un reflet d'eau dormante et un cri d'oiseau dans la profondeur. Mais au bord de cette coupe, à ce tranchant de l'ombre, hors des frondaisons chinoises, sous un réverbère en toilette de bal qui jette ses bijoux froids à la prairie, chaussée aux couleurs de l'irréel, givre électrique et vert de neige, un proscenium en avant de la fosse à musique porte vers nos regards un numéro fantôme. C'est dans la première herbe un homme nu qui court immobile vers l'abîme. Sa grande insensibilité à l'air du soir fait qu'on le croit de bronze. Voici que l'on saisit comment, par quel mystère, l'homme a toujours lié ses représentations divines à l'image du corps humain. Et qu'aujourd'hui par un juste retour si ce sceptique desséché comme une main de squelette, pauvre dérision, ce masturbateur de l'esprit n'a jamais en vue que soi-même quand avec la glaise, ou le marbre, ou les métaux, il reproduit ses traits génériques, le phénomène enfin se renverse : il voulait montrer Dieu au monde, et toujours ce n'était qu'un homme qu'il dressait, maintenant c'est en vain qu'il se croit le pouvoir de se feindre uniquement, dès que ses mains façonnent un corps ou un visage c'est tout de suite un dieu qui sort de ses mains. Il a essayé alors de la laideur pour ne pas faire surgir de terre ces divinités inquiétantes dont le nombre va croissant. Et que deviendra l'humanité au jour prochain où le peuple des statues sera devenu si abondant dans les villes et les campagnes, qu'à peine l'on pourra circuler dans les rues de socles, à travers des champs d'attitudes. Perspective étouffante. Alors dans ce cimetière de l'imagination il connaîtra la puissance divine imprudent suscitateur d'entités, malheureuse proie de la disproportion et du rêve. C'est de la statuomanie qu'elle périra, l'humanité. Le dieu des juifs qui craignait la concurrence savait ce qu'il faisait, prohibant les images taillées. Grands symboles particuliers exerçant leur pouvoir concret sur le monde, elles mangeront vos cheveux, passants, les statues. Ô force d'une nuit figurée dans le bronze, noir précipice des yeux morts creusés un peu plus haut que terre, disqualification de la raison par les spectres, effondrement de la volonté à ces pieds scellés à leur roc.

J'ai dit que, désireux d'enrayer ces progrès du divin dans l'espace, cette invasion de l'immatériel dans la matière, avec une conscience clignotante de sa destinée et de ses actes, l'homme avait entrepris de ne plus sculpter que la hideur à la hanche du vide. L'esthétique d'Eugène Manuel lui parut aussi un remède à cette genèse surnaturelle. Le quotidien, on n'approchera jamais assez du quotidien, et un poète du siècle dernier a dit un mot là-dessus. Inutile : dans leurs robes de chambre en pilou, leurs vestons familiers, leurs souriantes bonhomies, les simulacres des temps modernes empruntent à l'anodin même de cet accoutrement une force magique inconnue à Éphèse ou à Angkor. Et cela est si vrai que des religions secrètes finissent par s'établir en l'honneur des nouvelles idoles. C'est ainsi qu'un rite imprécatoire est observé envers l'incroyable Gambetta, de la cour du Carrousel ; qu'une secte, de laquelle Paul Éluard est l'un des plus farouches zélateurs, vient déposer devant *Paris pendant la guerre* les tributs périodiques d'un culte amoureux ; un soir rentrant chez moi quelle ne fut pas ma surprise à la vue d'un long cortège vêtu de blanc qui venait sacrifier des colombes devant le ballon des Ternes ; et les convulsionnaires de la statue de Strasbourg ! Vous souvenez-vous, si vous en avez l'âge, de ce cadavre déjà décomposé qu'on amenait dans une automobile, drapée avec sa cape, tous les ans, sur la place de la Concorde ? Ainsi, par le truchement de cette dérisoire forme humaine, on insultait à la vie en opposant à la figure majestueuse de la pierre un Déroulède verdissant ; les phallophories de Trafalgar square, où Nelson le manchot est témoin de l'hystérie d'un peuple ; la Jeanne d'Arc de Frémiet, le *Quand même* d'Antonin Mercié, et je ne parle pas des statues sportives, le Serpollet de la place Saint-Ferdinand, le Panhard-Levassor de la Porte-Maillot ; ni de la magnifique apothéose de Chappe au pied d'un échafaud télégraphique ; ni de la chaîne brisée d'Étienne Dolet, place Maubert. Encore une statue maléfique, la Lisel à l'oie, de Strasbourg : et l'hermaphrodite de Montargis, qui se dresse devant une grande affiche intitulée *La patte d'oie* ; et le Génie Maritime, à Toulon ; et Vercingétorix à Gien ! La magie ainsi dresse ses signes noirs au milieu des rues, et le passant à l'âme innocente les contemple et se félicite de l'habileté du sculpteur, et discute le *rendu* de l'émotion artistique.

XII

DISCOURS DE LA STATUE

Les fusillades! Voilà cinquante années que j'attends les fusillades. Il faut enfin fixer avec le plomb les hommes mouvants et rieurs qui glissent dans le paysage où je suis à jamais gelé. Futiles mouvements des foules, des enfants. Les mères heureuses, avec leur bagage de tricots. Ô Malthus, évêque au grand cœur, ce sont les statues mes sœurs qui réaliseront enfin tes chimères : les femmes qui nous voient soudainement avortent, et nous aidons de nos membres polis l'imagination trop lente des timides, qui s'agitent à l'ombre étrange de nos formes, qui n'ont plus d'autre amour que de nos corps surhumains. Alors se constitue au fond des parcs et des avenues une grande nostalgie où nous avons part, qui unit l'inanimé au plus subtil de la vie, alors se lève le vent des plaisirs sublimes où l'idée enfin se libère et trouve en soi-même un aliment.

Idée de l'homme! au-dessus des champs dévastés par les pas croisés qui les marquent, l'idée de l'homme apparaît, plus grande que nature, dans le geste exemplaire d'un coureur ou d'un roi. C'est aux pieds de cette idée que l'homme vit, les yeux levés, sans parvenir à s'identifier à elle, c'est aux pieds de cette idée qu'il se torture et se déchire, en proie au grand délire abstrait nommé psychologie. Foi de statue, il n'y a pas dans l'espace aux cent mille recoins une seule activité, fût-ce la philharmonie ou le billard Nicolas, qui me paraisse aussi ridicule que la psychologie. L'à-coup sûr, l'immanquable de cette science… j'en rirais si le bronze aimait à se plisser dans le sens transversal. Pourtant l'homme inventa un soir la psychologie. Il faisait un vent du diable, et notre poltron tremblait. Il vit son ombre, qui montait jusqu'aux cieux à la moindre rafale. Il voulut s'expliquer un phénomène aussi terrifiant. Et avec ça que les nuages crevaient dans ses cheveux, que l'éclair embrochait son armure, que ses femmes en couches rêvaient toujours à des fruits rouges, que les battants de la forêt claquaient des dents dans les ténèbres. Une à une, les psychologies naquirent. Il y eut la psychologie des affinités matérielles, ou chimie, la psychologie des forces, ou physique, la psychologie de Dieu, ou religion, la psychologie de la chair, ou médecine, la psychologie de l'inconnu, ou métapsychie, la psychologie de la mer, ou art nautique. Par ces détours, se satisfaisant de peu, l'homme en face de tout abîme apprenait à connaître les parois de l'abîme, à oublier l'abîme, et les tourments de l'infini. Irréductible positivisme humain : vous ne vous demandez pas, porteurs de chevelures légères, ce que vos fantômes témoins, sur les socles gravés de noms célèbres, pensent de vos tricheries, positives ou non. Nous, qui parlons au ciel, nous, couverts de rosée, les danseurs minéraux que redoutent les nuits, nous, les dompteurs de brises, les charmeurs d'oiseaux, les gardiens du silence, sous le lustre adorable de l'esprit qui éclaire nos attitudes irrémédiables, principes divins prisonniers de notre liberté concrète, nous, émanations particulières d'un grand souffle, négations du temps que le soleil inonde, nous les idoles sans aveu, les vagabonds de la métaphysique, nous dominons de toute l'athlétique stature de la pensée le fourmillement informe des nations de l'insomnie. Retournez-vous sur vos paillasses, maniaques rêveurs, le parc est frais et pur. Déjà les brumes accourent à nos tempes. Déjà oublieux de vous, bestioles, nous rejoignons l'étoile à son poste d'azur. Et voici qu'un frisson météorique achève un panorama bleu sans trains et sans espoirs. Qui est à l'appareil? Ici, la divinité devinée. Ici, le royaume de l'absolu. Comment vont les créatures angéliques? Très bien, je vous en remercie. L'aile, c'est l'aile qui apparaît dans l'étendue de son concept, déployée largement au-dessus du règne des statues. L'aile comme un drapeau américain dans l'air. L'aile avec son caractère chanteur, la douceur de son duvet, sa blancheur a priori, et l'ordre avantageux des plumes, l'aile qui constitue un firmament aux fleurs.

Ce que je sais d'un dieu, moi le bronze, ce que je sais du Dieu pressenti, c'est l'aile, et puisqu'il paraît qu'on implore, c'est l'aile que nous implorons, du piédestal où nous sommes pétrifiés, de cet embarcadère sans bateau, d'où nous tendons nos mains vers l'inaccessible. Et je chante à cette aile-dieu le rituel des simulacres :

> *Aile en tout pareille à l'amour*
> *Aile au-dessus des citadelles*
> *Aile qui souffle les chandelles*
>
> *Aile battant les flots des mers*
> *Aile orage atteint à l'orée*
> *Aile envol de l'aube adorée*
>
> *Aile ô les fifres dans la nuit*
> *Aile avant la neige blasphème*
> *Aile qui n'est rien qu'elle-même*

Les statues de leurs doigts liés lui envoient le salut du silence, que les arbres dormeurs ne l'accrochent jamais, notre aile qui est aux cieux comme sur la terre l'immatériel posé qui conçoit la matière et se réfléchit de cette matière et de sa négation dans son affirmation déliée, etc.

Cette prière dite neuf fois chaque nuit quand la taupe

soulevant les déjections de ses galeries laisse luire son œil
aveugle dans le mouron rouge où un amoureux a perdu les
ongles de sa bien-aimée fera pleuvoir les bénédictions de
l'Aile sur les propriétaires de statues, les Italiens vendeurs
de plâtres, les gérants de Musées de cires, les entrepreneurs
de monuments funéraires, les souscripteurs de mausolées
patriotiques, les écoliers façonneurs de bonshommes, les
artistes modeleurs, les pétrisseurs de mie de pain, les
néo-zélandais qui figurent au moyen de petits cailloux
groupés d'immenses oiseaux fantastiques couvrant le flanc
rasé d'une montagne, les apôtres stylites, les monarques
mureurs d'armées, les collectionneurs de squelettes, les
étalagistes des grands magasins, les héros suscitateurs
d'effigies, les conseillers municipaux épris d'un art théâtral et sans vie, les fétichistes de la voie publique et les
malheureux amants, des momies.

XIII

Nous avons un peu perdu de vue l'itinéraire des trois
amis : entrés dans le parc par la porte de la rue Secrétan, ils
ont, laissant sur leur droite le chemin direct vers la porte de
la rue Fessart, et la corne sud-ouest, ils ont, contourné puis
monté la butte la plus haute pour arriver à la place de la
colonne d'où ils dominent le cratère du lac, le Belvédère, et
le paysage lointain des maisons serrées de la rue Manin,
qui leur est dissimulé par le brouillard. Ils détournent leur
attention de ce volcan d'apparences, et, dédaigneux de la
bavarde statue, un Actéon qui du doigt montre à ses chiens
la fosse lacustre, ils déchiffrent une à une à grand renfort
d'allumettes tisons, les inscriptions de la colonne quadran-
gulaire qui décore ce rond-point philosophal.

Cette colonne est surmontée d'une girouette qui nous permet de distinguer les faces du monument d'après les points cardinaux. La face nord tournée du côté du lac porte à son front la date

14

JUILLET

1883

au-dessus d'un thermomètre centigrade, dû à J. Thurneyssen, Paris, qui nous apprend que la température atteignit 40° pendant l'été 1868. Sous ce thermomètre on lit sur la colonne proprement dite :

CRÈCHES

RUE DE CRIMÉE 144 (30 PLACES)

———

SALLES D'ASILE

ET

ÉCOLES COMMUNALES :

RUE BARBANÈGRE 7 (A. ET E.)

RUE BOLIVAR 67 ET 69 (A. ET E.)

RUE D'ALLEMAGNE 87 (A. E.)

RUE DE TANGER 41 (A. ET E.)

RUE DES BOIS 2 (A. ET E.)

RUE JOMARD 5 (A.)

RUE DE PALESTINE 1 (A.)

RUE DE MEAUX 65 (E.)

RUE FESSART 2 (E.)

PLACE DE BITCHE (E.)

ÉCOLE MUNICIPALE

D'APPRENTIS

BOULEVARD DE LA VILLETTE 60

Sur la face nord du socle, on peut déchiffrer ces explications suggestives, révélatrices d'une humanité, qui doit être celle qui se rencontre au cinéma, humanité appliquée et mal récompensée, éprise du bonheur du dimanche et soûle des connaissances acquises à l'école du soir :

19ᵉ ARRONDISSEMENT

PAR AUTORISATION BIENVEILLANTE
DE L'ADMINISTRATION MUNICIPALE
CET OBÉLISQUE-INDICATEUR
A ÉTÉ ÉRIGÉ LE 14 JUILLET 1883,
PAR L'INVENTEUR
EUG. PAYART, VOYAGEUR DE COMMERCE
AVEC LE CONCOURS DE :
MM. A. BOUILLANT, FONDEUR,
DUMESNIL, CIMENTIER,
COLLIN, HORLOGER,
RICHARD Fʳᵉˢ, FABᵗˢ DE BAROMÈTRES,
DELAFOLIE, BASTIDE,
CASTOUL AÎNÉ ET Cⁱᵉ
FABᵗˢ D'APPAREILS À GAZ

BOUILLANT
FONDEUR-CONSTRUCTEUR
PARIS

La face ouest de la colonne porte haut les initiales laurées de la République, affrontées d'une étoile ; elles surmontent un baromètre rond, sur le cadran duquel on apprend l'adresse de la Société anonyme des Établissements Jules Richard : 25, rue Mélingue, Paris. Les cœurs naïfs y feront d'autres remarques : que si 73 signifie tempête dans le langage de la rose des vents, 74 y veut dire Grande Pluie, 75 Pluie ou Vent, 76 Variable, 77 Beau Temps, 78 Beau fixe, 79 Très sec, 80 Baromètre. On ne manquera pas d'observer que Tempête et Très Sec sont seuls écrits les pieds vers le cadre, alors que les autres mentions et leurs nombres magiques sont soumis à la force centripète. Enfin on s'alarmera de la succession ininterrompue des chiffres qui fait que suivant que l'on compte dans le sens des aiguilles d'une montre, ou à l'inverse, on lit 73, 74, 75, 76, 77, 78, 79, 80, 73, 74, etc. ou bien 80, 79, 78, 77, 76, 75, 74, 73, 80, 79, etc., et l'on tâchera d'imaginer le curieux phénomène météorologique qui accompagne le brusque passage de 73 à 80, et réciproquement. Au-dessous du baromètre nouvelle inscription :

LE 19ᵉ ARRONDISSEMENT
COMPREND LES QUARTIERS

| DE LA VILLETTE (73) | ‖ | D'AMÉRIQUE (75) |
| DU Pᵗ DE FLANDRE (74) | ‖ | DU COMBAT (76) |

POPULATION : 117,885 HABᵗˢ
SUPERFICIE : 566 HECTᵉˢ
MAISONS : 3162
LONGUEUR TOTALE DES RUES,
QUAIS, BOULEVARDS, ETC.
52 KILOMᵉˢ 383 Mᵉˢ

———

LE 19ᵉ ARRᵗ CONFINE AUX
18ᵉ, 10ᵉ, ET 20ᵉ ARRONDᵗˢ
LES PORTES DE ROMAINVILLE,
DES PRÉS Sᵗ GERVAIS ET DE PANTIN,

DE FLANDRE ET D'AUBERVILLIERS,
LES LIGNES DE L'EST, LES CANAUX
DE L'OURCQ ET DE St DENIS,
LE METTENT EN COMMUNICATION
AVEC L'EXTÉRIEUR DE PARIS

———

BAT. DE LA DOUANE, Bd DE LA VILLETTE
BASSIN ET DOCKS DE LA VILLETTE
PORTE-CASERNE Bon 25,
PORTE DE PANTIN

Et sur le socle de la face ouest :

> QUARTIER DU COMBAT

PLAN DU 19e ARRONDISSEMENT

POINT GÉOGRAPHIQUE
48° 52' 40" LATITUDE NORD
0° 2' 45" LONGITUDE EST
ALTITUDE

65m 60cm	92m 25cm
>————————<	>————————<
AU-DESSUS DE LA SEINE	AU-DESSUS DE LA MER

Ô malheureux Eug. Payart ! inventeur et voyageur de commerce, ta générosité n'a pas été comprise, ou a été mal interprétée. Tu avais donné le bronze, les appareils, et l'IDÉE, cela te semblait suffisant. Que la commune, pensais-tu, se fende au moins d'un plan du dix-neuvième, et, comme nous le verrons sur la face orientale, d'un plan de Paris. Eh bien, tel est l'esprit de lésine des hommes que ton monument restera toujours inachevé, avec ses deux grandes lacunes avides de géographie locale et de bon mouvement de la part d'une municipalité excentrique. On notera aussi que les quartiers de cet arrondissement portent par une fatalité touchante les numéros du baromètre qui symbolisent la tempête, la grande pluie, la pluie ou le vent, le variable. On ne cherchera toutefois point à unir ces numéros à la signification commune des noms des quartiers, car si Combat joint à Variable peut encore faire osciller la boussole de l'esprit, ce ne serait pas sans franchir les troubles frontières de l'imbécillité qu'on lierait indestructiblement Amérique avec Pluie ou Vent, le Pont de Flandre avec Grande Pluie, et La Villette avec la Tempête. Voilà qui est entendu.

La face est porte un cadran vitré vide qui a peut-être enfermé, qui a sans doute enfermé une horloge. On la remettra si vous êtes sages. Au-dessus de lui, on voit les armes de la Ville de Paris, au-dessous de lui ces mots magiques :

BÂTIMENTS

AFFECTÉS AUX CULTES :

ÉGLISE St JACQUES — St CHRISTOPHE

ÉGLISE St JEAN-BAPTISTE

TEMPLE P^{rt} RUE MEINADIER

TEMPLE P^{rt} RUE BOLIVAR

ÉTABLISSEMENTS
MUNICIPAUX :
ABATTOIRS GÉNÉRAUX
MARCHÉ AUX BESTIAUX
MARCHÉ AUX FOURRAGES
MARCHÉ AUX CHEVAUX
MARCHÉ PUBLIC, RUE SECRÉTAN
SERVICE M^{al} DES POMPES FUNÈBRES

———

SQUARES
ET PROMENADES :
PARC DES BUTTES-CHAUMONT
PLACE DES FÊTES

———

MAISONS DE SECOURS
56, RUE DE MEAUX, 1, RUE JOMARD,
7, RUE DELOUVAIN

———

HOSPITALITÉ DE NUIT :
166, RUE DE CRIMÉE

Arrêtons-nous pour respirer, modernes Champollions. Croyez-vous que le dessein mystérieux qui guida la main du graveur, qui guida l'esprit de l'auteur de cette inscription ne correspondit pas à quelque équivalent pour l'incompréhensibilité et la difficulté du déchiffrage à l'ombre cunéiforme, où pourtant l'un de vos semblables a finalement su retrouver son chemin ? Patience. C'est sur le socle, vers le levant qu'on lit :

PARC DES BUTTES-CHAUMONT

PLAN DE PARIS

Hôtel de Ville à 3k 500 S. O.
Porte d'Auteuil à 10k 500 O. S. O.
Porte de Vincennes à 4k 300 S. S. E.
Porte de La Chapelle à 2k 700 N. O.
Porte de Gentilly à 7k 300 S. S. O.

Enfin sur la face sud,

19ᵉ Arrondᵗ
BUTTES-CHAUMONT

Mairie
Justice de Paix { Place Armand Carrel

COMMISSARIATS DE POLICE

Rue de Tanger 22 (Villette 73 Q)
Rue de Nantes 19 (Pᵗ de Flandre 74)
Rue d'Allemagne 132 (Amérique 75)
Rue Pradier 21 (Combat 70)

PERCEPTIONS

Rue de Flandre 31 (73 et 74)
Rue Rébeval 72 (75 et 76)

POMPIERS

Rue Curial 6	Rue de l'Ourcq 89
Rue du Pré	Rue Rébeval 8
Avᵉ Laumière (Mairie)	Aux Abattoirs Gˣ

POSTES ET TÉLÉGRAPHES

Rue de Crimée 74 ✉☎

Rue d'Allemagne 3 ✉☎

Rue d'Allemagne 139 ✉☎

Rue d'Allemagne 211 ✉☎

Rue des Pyrénées 397 (20ᵉ Arrᵗ) ✉☎

CHEMINS DE FER

LIGNES DE CEINTURE :

Stations { Belleville-Villette
Pont-de-Flandre

LIGNES DE L'EST :

Station Est-Ceinture

---

14 JUILLET 1883

OUSTRY, Préfet de la Seine

ALPHAND, Directʳ des Travaux

ALLAIN-TARGÉ, Député du 19ᵉ Arrᵗ

MUREAU, Maire

GARCIN,

MILOT, } Adjoints

MALLET P.,

BAILLE L. E., Secrétaire

CATTIAUX, GUICHARD,

REYGEAL, ROYER,

Conseillers Municipaux

Tout à coup Noll n'en croit plus ses yeux : debout sur une échappée de pierre, au-dessus d'un vertigineux lierre grimpeur, comme un plongeur au perchoir, un spectre blanc, le vide absolu entre les jambes, apparaît en contrebas sur la grande arche qui rejoint la prairie dévalante au Belvédère, agenouillée sur une tasse de café noir. Alors André Breton prend la parole : « Vous voyez d'ici, nous dit-il, le Pont, le fameux Pont des Suicides…»

XIV

Entre les lieux sacrés qui manifestent par le monde comme des nœuds de la réflexion humaine tout le concret de quelques grandes idées surnaturelles particularisées, j'imagine qu'un païen, je veux dire un homme qui sache éprouver la nouveauté mystérieuse d'une idole, va préférer les lieux qui sont dévolus à la Mort Violente, cette divinité qui tient la hache, à côté d'un faisceau de margotin. Mais qui se demande aujourd'hui ce qu'est au juste un lieu sacré, qui se tourmente du fugitif d'une telle notion, s'étonne qu'on la laisse échapper. Pourtant ce ne saurait être pour rien qu'un concept aussi singulier s'est formé dans le premier fond de la conscience humaine. Aucun système philosophique ne peut mépriser un concept, il faut, c'est sa destinée, qu'il légitime, qu'il place en soi tous les concepts constitutifs des systèmes passés, qu'il leur donne le sens, l'acception qu'ils n'avaient point. Un système est un dictionnaire, et pas un mot n'en est banni.

Les formes d'une idée, pour concevoir ses formes locales que je me prenne à rêver un peu à cette expression précieuse, les formes d'une idée quelle timide représentation m'arrête de les envisager comme le réel de l'être dans sa richesse de circonstances, avec sa parure d'accidents, beaux bijoux individuels. Je pense des idées ce qu'on fait des personnes, dans le sens commun de ce mot, qui est mystique en diable. Et par exemple le propre de la personne, le personnel de la personne, est un élément sans fin répété, qui se retrouvera au moins à l'infime dans toute apparition de la personne, la plus lointaine, l'inattendue : que l'homme s'applique aux mathématiques, je retrouve dans la façon de s'y appliquer un peu d'une concession faite à sa mère pour une histoire saugrenue, et cette promenade un matin entre de hautes haies, il y avait un oiseau, un morceau d'étoffe rouge. Je jette en passant les bases d'une morale. Ainsi il y a dans l'idée quelque chose qui est à l'idée ce qu'est l'accidentel à la personne, l'accidentel, non pas l'inessentiel, l'accidentel de l'essence. Ainsi je peux dire sans image : la bouche d'une idée, ses lèvres, je les vois. C'est cette apparence douce que je surveille, tandis que j'écris, en proie à l'idée du baiser, et celle que j'attendais n'est pas venue, nous subissons un soir glacé où tout se mêle, et où l'esprit transparaît dans les reflets du verre et de l'argent. Cette femme auprès de moi, je comprends par tout moi-même qu'il y a une femme, qu'il y a *cette* femme dans chaque idée qu'en vain je cerne, qu'il y a quelque chose qui est précisément cette femme à chaque idée, et ses gestes sont les gestes de l'esprit. J'en reviens donc aux lieux sacrés.

Ce sont le plus souvent des cadres légendaires : un peu d'une grande âme s'est accrochée à ces murailles, à ces hauteurs. Ils sont réellement transmués par cette chauve-souris mémorable. Réellement. Ici ne peut se passer qu'une grande chose. La terre est noire, je dis noire exemplairement pour signifier de quelle nuit s'imprègne l'impersonnel à ce seuil de tous les mystères. Chaque grain de l'espace enfin porte sens, comme une syllabe d'un mot démonté. Chaque atome y suspend un peu de sa croyance humaine, ici précipitée. Chaque souffle. Et le silence est un manteau qui se dénoue. Voyez ces grands plis pleins d'étoiles. Le divin pose sur l'illusoire le frôlement de ses doigts déliés. Souffle sa délicate haleine à la vitre des profondeurs. Câble aux cœurs inquiets son magique message : *Patience Mystère en marche* et, trahi, se révèle aux lueurs. Le divin se recueille au fond d'une caresse : tout l'air du paysage est mêlé à l'idée, tout l'air de l'idée frissonne au moindre vent. C'est une grande boucle brune, et vous joueriez à votre envie, la roulant et la déroulant, tant qu'à la fin vienne la fin du monde, c'est la boucle idéale où l'idée se résume, la notion concrète sortant des eaux pures, sans roseaux.

Femme tu prends pourtant la place de toute forme. À peine j'oubliais un peu cet abandon, et jusqu'aux nonchalances noires que tu aimes, que te voici encore, et tout meurt à tes pas. À tes pas sur le ciel une ombre m'enveloppe. À tes pas vers la nuit je perds éperdument le souvenir du jour. Charmante substituée, tu es le résumé d'un monde merveilleux, du monde naturel, et c'est toi qui renais quand je ferme les yeux. Tu es le mur et sa trouée. Tu es l'horizon et la présence. L'échelle et les barreaux de fer. L'éclipse totale. La lumière. Le miracle : et pouvez-vous penser à ce qui n'est pas le miracle, quand le miracle est là dans sa robe nocturne ? Ainsi l'univers peu à peu pour moi s'efface, fond, tandis que de ses profondeurs s'élève un fantôme adorable, monte une grande femme enfin profilée, qui apparaît partout sans rien qui m'en sépare dans le plus ferme aspect d'un monde finissant. Ô désir, crépuscule des formes, aux rayons de ce ponant de la vie, je me prends comme un prisonnier à la grille de la liberté, moi le forçat de l'amour, le bagnard numéro… et suit un chiffre trop grand pour que ma bouche le connaisse. La grande femme grandit. Maintenant le monde est son portrait, ce qu'elle n'a point encore absolument englobé des parcelles assemblées de son corps, ce qui n'est pas encore incorporé à son délice, à peine est épargné par mon délire. Et ce qui s'estompe, cette fumeuse réalité fuyante, est enfin réduit à l'accessoire du portrait. Montagnes, vous ne serez jamais que le lointain de cette femme, et moi, si je suis là c'est pour qu'elle ait un front où se pose sa main. Elle grandit. Déjà l'apparence du ciel est altérée de cette croissante magicienne. Les comètes tombent dans les verres à cause du désordre de ses cheveux. Ses mains, mais ce que je touche participe toujours de ses mains. Voici que je ne suis plus qu'une goutte de pluie sur sa peau, la rosée. Mer, aimes-tu bien tes noyés pourrissants? aimes-tu la douceur de leurs membres faciles? aimes-tu leur amour renonçant de l'abîme? leur incroyable pureté, et leurs flottantes chevelures? Alors qu'elle m'aime, mon océan. Passe à travers, passe à travers mes paumes, eau pareille aux larmes, femme sans limite, dont je suis entièrement baigné. Passe à travers mon ciel, mon silence, mes voiles. Que mes oiseaux se perdent dans tes yeux. Tue, tue : voici mes forêts, mon cœur, mes cavalcades. Mes déserts. Mes mythologies. Mes calamités. Le malheur. Et dans ce zodiaque où je me perpétue, saccage enfin, beau monstre, une venaison de clartés.

La femme a pris place dans l'arène impondérable où tout ce qui est poussière, poudre de papillon, efflorescence et reflets devient l'effluve de sa chair, et le charme de son passage. J'ai suivi du regard ce sillage infini d'un navire, et dis-moi seulement, Sindbad, ce que tu penses de l'aimant qui décloua ta coque au milieu de la mer ? Pour moi que me quittent enfin ces corps étrangers qui me retiennent, que mes doigts, mes os, mes mots et leur ciment m'abandonnent, que je me défasse dans le magnétisme bleu de l'amour ! La femme est dans le feu, dans le fort, dans le faible, la femme est dans le fond des flots, dans la fuite des feuilles, dans la feinte solaire où comme un voyageur sans guide et sans cheval j'égare ma fatigue en une féerie sans fin. Pâle pays de neige et d'ombre, je ne sortirai plus de tes divins méandres. Ainsi retrouvant l'inflexion heureuse de ta hanche ou le détour ensorceleur de tes bras dans le plus divers des lieux où me ramènent toute l'inquiétude de l'existence et cet immense espoir qui s'est posé sur moi, je ne puis plus parler de rien que de toi-même ; et ne t'y trompe pas quand je dissimulerai, tous mes mots sont pour toi, et sont ton apparence. Mes images ont pris leur glacis à tes ongles, à ta voix s'est roulé mon langage dément. Vais-je poursuivre à présent cette description mensongère d'un parc où trois amis un soir ont pénétré ? À quoi bon : tu t'es levée sur ce parc, sur les promeneurs, sur la pensée. Ta trace et ton parfum, voilà ce qui me possède. Je suis dépossédé de moi-même, et du développement de moi-même, et de tout ce qui n'est pas la possession de moi-même par toi. Toi l'emprise du ciel sur mon limon sans forme. Tout m'est enfin divin puisque tout te ressemble, et je sais par-delà ma raison et mon cœur ce qu'est un lieu sacré, pour moi ce qui le sacre. Je suis le véritable idolâtre pour lequel les temples ont été généralisés comme des maladies. Pas un lieu désormais qui ne me soit une place de culte, un autel. Et je reviens vers cette arche jetée vers une île où jadis on cherchait ma mort avec ferveur.

Voici la véritable Mecque du suicide. Ce pont où nous avons accès par une pente douce. Une petite grille enfin surmonte la possibilité de se précipiter d'ici. On a voulu par cet exhaussement de prudence signifier la défense d'une pratique devenue épidémique en ce lieu. Et voyez la docilité du devenir humain : personne ne se jette plus de ce parapet aisément franchissable, ni à gauche où l'on tombait sur la route blanche, ni à droite où le bras caresseur du lac entourant l'île recevait le suicidé au bout de son vertige uniformément accéléré en raison directe du carré de sa masse et de la puissance infinie de son désir. Voilà que cela me reprend. Aucune, aucune envie de parler du suicide. Ni de rien. Qu'attendez-vous de moi, vous autres ? Ils sont là, à me regarder, stupides. Je suis un homme en chair et en os, voyez et touchez, le parfait exercice de chacun de mes membres, de mes muscles… ah, ah, je vois ce que c'est, ces Messieurs me prenaient pour une machine. Leur faire plaisir ? non mais des fois. Allez-vous-en votre pont sous le bras, avec le regret de ces paillettes que vous m'auriez aimé cousant le long de ses arches, des rayons lunaires, de votre attention béante. Bah bah bah. Ça ne fait rien, quand je songe à ce que vous pensez, tous, petits à mes pieds pour l'instant, et moi dans ma grandeur, le ciel comme couronne, mon caléidoscope renversé, les naufrages dans la poche, un peu de prairie entre les dents, tout l'univers, le vaste univers où les poneys courent sans brides, les fumées s'amusent à oublier la ligne droite, et les regards ! les regards n'ont pas de raison pour leurs haltes, et pourtant s'arrêtent : tiens, une scène de commandement de navire, l'officier porte, l'imbécile, à sa bouche un porte-voix de carton; plus loin ce sont des casseurs de pierres à un croisement de chemins dans la montagne, et leurs visières me font rire ; puis par-dessus des sentinelles gelées les messages des rossignols se croisent avec la course ventre à terre des rats blancs, tandis que sur un appui de croisée une lettre d'affaires, qui n'est pas précisément une lettre d'affaires, mais un prétexte, allons tranchons le mot une lettre d'amour, s'envole, vole, vole. Ah j'ai vu sur le toit la douce marche des voleurs. L'étoffe singulière de leurs vestons me retient par sa ressemblance avec le carreau des plantes vertes. Ô souffle bleu des ventilateurs.

Qui est là ? qui m'appelle ? Chérie. Je ne me révolte pas, j'accours. Voici mes lèvres. Alors se dérobe. Et puis après. Moi naturellement, pas difficile. Damné, damné. Que je m'écroule, bats-moi, effondre-moi. Je suis ta créature, ta victoire, bien mieux ma défaite. Voilà qui est fini. Tu exiges que je parle, alors moi. Mais ce que tu veux, ce que tu aimes, ce serpent sonore, c'est une phrase où les mots épris de tout toi-même aient l'inflexion heureuse, et le poids du baiser. Qu'importe la limaille prodiguée à cette balance, et le sens désespéré que prend toute parole à franchir le saut du cœur aux lèvres, qu'importe ce que je dis si les sons mués en mains agiles touchent enfin ton corps dans son déshabillé ? Ne me défends plus rien, tu vois : je m'abandonne. Toute ma pensée est à toi, soleil. Descends des collines sur moi. Il y a dans l'air un charme enfantin que tu enfantes, on dirait que tes doigts errent dans mes cheveux. Suis-je seul vraiment, dans cette grotte de sel gemme, où des mineurs portent leurs flambeaux derrière les transparents pendants de l'ombre, et passent en tirant leurs chariots neigeux. Suis-je seul, sous ces arbres taillés avec soin dans une chaleur d'azur où tournent les mulets des norias, par habitude ; suis-je seul dans cette voiture de livraison, ornée d'une reproduction fidèle de l'enseigne déjà démodée d'un magasin de lingerie. Suis-je seul au bord de ce canon fait de main d'homme dans un jardin du sud-ouest, où l'on entend le rire clair des femmes couvertes d'émeraudes. Suis-je seul n'importe où, sous tout éclairage artificiel, inattentif à ce qui me retient, par-delà les petites oscillations isochrones de mon amour, mais fort de cet amour qui se répercute dans ce qui sert de roche au délire, fort des lynchages de baisers, de la justice sommaire de mes yeux, le cœur pendu haut et court, tandis que les chevaux mal attachés traînent leurs longes en broutant sous les ombrages, suivant les haies d'épinevinette, et secouant leurs crinières bicolores. Suis-je seul dans tout abîme, les splendeurs à l'instant voilées, au-dessus des écœurements, des besoins subits de départ du milieu d'une compagnie souriante, au-dessus des perversités passagères, et des autres alouettes blanches qui rasaient déjà le sol dans un désir de pluie et de présage où fumait tout un nuage de sueur. Seul par les labours et les épées. Seul par les saignements et les soupirs. Seul par les petits ponts urbains et les dénouements de faubourg. Seul par les bourrasques, les bouquets de violettes, les soirées manquées. Seul à la pointe de moi-même où à la clignotante lueur d'un bal deviné un homme perdu dans un quartier neuf et désert d'une ville en effervescence, une nuit d'été divine, s'attarde à rassembler du bout de sa canne de jonc les débris épars au pied d'un mur, d'une carte postale nostalgique négligemment déchirée par une main dégantée où brillait à côté des bagues la morsure vive et récente d'une dent que tu ne connais pas. Plus seul que les pierres, plus seul que les moules dans les ténèbres, plus seul qu'un pyrogène vide à midi sur une table de terrasse. Plus seul que tout. Plus seul que ce qui est seul dans son manteau d'hermine, que ce qui est seul sur un anneau de cristal, que ce qui est seul dans le cœur d'une cité ensevelie.

Je puis donc poursuivre ce chemin qui s'engage sur le versant occidental de l'île et qui tout aussitôt donne naissance au sentier du belvédère, sur la droite. Mes pas sont fermes. Le propos qui me porte à poursuivre une exploration tout à coup inexplicablement compromise ne doit pas être l'effet du seul hasard. J'ai mes raisons.

Eh bien garde-les tes raisons.

XV

Ils m'ont dit que l'amour est risible. Ils m'ont dit : c'est facile, et m'ont expliqué le mécanisme de mon cœur. Il paraît. Ils m'ont dit de ne pas croire au miracle, si les tables tournent c'est que quelqu'un les pousse du pied. Enfin on m'a montré un homme qui est amoureux sur commande, vraiment amoureux, il s'y trompe, amoureux que voulez-vous de mieux, amoureux on sait ce que c'est depuis que le monde est monde.

Pourtant vous ne vous rendez pas compte de ma crédulité. Maintenant prêt à tout croire, les fleurs pourraient pousser à ses pas, elle ferait de la nuit le grand jour, et toutes les fantasmagories de l'ivresse et de l'imagination, que cela n'aurait rien d'extraordinaire. S'ils n'aiment pas c'est qu'ils ignorent. Moi j'ai vu sortir de la crypte le grand fantôme blanc à la chaîne brisée. Mais eux n'ont pas senti le divin de cette femme. Il leur paraît naturel qu'elle soit là, qui va, qui vient, ils ont d'elle une connaissance abstraite, une connaissance d'occasion. L'inexplicable ne leur saute pas aux yeux, n'est-ce pas.

De quel ravin surgit-elle, par quelle sente aux pieds des arbres résineux, quel fossé de lueurs, quelle piste de mica et de menthe a-t-elle suivi jusqu'à moi. Il fallait à tous les carrefours, entre les mêmes perspectives répétées de briques et de macadam, qu'elle choisît toujours le couloir couleur orage pour, de sulfure en sulfure, délaissant des feuillages minéraux, des abricots pétrifiés sous les cascades calcaires, des fleuves de murmures où des ombres mobiles l'appelaient, enfin s'engager dans le défilé magnétique, entre les éclats de l'acier doux, sous l'arche rouge. Je n'osais pas la regarder venir. J'étais cloué, j'étais rivé à l'abstraite vie diamantaire. Il avait neigé ce jour-là.

Les hommes vivent les yeux fermés au milieu des précipices magiques. Ils manient innocemment des symboles noirs, leurs lèvres ignorantes répètent sans le savoir des incantations terribles, des formules pareilles à des revolvers. Il y a de quoi frémir à voir une famille bourgeoise qui prend son café au lait du matin, sans remarquer l'inconnaissable qui transparaît dans les carreaux rouges et blancs de la nappe. Je ne parlerai pas de l'usage inconsidéré des miroirs, des signes obscènes dessinés sur les murs, de la lettre W aujourd'hui employée sans méfiance, des chansons de café-concert qu'on retient sans en connaître les paroles, des langues étrangères introduites dans la vie courante sans la moindre enquête préalable sur leur démonialité, des vocables obscurs évocateurs pris pour des appels téléphoniques, et l'alphabet Morse, dont le nom seul devrait donner à réfléchir. Après cela, comment les hommes prendraient-ils conscience des enchantements ? Ce passant qu'ils bousculent, n'avez-vous rien remarqué ? c'est une statue de pierre en marche, cet autre est une girafe changée en bookmaker, et celui-ci, ah celui-ci chut : c'est un amoureux. Voyez comme il marche, avec toutes les pierres des frondes cinglant son front, avec les aiguillées d'hirondelles à son chapeau, avec la brise des vallées heureuses autour du cou, à la bouche l'œillet de la morsure, il est habillé de velours blanc, aussi vrai que je suis au monde, et dans les viviers suburbains s'il se penche à leur surface, les poissons deviennent des couteaux. Il y a des amoureux dans les rues, des amoureux véritables, comme ceux dont on rit et pleure, comme ceux qu'on chasse et qu'on chante, comme ceux dont il sera un jour mené grand bruit, retournez-vous : voici des amoureux qui passent. Ô vous qu'un régiment et sa séquelle de marmaille et de clameurs retient un instant aux fenêtres, vous pauvres grenouilles attirées par quelques chiffons bariolés, vous qui saluez le drapeau tricolore que j'emmerde, le christ porté aux mourants derrière une petite sonnette, les morts, les mariés et les autres flicailles de l'esprit, vous qui vous découvrez devant un homme si seulement une fois on a uni par la voix son nom et le vôtre, cessez de porter ce culte absurde à tout ce qui n'est pas uniquement l'amour. Il est temps d'instaurer la religion de l'amour. Et quand au milieu des mouvements des villes, si votre cœur n'est point fixé, que votre pensée est abandonnée au va-et-vient des rencontres, que rien ne la possède et ne la rend à la divinité qui devrait seule l'emplir, alors que vos idées sont comme des lumières mobiles à la surface fuyante des eaux, quand, dans l'agitation confuse où se maintiennent mille éléments épars venus des limites de l'amorphe et de la fumée, vos pas vous égarant dans un dédale d'habitudes et de pavés, vous levez un regard vide sur ce qui vous entoure, et par ce chemin d'ombre vous voici pour la première fois dans la rue, alors reconnaissez dans l'anonyme qui là-bas s'arrête un fakir de l'amour, un homme qui n'est pas comme vous, dénoué dans le vulgaire de son âme, un homme que l'idée enfin pétrit et recréa. Salut, Légendaire : tu es une maison hantée, et cela ne servirait de rien que d'envoyer une délégation de savants avec leurs petits appareils pour observer les étranges phénomènes dont tu es le siège martyrisé. Mais minuit ne suffit pas à tes revenants adorables : tout le jour, et le sommeil à peine sont assez, dans tes murs un perpétuel bruit de robe traînante t'inquiète à merveille et tu l'aimes, ce bruit. Ô quelle reine a donc dans le palais qui prend ta forme écouté jadis une chanson maudite et un cavalier noir ? Ses bras, ses beaux bras blancs étreignent ta mémoire. Ta mémoire ? mais non, c'est elle-même, qui défie le temps et ses fondrières, elle revient par les lézardes de tes veines, elle sourit longuement, va parler, son air est tout changé par quelque pensée souveraine, elle est soulevée, elle parle, son sein bouge, et j'entends. C'est le bruit de son cœur qui scande tous mes songes. Me voici, mon amour, je ne t'ai point quittée.

XVI

Le sentier du belvédère est barré la nuit par une grille portative, on la passe aisément par l'herbe. Puis bifurque : d'un côté pittoresque à la Suisse, petit pont et verdure, de l'autre grandiose, avec l'à-pic sur le lac, et les cassures de la montagne, faites à la main, mais une main de géant. Et comme un homme qui joint les siennes, de mains, les deux chemins se réunissent sur un petit temple gréco-romantique, où des colonnes Louis XVI soutiennent une coupole dans le goût de la Chapelle expiatoire. Un bel effet de lumière, et l'abîme, le paysage à nos pieds, je ne tiens pas à votre ivresse. Vous redescendrez par un labyrinthe de rochers, mi-grotte et mi-serpent, extrêmement propice à mes divagations. Et une grille solide vous arrêtera soudain sur le chemin que vous vouliez rejoindre. Reprenez, maugréant, le film à l'envers : labyrinthe, belvédère, les deux sentiers germains, leur père et tournez à droite.

Nous descendons par des marches de pierre larges et plates et irrégulièrement découpées, qui me remettent en mémoire mes façons d'enfant qui sautait dans les escaliers, dans les rues, un pavé non l'autre, tu ne marcheras que sur les raies, et mille jeux métaphysiques. À droite jolie statue, représentant un homme à terre luttant contre un aigle : quelle est la moralité de ce groupe, et pourquoi prenez-vous parti, qui a raison, qui sera vainqueur. Puis voici devant vous le grand pont suspendu. Il est interdit de le faire balancer. Je n'aurai garde d'y manquer.

Ô Ponts suspendus, etc.

À signaler à droite un piton dû au génie de la maison X.

Le lac, avec clair de lune électrique, peint par Arnold Böcklin, et le sujet est continué dans le cadre, qui est la Ville de Paris ; le tout tiré en trois couleurs. Et trois jeunes gens qui les contemplent. À vendre.

Au plus offrant dernier enchérisseur.

Le pont tremble.

C'est de cette sépia qu'il est dit à la page 83 de l'édition originale du *Moine* de Lewis (trad. par l'abbé Morellet) : «Cette inscription n'a été placée ici que pour l'ornement de la grotte ; et les sentiments et l'Hermite, tout est également imaginaire.» Mais de quelle inscription s'agit-il ? et il me semble, ami lecteur, que tout est également imaginaire. En effet. Du haut en bas de l'échelle sociale.

Le pont tremble.

Échelles, je vous tire mon chapeau. En effet. Mon chapeau est imaginaire. Mais le pont, lui, est suspendu. Suspendu à vos lèvres, Mesdames. On n'est pas plus galant. On n'est pas plus galant qu'un pont suspendu.

*

Et il y a encore les serpentins de sentes, le lac aux oiseaux dormeurs, les canards mandarins nous leur jetons des pierres, ils savent qu'ils ne seront pas atteints, ils restent sur un perchoir dans l'eau, immobiles. Le café au-dessus, toute l'âme d'Henry Bataille, les premiers actes où il y a encore les peintres, les housses laissées aux meubles du cœur, vous ne pouvez pas me comprendre. Parc, parc et parc. Voici l'appartement des rêves : dans un défilé de rochers artificiels, un passage au fond du vallon près d'un ruisseau qui court, la cascade, à sa perte. André Breton, parfois, s'exprime en un anglais d'une rare élégance. Le fond de son discours qui se confond avec le fond de l'air est une équivoque établie entre les arbres et les mots, la prairie ressemble à un limmerick, *it was a young lady of Gloucester*, et un peu plus tard c'est Marcel Noll qui découvre entre les lueurs croisées dans le brouillard le charme des voyages extraordinaires au fond des grandes grottes qui se nichent, voir le plan, au sud-est de l'île où nous arrivons par une marche circulaire. J'abandonne aux rêveurs ces trous du faux rocher pour y cacher leurs hiboux et leurs araignées fileuses, et que les journalistes, révérence parler, développent ce thème à coulisse : *les grottes sont les moniches de l'ombre, et j'y jouis.*

MOI :

Tu te crois, mon garçon, tenu à tout décrire. Illusoirement. Mais enfin à décrire. Tu es loin du compte. Tu n'as pas dénombré les cailloux, les chaises abandonnées. Les traces de foutre sur les brins d'herbe. Les brins d'herbe. Que tous ces gens qui se demandent où tu veux vraiment en venir se perdent dans le détail, ou dans le jardin de ta mauvaise volonté. À droite, alignement, lecteurs. Dites donc, vous, l'homme au lorgnon, vous pourriez lever le menton : ce n'est pas de la merde, les étoiles. Et au commandement, tâchez à voir à vous tirer des pieds en mesure. Pas cadencé. Ils m'ont suivi, les imbéciles, comme à cette complication du jeu de saute-mouton, nommée la promenade, où derrière le preu toute la bande reprend les gestes absurdes d'un gamin dominateur. Montez cette petite colline redescendez-la : les voilà bien avancés, et moi, trop dédaigneux pour rire. Ils ne savent rien de mon orgueil. Tous ceux qui m'ont parlé croyaient en ma politesse. Mes souliers, léchez mes souliers. Et encore. Et Dieu sait où je les ai traînés, mes souliers. Jamais je ne finirai ce livre ou vous prenez goût. Il vous restera à imaginer cette sorte de Sibérie, cet Oural qui côtoie la rue de Crimée où passe le chemin de fer de ceinture. Et les portes et les accès du parc, et la poésie hors d'atteinte pour vous de lieux plus conventionnels, pour moi que… que vous ne croyez. Sombrez dans ma faiblesse, esclaves. Mes bras vont vous laisser à votre ennui, et ce goût douteux que vous aviez de moi-même vous en serez puni par la déception. J'appartiens à la grande race des torrents. Ce n'est pas pour ta pomme. Tout ce que je dis, tout ce que je pense, est trop bon pour vous, sera toujours suffisant. Ta montre, toi. Et toi ta femme. Allons, pas de manières, mettez tout à mes pieds. On ne vous demande pas votre avis, ce n'est pas la peine de murmurer dans vos gencives : JOLIE NATURE. Couchez-vous, à plat ventre, un peu plus vite que ça, eh tapis ! Je marche sur leurs corps, roi fainéant j'avance, je salis leurs vestons, et leur peau, et leur cœur. Drôles de dessins de l'Aubusson servile. Nom de Dieu, pas de révolte, paillassons. Si j'avais pensé à mettre mes souliers à clous, ou des éperons. Des éperons, ça ne serait pas mal. Rrran, rrran de la molette. Patipan, du talon. Vos gueules.

XVII

À M. Philippe Soupault 4, avenue d'Erlanger.

Monsieur le Directeur de la *Revue Européenne*,

N'avez-vous pas honte de publier tous les mois un recueil de paroles sans signification générale valable aux yeux abstraits de la pensée ? Fermez-vous, pervenches. Quel abîme s'est jamais creusé sous les pas de vos collaborateurs ? Le dessein de fiction, et tout l'air aïmable qu'il nécessite, les tours d'intelligence des fictionnaires de l'esprit, valent-ils tout ce comportement d'écriture et d'imprimerie, les épreuves corrigées, et les petits battements de votre cœur, mensuellement, à la mise en pages ? Un grand ridicule s'abat du ciel sur ce genre d'activité. Quand le récit de telles entreprises est fait par quelque personne qui a toujours considéré l'agitation humaine à la façon vulgaire, sans inquiétude, avec ce petit hochement de la tête des bonnes femmes, alors tout le faux d'une pareille position intellectuelle apparaît. Lisez ce que dit quelque part Wanda de Sacher-Masoch de la fondation d'une revue par son mari : le cœur est soulevé, puis il retombe. Quelles gens, Seigneur. Je vous tiens ces propos, parce qu'a divers signes d'intelligence que vous me faisiez, j'ai cru plusieurs fois saisir que vous aviez une certaine notion de l'inutile et du dérisoire de tout effort. Peut-être me suis-je trompé.

J'avais donc entrepris, et particulièrement pour vous dédommager d'avances pécuniaires que vous m'aviez consenties, d'exposer une imagination que j'avais du divin, et des lieux où il se manifeste. Tout d'abord pour ne pas vous effrayer par l'ampleur d'un tel projet je vous l'avais présenté sous les traits de simples promenades, mêlées de réflexions, comme il y en a plusieurs exemples dans la littérature. Sans doute les premières pages du manuscrit vous avaient-elles déçu, vous attendant à des allusions archéologiques et rêveuses. Mais elles n'avaient pas déplu à quelques-uns, et vous m'avez encouragé à poursuivre. Vous avez eu le bon esprit de ne pas vous courroucer de quelques abus que je fis de votre indulgence et de votre inattention, glissant çà et là quelques propos un peu libres pour la France, à votre insu, et dans l'idée qui se vérifia que vous ne vous préoccupiez pas le moins du monde de ce que vous donniez à lire au monde. Au contraire, cela parut vous enchanter, et votre éditeur lui-même m'offrit un pont d'or pour éditer luxueusement un texte, qu'il trouvait sans doute polisson. Comme on se trompe!

Moi pendant ce temps-là, comment vous dire? Je pensais faire faire un pas à la métaphysique. Louable erreur. Mais belle sottise. Il fallait, pour que j'éprouvasse le son faux rendu par cet airain des foires, tout l'échevèlement des nuages de l'amour. Et les voici, les uns sont roses, et il y a de grandes déchirures de clarté, des ombres passagères, des balustrades pour les oiseaux. Mes mirages ne sont plus pour vous. Alors tant pis, si ça a l'air inachevé, si le promeneur qui, mon livre en main, parcourt les Buttes, se rend compte qu'à peine j'ai parlé de ce jardin, que j'en ai négligé l'essentiel.

XVIII

À quoi un homme a consenti, ce qu'il y a dans ce premier pas qui l'engage, et l'invraisemblable écheveau des bonnes raisons de poursuivre une entreprise insensée, voilà ce qu'il suffit un instant d'éprouver pour que cesse l'enchantement. Oui, j'ai commencé à mêler le paysage à mes paroles, j'ai pensé à décrire une figure de l'esprit, et joignant l'exemple à la réflexion, j'ai proposé une voie au frisson, j'ai secoué les poussiéreuses ramures où mouraient les nymphes décolorées, j'ai cru que mon plaisir se mariait à la lumière d'une idée, et puis, que voulez-vous pourtant que tout cela me fasse? Vous attendez cette distraction, de celui que rien n'a distrait de soi-même. Que l'indulgence du mépris retombe à jamais sur vous. Il n'appartient pas à moi de tirer de l'ennui ces malades lecteurs. Qu'ils périssent, qu'ils se fanent dans la nuit du silence où de vagues histrions grimacent sans douleur le semblant des douleurs humaines.

Pour moi je ne suis pas celui qui dit le nom de chaque chose. Au-dessous d'une vague au point de crouler, dans ce creux pareil à l'orbite, à peine un souffle m'est laissé, et quel est donc le mot qu'entre les millions de mots, les millions de murmures, les innombrables perplexités de l'idée, va choisir à cette grappe d'écume, au cerisier bleu de la mer, ma bouche ivre peut-être d'un baiser, et folle, et libre étrangement, et à moi-même étrangère, ma bouche ce mystère qui mord infiniment le monde aérien, quel est le mot qui me résume, ô dérision, et dont je meurs ?

De rien ne me sont les conquêtes de l'esprit. Chercheurs de toutes sortes, que faites-vous sinon la répugnante apologie des sens ? Parfois j'ai cru à de nouvelles fraîcheurs. J'ai porté la lèvre à ces neiges. Fruits, fondantes lueurs, jeunesses, eaux plaintives, forêts. À ta luge, parfum du monde, seul un illusoire lien m'enchaîne ; glisse, et dans les tournants, les chutes sont pareilles à un envol d'oiseaux. Devant cette croix commémorative d'un accident de la pensée, je le répète : de rien ne me sont les conquêtes de l'esprit. Quand l'homme se promène dans la salle des Nouvelles Acquisitions, avec un sourire, avec un sourire ! je ne pourrai jamais supporter ce sourire. Aucun terrain, depuis les cavernes, pas un pli n'a été gagné sur le mystère. Réveillez-vous sous le couteau, condamnés à mort, mes frères. Dans la gueule de la Bête. Doucement la résine de la branche qui casse… coule sur ma figure.

Je ne vous accompagnerai plus dans les Barbizons du plaisir. Vous vous intéressez à ceci, à cela : que m'importe ? Mon cœur sous ce pont de rochers qui l'empanache, est-ce une fumée ? charrie avec ses glaçons de grands soleils morts qui s'entrechoquent. Tout le ciel s'est noyé dans mes veines. Le vent pleure dans les volcans, et la lave est au fond de l'oreille, et la nuit se lève de la terre, et les larves sortent des sillons, et il est trop tard, il est enfin trop tard pour l'informulable destinée désirée, pour la transfiguration sanglante du cadavre, et Lazare ne sortira jamais de son tombeau. *Il n'est jamais sorti de son tombeau.*

Il m'arrive, au milieu des événements qui me bornent et m'humilient, dans cette marée qui me ramène au contact des falaises humaines, quand le ressac de l'attention meurt aux pieds d'une femme, et son regard a pourtant son prix, et j'espère éperdument un bien hypothétique, il m'arrive d'imaginer que je ne suis pas seul sous ce rameau étoilé. Et qu'il y a une multitude d'êtres, animés par ce mouvement des eaux, respirant comme moi, comme moi le jouet des doigts blonds des planètes. Il y aurait des hommes. Et je rêve ; et ma tête va. Où va-t-elle, coupée ? Ma tête s'est branchée dans le palmier humain. Extraordinaire panorama romanesque. Voici tous les personnages fabuleux : l'épicier, le capitaine d'équipement, la reine, le chanteur, l'esquimau, la crémière. Ma tête, ne retombe pas encore sur le sol. Ma tête, écarquille les yeux. Ne sont-ce pas des images brouillées d'un reflet de moi-même ? Entends-tu le sabir que la brise draguant les blés humains t'apporte ? Ce sont des mots déments, qui parlent du bonheur. Ma tête, ne retombe pas encore. Écoute, on dirait le chant qui sourd à la fin d'une belle journée des murs humides des prisons. Grandes paroles banales, quand tout sera fini, si quelqu'un se souvient, ce sont les plus banales paroles qui reviendront à sa mémoire : « Il a fait un temps très doux aujourd'hui... Je n'aime pas beaucoup les robes claires... Avez-vous rencontré cette femme qu'on dit si belle ?... et cætera. » Ne retombe pas encore, ma tête. La chanson reprend : « On dirait, pardonnez-moi l'expression, que le ciel est à la portée de la main... Je suis restée toute sotte en trouvant votre porte fermée, et pas un mot chez la concierge... J'aurais voulu mourir à cette minute-là... C'est alors que je dis... Vous me croirez à peine... On raconte de si drôles de choses, et pourtant... Croyez-vous que l'on meure, vraiment ? » Retombe, retombe, ma tête, assez joué au bilboquet, assez rêvé, assez vécu, assez : que la fumée retourne vers la flamme, que l'avenir se replie dans le jour. Tu as vu tes ruines, ô Memphis, et ta statue chantante habitée par les insectes noirs. À quoi bon imaginer ce monde, tais-toi. Tu connais le sort de la pensée.

Celui qui parlait alors se lève. Et sa tête, précairement rajustée, à nouveau, il l'arrache. Il l'arrache de lui, et avec une force peu commune, avec une force qu'on ne soupçonnait guère dans ces bras peu musclés, il jette loin de lui sa tête dont les yeux étaient pâles, et les lèvres habiles, il jette loin de lui sa tête distinctive, et elle rebondit, sur les pierres qui l'écorchent, elle roule, elle fuit, elle ricoche aux flancs des montagnes, elle descend, elle va vers les vallées profondes; un instant les mélèzes groupés la retiennent par les oreilles dans leurs futaies, mais la force initiale de la propulsion l'emporte, et les arbres s'écartent avec un doux bruit de feuilles frôlées, la Tête passe, atteint les champs. Roule dans les cultures, Tête, dans les semailles. Elle se mêle au grain, et le vanneur la prend dans son van, l'envoie vers d'autres haies où l'écolier viendra à son tour la cueillir, sanglante sous les cheveux noirs. «Cette mûre, dit le gamin, est encore toute rouge d'un côté», et il la jette de dépit dans la poussière. La tête maintenant apprend à connaître les pieds. Il y a diverses sortes de gens qui empruntent ce chemin dans la campagne. Leurs démarches sont variables à l'infini. Leurs pas trahissent les multiples mouvements de leur cœur. Pas lourds du laboureur, pas de la jeune fille, et l'assassin pressé qui fuit dans l'herbe, et court. Et vous pieds nus, fatigués, adorables. La tête doucement va rouler vers la mer.

Celui qui s'était séparé de sa pensée quand au loin les premiers flots eurent léché les plaies du chef méprisé sortit de l'immobilité comme un point d'interrogation renversé. Dans l'air pur, au-dessus des sierras calcinées, à ces hauteurs où le ciel de diamant baignait implacablement la terre grattée jusqu'à l'os, où chaque pierre semblait marquée du pas d'un cheval stellaire ferré de feu, le corps décapité lançait à grandes saccades le triple jet de ses plus fortes artères, et le sang formait des fougères monstrueuses dans le bleu étincelant de l'espace. Leurs crosses dépliées dans les profondeurs se poursuivaient par de fines suspensions de vie, par un pointillé de rubis qui s'enroulait aux derniers oiseaux de l'atmosphère, à l'anneau lumineux des sphères, aux souffles derniers des attractions. L'homme-fontaine, entraîné par la capillarité céleste, s'élevait au milieu des mondes à la suite de son sang. Tout le corps inutile était envahi par la transparence. Peu à peu le corps se fit lumière. Le sang rayon. Les membres dans un geste incompréhensible se figèrent. Et l'homme ne fut plus qu'un signe entre les constellations.

LE SONGE DU PAYSAN

Il y a dans le monde un désordre impensable, et l'extraordinaire est qu'à leur ordinaire les hommes aient recherché, sous l'apparence du désordre, un ordre mystérieux, qui leur est si naturel, qui n'exprime qu'un désir qui est en eux, un ordre qu'ils n'ont pas plus tôt introduit dans les choses qu'on les voit s'émerveiller de cet ordre, et impliquer cet ordre à une idée, et expliquer cet ordre par une idée. C'est ainsi que tout leur est providence, et qu'ils rendent compte d'un phénomène qui n'est témoin que de leur réalité, qui est le rapport qu'ils établissent entre eux et par exemple la germination du peuplier, par une hypothèse qui les satisfasse, puis admirent un principe divin qui donna la légèreté du coton à une semence qu'il fallait à d'innombrables fins propager par la voie de l'air en quantité suffisante.

L'esprit de l'homme ne supporte pas le désordre parce qu'il ne peut le penser, je veux dire qu'il ne peut le penser premièrement. Que chaque idée ne se lève que là où est conçu son contraire est une vérité qui souffre de l'absence d'examen. Le désordre n'est pensé que par rapport à l'ordre, et, dans la suite, l'ordre n'est pensé que par rapport au désordre. Mais dans la suite seulement. La forme du mot lui-même l'impose. Et ce que l'on entend, donnant à l'ordre un caractère divin, c'est le passage qui ne peut, en conséquence, exister pour le désordre, de sa conception abstraite à sa valeur concrète. La notion de l'ordre n'est point compensée par la notion inexpugnable du désordre. D'où l'explication divine.

L'homme y tient. Pourtant il n'y a point de différence entre une idée et une autre idée. Toute idée est susceptible de passer de l'abstrait au concret, d'atteindre son développement le plus particulier, et de ne plus être cette noix vide, dont les esprits vulgaires se contentent. Il m'est loisible de ne pas m'en tenir à ce que j'ai avancé, par la suite nécessaire, par la marche logique de ma pensée. Il m'apparaît que pour l'esprit qui n'obscurcit pas son apercevoir idéal par un incessant report, un contrôle continuel de chaque moment de sa pensée par la comparaison de ce moment avec tous les moments qui le précèdent (et quelle est cette préférence donnée au passé sur l'avenir, son fondement?), que pour l'esprit qui conçoit la différence de ces mots comme un pur rapport syntaxique, qui conçoit par suite la coexistence dans un vase clos de plusieurs gaz distincts, occupant chacun tout le volume qui est offert à tous, le désordre est susceptible de passer à l'état concret.

Il est clair que ceci n'est pas un simple sentiment, et que tout aussi bien ordre et désordre n'ont été pris comme les termes de cette dialectique que dans l'intention où je suis de montrer accessoirement, en même temps que je donne un exemple de cette dialectique, par quelle démarche vulgaire les hommes ont pu concevoir une explication divine de l'univers, qui répugne à toute philosophie véritable. Je songe avant tout au procès de l'esprit. Il n'y a vraiment d'impensable que l'idée de limite absolue. Il est de la définition de l'esprit de n'avoir pas d'autre limite. Et si le désordre est impensable, j'entends s'il était concrètement impensable, le concret du désordre serait la limite absolue de l'esprit. Singulière image de ce que plusieurs ont nommé Dieu. Je ne vois pas comment elle serait conciliable avec aucun des systèmes d'opinions qui leur tiennent lieu de connaissance. Et si j'ai primitivement avancé dans une première figure de ma réflexion que le désordre était impensable, c'est que cette première figure était celle de la connaissance vulgaire par laquelle me viennent tout d'abord toutes mes intuitions.

L'idée de Dieu, au moins ce qui l'introduit dans la dialectique, n'est que le signe de la paresse de l'esprit. Comme elle se levait pour arrêter toute véritable dialectique au premier pas, au second elle réapparaît par un détour semblable, et l'on voit qu'il est facile de diviniser l'ordre après le désordre, ou dans le cours du développement de ces notions de les réunir en Dieu. C'est à ce stade que l'idéalisme transcendantal s'est arrêté, et certes donnait-il à l'idée de Dieu une place plus satisfaisante pour l'esprit que celles qu'on lui assigna précédemment. Mais, dans l'instant que je reconnais dans l'idée même du médiateur absolu la même lâcheté, la même fatigue de l'esprit qui m'était montrée dans les théologies par les idéalistes, je porte contre eux, l'esprit porte contre eux, la condamnation qu'ils ont prononcée contre celles-ci. C'est à examiner sous ses trois formes, à trois étapes de l'esprit, l'apparition de l'idée de Dieu, que je reconnais le mécanisme de cette apparition, que je peux prévoir que je suis susceptible de succomber à cette idée, que je peux par avance me condamner dans la mesure où cette défaillance m'apparaît en moi-même, sa virtualité. Et que je généralise les propriétés de cette idée, par le mécanisme même, toujours le même, que j'aperçois dans son apparaître. L'idée de Dieu[1] est un mécanisme psychologique. Ce ne saurait en aucun cas être un principe métaphysique. Elle mesure une incapacité de l'esprit, elle ne saurait être le principe de son efficience.

De là à conclure à l'impossibilité de la métaphysique il n'y a qu'un pas pour un esprit vulgaire. Voilà ce qui fait qu'une intuition de ce point de la réflexion, qui vient parfois aux hommes sans la conscience des étapes intermédiaires qui m'y portent, les a souvent entraînés à ce jugement de l'impossibilité de la métaphysique. C'est que pour eux Dieu est l'objet de la métaphysique. Si l'on ne peut, soutiennent-ils avec une apparence de bonheur, atteindre par la métaphysique à l'idée dont elle fait son objet, c'est que l'esprit doit se l'interdire. Erreur dont l'ingénuité a connu une incroyable fortune. Outre qu'elle liait la métaphysique à un objet qui lui est étranger, elle se réclamait d'un pragmatisme inconscient qui ferait sourire. Il se trouve que les hommes ont pendant près d'un siècle accepté comme seule raisonnable cette idée qui constitue un véritable suicide de l'esprit. Tout raisonnement bâti sur le même modèle, mais qui n'aurait pas l'esprit seul pour matière paraîtrait monstrueux, indigne, et ferait traiter de fou celui qui reproduirait la démarche habituelle du positivisme. Celui-ci n'est point un sophisme nouveau. Les idéalistes l'avaient rencontré en leur temps, l'avaient vaincu pour eux-mêmes. Un simple détour, cette fausse modestie du roseau pensant qui semble toujours du meilleur aloi, suffisait à ramener dans toute sa force une difficulté déjà

---

1. Idée dégoûtante et vulgaire.

résolue. Toute la philosophie moderne, et celle-là même qui s'est opposée au positivisme, en a été atteinte et viciée. Un esprit philosophique n'a d'autre recours que de la ranger parmi les formes les plus grossières de l'erreur, les syllogismes condamnés par la philosophie aristotélicienne, et à ne plus s'en préoccuper.

Si le problème de la divinité n'est pas comme on l'a à tout hasard avancé l'objet de la métaphysique, si la métaphysique elle-même n'est pas une impossibilité logique, quel est donc l'objet de la métaphysique ? Les idéalistes avaient aperçu que la métaphysique n'est pas l'aboutissement de la philosophie, mais son fondement, et qu'elle n'était point distincte de la logique. Il y a, dans ce second point, une acceptation de synonymie, qui est inacceptable. Si la logique est la science des lois de la connaissance, et si ces lois sont incompréhensibles en dehors de la métaphysique, à quoi je souscris, il ne s'en suit pas que ces lois soient la métaphysique, mais évidemment que la métaphysique étant la science de l'objet de la connaissance ce n'est qu'en elle que la logique s'exerce et développe ses lois. Je me ferai mieux entendre en disant que la logique a pour objet la connaissance abstraite, et la métaphysique la connaissance concrète. Il s'en suit, pour parler le langage de l'idéalisme et démêler les voies de l'erreur dans ce système, qu'il ne saurait y avoir de logique de la notion ni de métaphysique de l'être. Que seules ces conceptions, filles des erreurs mêmes que les idéalistes combattaient, ont entraîné Hegel à cette construction qu'il nomme *La Science de l'Essence*, qui est un intermédiaire inutile, qui lui permet de passer de la logique à la métaphysique, alors qu'il les a primitivement mêlées. Il suffisait de maintenir leurs individualités.

La logique est la science de l'être, la métaphysique la science de la notion. Si nous pouvions accéder directement à la conception métaphysique, la logique ne serait aucunement nécessaire à notre esprit. La logique n'est qu'un moyen de nous élever à la métaphysique. Elle ne doit pas l'oublier. Dès qu'elle cesse d'avoir cette valeur, dès qu'elle s'exerce à vide, elle perd toute valeur. C'est par la voie logique que nous accédons à la métaphysique, mais la métaphysique enveloppe à la fois la logique, et reste distincte d'elle.

La notion, ou connaissance du concret, est donc l'objet de la métaphysique. C'est à l'apercevoir du concret que tend le mouvement de l'esprit. On ne peut imaginer un esprit dont la fin ne soit pas la métaphysique. Fût-il le plus vulgaire, et tout obscurci par le sentiment de l'opinion. C'est à quoi l'esprit tend, et peu importe qu'il atteigne ce qu'il ne sait pas qu'il cherche. Une philosophie ne saurait *réussir*. C'est à la grandeur de son objet qu'elle emprunte sa propre grandeur, elle la conserve dans l'échec. Aussi dans l'instant que je constate celui de l'idéalisme transcendantal, je salue cette entreprise, la plus haute que l'homme ait rêvée, comme une étape nécessaire de l'esprit. Dans sa marche vers le concret qu'il ne s'embarrasse pas pourtant de l'assentiment passager donné à un système. Il n'y a pas de repos pour Sisyphe, mais sa pierre ne retombe pas, elle monte, et ne doit cesser de monter.

*

Descends dans ton idée, habite ton idée, puisatier pendu à ta corde. Ce n'était d'abord qu'un trait, un cerne, et voici qu'elle se limite vraiment, et partout je touche à ce qui n'est pas elle, je touche par tout elle à ce qui la nie, le monde expire à ses plages. Mon idée, mon idée se prend à mille liens. Une longue histoire et je m'attendris aux cicatrices de sa forme, je baise les imperfections de son pied.

Putains terribles et charmantes, que d'autres dans leurs bras se prennent à généraliser. Qu'ils s'enivrent à retrouver sous cet aspect changeant qui, moi, me déconcerte, ce qui les unit toutes, ce qui revient pourtant au véritable amour. J'aime mieux leurs baisers. J'aime mieux chaque baiser, je le distingue, j'y rêverai longtemps, je ne l'oublierai plus. J'ai entendu des hommes qui se plaignaient, leurs maîtresses n'avaient pas ceci qui est le propre des femmes, et cela que les femmes évitent, elles y tombaient. Ils souffraient de ne point sentir sous la peau caressée ce frisson de la loi générale, qui les pâmerait. Eh bien, pas moi. Je t'adore, toi, pour ce particulier adorable, pas un pouce du corps, un mouvement de l'air, qui soit pour un autre valable. On ne te bâtirait pas sur ta menotte. Tu confonds la loi, en même temps que tu la manifestes. Une grande liberté qu'elle néglige éclate à tes pas. La merveille c'est que j'aie fui de la femme vers cette femme. Passage vertigineux : l'incarnation de la pensée, et m'y voilà, je ne puis concevoir un plus grand mystère. Hier à tâtons je me prenais à des abstractions vides. Aujourd'hui une personne me domine, et je l'aime, et son absence est un mal intolérable, et sa présence… Je ne peux pas comprendre sa présence, et rien n'est naturel en elle, en son pouvoir. Une attitude. Un mot. Un déplacement de sa robe. Ô, quand le bracelet joue auprès de la chair.

Je m'étais attardé à un point de ma pensée, comme un homme qui ne sait plus ce qui l'a amené, où il se trouve, et qui ne voit pas de chemin pour en partir. Le malheur fait que le procès de ma pensée soit aussi celui de ma vie. Mes amis remarquaient en moi un état, duquel je sais qu'ils s'affectèrent. Ils n'avaient jamais soupçonné que ce fût le manque de perspective métaphysique qui me confondait à ce point. Je me laissais aller à de petits travaux littéraires, dont le souvenir me donne de la honte. On a de tels mouvements de pudeur, quand on se rappelle des épisodes de l'enfance, la vie de famille. Aucune démarche logique ne semblait devoir me tirer de ce cachot logique, que trahissait une mélancolie. C'est alors qu'un bouleversement total de mon sort, auquel je ne crus prendre aucune part, donna un tour si nouveau à mes pensées que ma pensée les dépassa à son tour. Je devins amoureux, ce qui tient à ces trois mots en dehors d'eux reste inimaginable.

Quand l'idée de l'amour, de cet amour, précisément de cet amour, se leva-t-elle en mon esprit, c'est à quoi je ne puis à la fois, et je puis bien répondre. Tout me séparait de celle que j'entrepris d'abord de fuir, et fuir en moi-même surtout. Il y a dans mon emportement avec les femmes une certaine hauteur, qui tient à plusieurs regrets que j'ai, à ce que j'ai longtemps cru qu'une femme, au mieux pouvait me haïr, à ce sentiment horrible de l'échec qui me porte toujours aux confins d'une ombre mortelle. Cette femme-ci, je me suis défendu de l'aimer, j'ai détourné d'elle avec une sorte de terreur qui avoue, les regrets mêmes du souvenir. Divers sentiments que j'avais me dictaient aussi ma conduite. Sans doute alors devinai-je pourtant sans fixer les traits d'un fantôme, une modification profonde de mon cœur, le filigrane étrange de l'amour commençant déjà d'y paraître. Je crus à une disposition générale de mon humeur, et c'est dans ce désordre réel que je rencontrai une autre femme. Que je le lui avoue aujourd'hui, que tout ceci s'endort, et qu'elle me pardonne. Je l'ai aimée à ma façon de ce temps-là, comme il m'était possible, et sans savoir que son image à une autre était pourtant mêlée, je l'ai bien aimée sans mentir, d'un amour qui ne s'est effacé que devant l'amour même, et elle sait très bien qu'elle m'a rendu malheureux. Aux obstacles qu'elle m'opposait, pourtant plusieurs fois défaillante, je n'ai point usé cet amour, et sans doute qu'il y puisait sa vie. Mais entendez-moi, chère amie, j'ai retrouvé en moi ce que j'avais nié. Vous étiez ma seule défense et déjà vous vous éloigniez. Alors j'ai été malheureux pour l'autre, sans croire qu'elle en saurait rien. Je vivais sans aucun effort pour me rapprocher d'elle. J'ai dit que d'autres sentiments, alors, m'en écartaient. Puis je tremblais d'éprouver ma faiblesse. Je craignais que le jour ne me devînt intolérable, si elle m'humiliait une fois. Elle fit cette chose extraordinaire, de m'appeler à elle : et moi je vins. Soirée du trouble, soirée éclipse : alors devant le feu qui jetait sur nous deux ses grandes lueurs, j'accédai, voyant ses yeux, ses yeux immenses et tranquilles, j'accédai à l'idée de cet amour conçu et nié, qui s'imposait soudain à moi dans l'évidence, à la portée de ma main qui se croyait démente. Je ne me hâtai point. Cela dura des heures et des heures, sur le versant insensible de l'aveu. Il n'y eut point de rupture entre l'indifférence et l'amour. Une porte enfin cède, et c'est ainsi qu'apparaît le merveilleux paysage.

Que la passion obscurcisse l'esprit, on y consent d'une manière trop aisée. Elle ne déroute en lui que ce qu'il a de vulgaire, d'appliqué. Les distractions des amoureux et celles des savants n'ont pas fini de faire rire : elles se valent et ne traduisent qu'une adaptation un très grand objet. Dans l'amour, par le mécanisme même de l'amour, je découvrais ce que l'absence de l'amour me retenait d'apercevoir. Ce qui dans cette femme au-delà de son image se reformait reprenant cette image, et développant d'elle un monde particulier, le goût, ce goût divin que je connais bien à tout vertige, m'avertissait encore une fois que j'entrais dans cet univers concret, qui est fermé aux passants. L'esprit métaphysique pour moi renaissait de l'amour. L'amour était sa source, et je ne veux plus sortir de cette forêt enchantée.

*

La sphère de la notion est pareille au fond de la mer. Elle s'enrichit, elle s'exhausse des stratifications dues au mouvement même de la pensée, et dans ses bancs elle englobe des trésors, des navires, des squelettes, tous les désirs égarés, les volontés étrangères. Le bizarre chemin suivi par ce médaillon que donna dans la nuit une main blanche, d'une boutique éclatante dans un paysage de brume et de musique jusqu'à ce sédiment blond où il voisine avec une méduse et les agrès vaincus de quelque anonyme Armada. La notion est aussi le naufrage de la loi, elle est ce qui la déconcerte. Elle m'échappe où je l'atteins. J'ai peine à m'élever au particulier. Je m'avance dans le particulier. Je m'y perds. Le signe de cette perte est toute la véritable connaissance, tout ce qui m'est échu de la véritable connaissance.

Ce métal précieux que j'ai cherché, qui est le seul bien désirable, qui est le seul devenir de ma pensée, que je le considère dans ma main, que je puisse en fixer la trace avant qu'il ait fui, ce métal, je le reconnais. J'ai déjà eu de tout parfois ce reflet dans une coupe. J'ai bu ce champagne idéal. Sans prendre conscience de la marche de mon esprit, sans en passer par ce détour méditatif, ces retours, ces dénouements. Du plus rapide apercevoir une apparition se levait. Je ne me sentais pas responsable de ce fantastique où je vivais. Le fantastique ou le merveilleux. C'est dans cette zone que ma connaissance était proprement la notion. J'y accédais par un escalier dérobé, l'image. La recherche abstraite me l'a fait tenir pour une illusion grossière, et voici qu'à son terme la notion, dans sa forme concrète, avec son trésor de particularités, ne me semble plus en rien différente de ce mode méprisé de la connaissance, l'image, qui est la connaissance poétique, et les formes vulgaires de la connaissance ne sont, sous le prétexte de la science ou de la logique, que les étapes conscientes que brûle merveilleusement l'image, le buisson ardent.

Je sais ce qu'une telle conception choque, et l'objection qu'elle comporte. Un certain sentiment du réel. Pur sentiment. Car où prend-on que le concret soit le réel? N'est-il pas au contraire tout ce qui est hors du réel, le réel n'est-il pas le jugement abstrait, que le concret ne présuppose que dans la dialectique? Et l'image n'a-t-elle pas, en tant que telle, sa réalité qui est son application, sa substitution à la connaissance? Sans doute l'image n'est-elle pas le concret, mais la conscience possible, la plus grande conscience possible du concret. D'ailleurs peu importe l'objection quelle qu'elle soit qu'on oppose à une semblable vue de l'esprit. Cette objection même est une image. Il n'y a pas, foncièrement, une façon de penser qui ne soit une image. Seulement la plupart des images, faiblement prises, ne comportent dans l'esprit qui les emploie aucun jugement de réalité, et c'est par là qu'elles gardent ce caractère abstrait, qui fait leur pauvreté et leur inefficience. Le propre de l'image poétique à l'encontre de l'image *essentielle*, pour m'en remettre à ce qualificatif médiocre, est de comporter ce caractère de matérialisation, qui a sur l'homme un grand pouvoir, qui lui ferait croire à une impossibilité logique au nom de sa logique. L'image poétique se présente sous la forme du fait, avec tout le nécessaire de celui-ci. Or le fait, que personne jamais n'a songé à contester, fût-ce Hegel, et même celui-ci ne lui accordait-il pas une importance prépondérante, le fait n'est point dans l'objet, mais dans le sujet : le fait n'existe qu'en fonction du temps, c'est-à-dire du langage. Le fait n'est qu'une catégorie. Mais l'image emprunte seulement la forme du fait, car l'esprit peut l'envisager en dehors de lui. L'image donc aux divers stades de son développement apparaît à l'esprit avec toutes les garanties qu'il réclame des modes de sa connaissance. Elle est la loi dans le domaine de l'abstraction, le fait dans celui de l'événement, la connaissance dans le concret. C'est par ce dernier terme qu'on en juge, et qu'on peut brièvement déclarer que l'image est la voie de toute connaissance. Alors on est fondé à considérer l'image comme la résultante de tout le mouvement de l'esprit, à négliger tout ce qui n'est pas elle, à ne s'adonner qu'à l'activité poétique au détriment de toute autre activité.

Taisez-vous, vous ne me comprenez pas : il ne s'agit pas de vos poèmes.

C'est à la poésie que tend l'homme.

Il n'y a de connaissance que du particulier.

Il n'y a de poésie que du concret.

La folie est la prédominance de l'abstrait et du général sur le concret et la poésie.

Le fou n'est pas l'homme qui a perdu la raison : le fou est celui qui a tout perdu, excepté sa raison. (G. K. Chesterton.)

La folie n'est qu'un rapport, comme le raisonnable le réel. C'est *une* réalité, *une* raison.

Je trouve l'activité scientifique, un peu folle, mais humainement défendable.

Les consolations de la logique. Il ne s'est jamais trouvé quelqu'un pour dire : *Il faut une logique pour le peuple*. Ce n'est pas mon affaire. Cela se soutiendrait.

Mon affaire est la métaphysique. Et non pas la folie. Et non pas la raison.

Il m'importe très peu d'avoir raison. Je cherche le concret. C'est pourquoi je parle. Je n'admets pas qu'on discute les conditions de la parole, ou celles de l'expression. Le concret n'a d'autre expression que la poésie. Je n'admets pas qu'on discute les conditions de la poésie.

Il y a une sorte de persécutés-persécuteurs qu'on nomme *critiques*.

Je n'admets pas la critique.

Ce n'est pas à la critique que j'ai donné mes jours. Mes jours sont à la poésie. Soyez persuadés, rieurs, que je mène une vie poétique.

Une vie poétique, creusez cette expression, je vous prie.

Je n'admets pas qu'on reprenne mes paroles, qu'on me les oppose. Ce ne sont pas les termes d'un traité de paix. Entre vous et moi, c'est la guerre.

En 1925, le journal *Le Figaro*, dans son supplément littéraire, a demandé s'il *fallait* ou non élider les e muets dans les vers, si l'on *devait* en alterner les rimes. Vous ne vous conduirez jamais autrement, tels que je vous connais, à l'égard de ma pensée. Jugez par là de vos jugements de ma vie.

Elle ne m'appartient plus, ma vie.

Je l'ai déjà dit.

Je ne me mets pas en scène. Mais la première personne du singulier exprime pour moi tout le concret de l'homme. Toute métaphysique est à la première personne du singulier. Toute poésie aussi.

La seconde personne, c'est encore la première.

Aujourd'hui qu'il n'y a plus de rois, ce sont les savants qui disent : Nous voulons. Braves gens.

Ils croient toucher le pluriel. Ils ne connaissent pas leur vipère.

Je ne m'égare pas, je me domine. Toujours quelque absurdité plus que l'essentiel retient l'œil dans un paysage. Mon point de vue a un beau découvert.

Décidément, je n'admets pas la critique.

Je suis au ciel. Personne ne peut empêcher que je sois au ciel.

Ils ont mis le ciel ailleurs. Ils ont oublié mes yeux en imaginant les étoiles.

Pour l'esprit, qu'est-ce donc, l'enfer?

De divers espoirs que j'ai eus, le plus tenace était le désespoir. L'enfer : ma morale, voyez-vous, n'est pas liée à mon optimisme. Je n'ai jamais compris la consolation.

Le ciel ne m'aidera pas.

C'est extraordinaire, ce besoin qu'ils ont d'une morale consolatrice.

Ni fleurs ni couronnes.

Prodigues en deçà, avares au-delà : ils ne prêtent leur vie qu'à la petite semaine, ils veulent se retrouver dans leur mort.

À la poésie, ils préfèrent le paradis.

Affaire de goût.

Même en métaphysique, on a généralement trouvé que la poésie ne nourrissait pas son homme.

Qu'est-ce que c'est que cette sentimentalité?

Laissez toute sentimentalité. Le sentiment n'est pas affaire de parole, escrocs de toutes sortes. Envisagez le monde en dehors du sentiment. Quel beau temps.

La réalité est l'absence apparente de contradiction.

Le merveilleux, c'est la contradiction qui apparaît dans le réel.

L'amour est un état de confusion du réel et du merveilleux. Dans cet état, les contradictions de l'être apparaissent comme *réellement* essentielles à l'être.

Où le merveilleux perd ses droits commence l'abstrait.

Le fantastique, l'au-delà, le rêve, la survie, le paradis, l'enfer, la poésie, autant de mots pour signifier le concret.

Il n'est d'amour que du concret.

Et puisqu'ils tiennent à écrire, il leur reste à écrire une métaphysique de l'amour.

Pour répondre à une certaine objection au nominalisme, forcer les gens à remarquer ce qui se passe au début du sommeil. Comment l'homme alors se parle, et par quelle insensible progression, il se prend à sa parole, qui apparaît, se réalise, et lorsque enfin il atteint sa valeur concrète, voilà que le dormeur rêve, comme on dit.

Le concret, c'est l'indescriptible : à savoir si la terre est ronde, que voulez-vous que ça me fasse?

Il y a un style noble quant à la pensée.

C'est ce que nient les psychologues.

Les psychologues ou amateurs d'âmes sont les acolytes du sentiment. J'en ai connu plusieurs.

L'inventeur du mot *physionomiste*.

Ceux qui disent *Dieu* pour les meilleures raisons du monde.

Dieu est rarement dans ma bouche.

Ceux qui distinguent des facultés dans l'esprit.

Ceux qui parlent de la vérité (je n'aime pas assez les mensonges pour parler de la vérité).

Il est trop tard pour vous, Messieurs, car les personnes ont fini leur temps sur la terre.

Poussez à sa limite extrême l'idée de destruction des personnes, et dépassez-la.

Arrêt
sur
lecture 4

Effets de reprise

À plus d'un titre, ce troisième grand volet du *Paysan de Paris* peut apparaître comme une reprise de certaines idées déjà amorcées dans les deux premiers. Le premier chapitre revient sur le goût d'une «mythologie moderne» (voir la «Préface»), dont il précise la signification en adoptant cette fois un point de vue plus subjectif chargé de traduire une véritable évolution intellectuelle. Aragon reprend un peu plus loin l'idée du royaume noir de l'erreur en évoquant les statues du Jardin («La magie ainsi dresse ses signes noirs au milieu des rues», p. 223), qui prennent tout à coup la parole comme le faisait un peu avant l'imagination. De même, l'exploration de ce grand jardin parisien qu'est le parc des Buttes-Chaumont, avec son «peuple des passants et des promeneurs» (p. 213), semble une nouvelle mise en œuvre des principes de déambulation et d'exploration appliqués au passage de l'Opéra, avec ses métaphores scientifiques renouvelées (l'éprouvette expérimentale). On retrouve en outre l'obsession du descriptif, qui déclenche l'inventaire des lieux, et aboutit là aussi au surgissement de collages (au chapitre XIII en particulier), même si certains, réalistes et ironiques, sont absolument vides (plan du XIXe arrondissement, p. 231; plan de Paris, p. 234). Les figures de l'observateur, de la femme magique, les notions de mystère, d'ennui et de pessimisme, les figures macabres, les enseignes lumineuses, font un écho très audible à diverses pages du «Passage de l'Opéra». Au-delà, nous retrouvons bien des allégories déjà aperçues dans «Le Passage», comme cette nageuse au sexe d'argent (p. 200), qui rappelle assez clairement la sirène du marchand de cannes. Pourtant, l'ambiance générale de cette partie est toute différente et fait entendre une parole d'une intensité poétique singulière.

Errance initiatique

Les premiers chapitres du «Sentiment… » nous font passer de l'itinéraire intérieur d'un homme, qui s'est découvert une forme de vocation pour les légendes modernes, à l'itinéraire géographique et symbolique de trois compagnons en quête d'absolu.

C'est tout d'abord un «je», qui ne parle que de lui jusqu'à ce que l'ennui s'en mêle (p. 183) :

Par ces temps magnifiques et sordides, […] je vivais au hasard…

Puis André Breton, auquel ce «je» rend visite pour échapper à l'ennui (p. 202) :

Je trouvai chez André Breton, au dessert du dîner…

Enfin Marcel Noll, incarnation de l'«accablement général» (p. 202).

Peu à peu ces esprits, occupés par une forme de spleen* peu productif («André Breton ne voulait pas marcher plus loin. Marcel Noll proposait d'aller à Montparnasse, et moi boire était tout ce que j'imaginais», p. 203), deviennent les acteurs d'une sorte de road-movie nocturne et halluciné («Nous entrons dans le Parc avec le sentiment de la conquête et la véritable ivresse de la disponibilité d'esprit», p. 207) qui les conduira, par les grâces du hasard, à se découvrir eux-mêmes (p. 203-204) :

> Enfin nous allions détruire l'ennui, devant nous s'ouvrait une chasse miraculeuse, un terrain d'expériences, où il n'était pas possible que nous n'eussions mille surprises, et qui sait ? une grande révélation qui transformerait la vie et le destin.

La thématique de l'errance prend pied dans le désœuvrement de l'ennui et se prolonge, par une soudaine accélération, avec le parcours détaillé du taxi qui mène les trois compagnons au Jardin (p. 205-206). Une nouvelle rupture de rythme est provoquée par le chapitre VII, plan très détaillé du Parc, qui fonctionne comme le dessin, ou la sculpture des parcours possibles, aux multiples sous-entendus érotiques. Dans le même esprit que pour «Le Passage de l'Opéra», on peut détecter les étapes des avancées exploratoires au sein d'une imaginaire «Mésopotamie» (p. 204) menées par des adultes devenus, à la faveur de la nuit et du paysage, les enfants des sortilèges («À peine avancions-nous dans le parfum du grand cyclamen», p. 214; «Ils arrivent à la plateforme», p. 218; «Le chemin se termine par une colonne de bronze», p. 221; «Nous avons un peu perdu l'itinéraire des trois amis», p. 227). La déambulation nocturne trouve ainsi ses «stations», comme dans la «roue du devenir» (p. 152), et chacune de ces stations déclenche chez l'un ou l'autre des promeneurs en état de disponibilité propice à l'inspiration poétique et lyrique («MARCEL NOLL : Quel chemin parcouru depuis la forêt primitive ! », p. 215). Véritablement inspirés par les lieux, le narrateur, Noll et Breton, présentés alternativement de l'intérieur («je» et «nous») ou de l'extérieur («ils» et «nos jeunes gens»), sont des génies aspirés par les «chemins» ou les «allées», œuvres de l'architecte paysager, mais aussi traces serpentines du destin.

La mort

Déjà présente dans les ombres du passage de l'Opéra, la hantise de la mort surgit tout d'abord dans un passage proche du style de l'écriture automatique attribué à l'ennui :

> La mort aujourd'hui lundi est une nageuse dont je vois bouger le sexe dans l'argent à la clarté du magnésium.
> Sous son maillot étoilé le plaisir a dessiné des nerfs au ramage enfantin. À la toucher l'eau devient phosphore. La mort se nomme Lucie, ce soir. Je m'enfonce dans son sillage…

Elle s'affiche plus nettement encore aux détours obscurs des chemins végétaux. Annoncée comme un élément central de l'état d'âme dans le chapitre VIII consacré à la nuit («Ce cadavre palpitant a dénoué sa chevelure sur le monde», p. 211), la mort s'impose à chaque instant vécu («j'atteins au sentiment concret de l'existence, qui est tout enveloppé par la mort», p. 212). Et si «je», Noll et Breton se rendent aux Buttes-Chaumont, c'est en partie pour y contempler le «pont des Suicides», qui aurait le pouvoir d'attirer vers la mort volontaire ceux-là mêmes qui n'y avaient pas songé. L'approche de ce lieu vers lequel se convulsent les sentiers et les chemins est ponctuée par de sombres augures : sur les pas des trois amis, comme dans les contes, un chien hurle à la mort (p. 219), signe annonciateur de la «Mort Violente» (p. 236) et de la «Mecque du suicide» (p. 241). Sur ces pages pèse certainement le souvenir du suicide d'un ami commun, Jacques Vaché, dont la mort volontaire, en 1919, avait frappé l'ensemble du groupe, en particulier André Breton. Nulle tentation pourtant. Le narrateur, enfin celui qui nous parle et nous guide dans ce texte, renvoie le lecteur à ses obsessions et préfère à la chute depuis le pont une mort symbolique par décapitation, dans l'euphorie surréaliste d'une communion avec les étoiles.

Beau parleur et prose cadencée

De manière plus accentuée encore que dans les volets précédents du *Paysan de Paris*, la parole du locuteur principal emprunte volontiers, mais pas de manière systématique, les sentiers de la grande rhétorique, insérant ainsi un contenu moderne dans un moule syntaxique et culturel hérité de l'Antiquité. La période initiale du «Sentiment…», animée d'un mouvement ascendant (protase) et descendant (apodose), confère à la parole du Paysan le souffle des orateurs classiques (p. 183) :

> Par ces temps magnifiques et sordides, préférant presque toujours ses préoccupations aux occupations de mon cœur, je vivais au hasard, à la poursuite du hasard, qui seul parmi les divinités avait su garder son prestige.

Aragon joue ici du décalage entre le caractère intime de sa confession et le style grandiloquent de sa parole pour installer l'importance de l'enjeu, un peu comme à l'ouverture de la « Préface à une mythologie moderne ». Souvent utilisée en début de chapitre, la période classique impose au lecteur une certaine solennité, un sérieux écrasant, au moment même où l'imagination se laisse aller aux associations libres :

> **La nuit de nos villes ne ressemble plus à cette clameur des chiens des ténèbres latines, ni à la chauve-souris du Moyen Âge, ni à cette image des douleurs qui est la nuit de la Renaissance. C'est un monstre immense de tôle, percé mille fois de couteaux.**

Pourtant, il arrive à notre beau parleur, au nom du refus de la logique, de refuser toute intrusion des chevilles rhétoriques établissant les liens entre les phrases (p. 184-185, par exemple).

Tout aussi repérable est le travail du lyrisme* dans ce texte, c'est-à-dire l'essor au fil des pages d'une voix aux accents chantés. Ces accents sont tout d'abord marqué au sceau d'un académisme qui frôle la parodie, surtout lorsqu'il apparaît à la suite d'une allusion au *Lac* de Lamartine, poème phare du romantisme : « Ô couples ! dans votre silence un grand oiseau se profile soudain » (p. 214) « Ô Krafft, allemand hydrocéphale et triste » (p. 216, voix de Noll) ; « Ô Malthus, évêque au grand cœur » (p. 224, discours de la statue) ; « Ô désir, crépuscule des formes » (p. 238-239).

Plus joliment et de manière soudain moins parodique, la parole déborde soudain de ses cadres pour se livrer à des élans lyriques tout à fait remarquables (« Nous, qui parlons au ciel, nous, couverts de rosée », p. 225), dont on peut trouver un exemple puissant dans cette invocation de la femme qui rapproche le lyrisme de la prière (p. 238) :

> **Femme tu prends pourtant la place de toute forme. [...] Charmante substituée, tu es le résumé d'un monde merveilleux, du monde naturel, et c'est toi qui renais quand je ferme les yeux.**

Le Paysan de Paris chante, en effet, comme l'indique un poème qu'Aragon écrira plus tard, et il chante l'improbable union de l'homme et du monde.

Éloge des jardins

La littérature préromantique et romantique, qui affectionne le dialogue intime du sujet et du paysage, tout comme l'«idée de nature» telle qu'on peut la trouver chez Jean-Jacques Rousseau (1712-1778), François René de Chateaubriand (1768-1848), Victor Hugo (1802-1885), Alphonse de Lamartine (1790-1869), et plus tard chez Maurice Barrès (1862-1923), est revendiquée par le Paysan, qui n'en finit pas de prendre le point de vue supérieur du recul critique (p. 252) :

> Tout d'abord pour ne pas vous effrayer par l'ampleur d'un tel projet je vous l'avais présenté sous les traits de simples promenades, mêlées de réflexions, comme il y en a plusieurs exemples dans la littérature.

Le locuteur a beau dire que sa tentative reste inaboutie, le lecteur se voit pourtant submergé par l'évocation du parc des Buttes-Chaumont, saisi sous plusieurs angles, qui sont autant de sentiers vers le concept poétique du jardin qu'Aragon développera plus tard dans son œuvre (p. 253) :

> Alors tant pis, si ça a l'air inachevé, si le promeneur qui, mon livre en main, parcourt les Buttes, se rend compte qu'à peine j'ai parlé de ce jardin, que j'en ai négligé l'essentiel.

À plus d'un titre, le jardin représente «tout le bizarre de l'homme, et ce qu'il y a en lui de vagabond, et d'égaré» (p. 189). C'est bien l'idée que souligne Marcel Noll dans son intervention collée, où l'on peut lire l'enthousiasme du rêve devant les allées, annoncée et relayée par le promeneur principal. Par ailleurs, accès nous est donné au jardin par l'intermédiaire de trajets, de cartes, de plans et d'indications réelles, chargés d'en faire un carrefour humain témoin de l'état social de la capitale dans les années vingt mais aussi de faire contraste avec le rapport profondément poétique et sensuel que les trois compagnons entretiennent avec ce miroir de leur âme égarée.

Expansion cosmique de l'homme

Impossible d'échapper, dans « Le Sentiment de la nature aux Buttes-Chaumont », à l'élan qui pousse le spectateur à se fondre mentalement dans le paysage et à ne faire avec lui qu'une unité lyrique (p. 189-190) :

> Dans vos limites de fusains, entre vos cordeaux de buis, l'homme se défait et retourne à un langage de caresses, à une puérilité d'arrosoir. Il est lui-même l'arrosoir au soleil, avec sa chevelure fraîche. Il est le râteau et la pelle.

La sensualité de ce rapport est fortement soulignée, à plusieurs reprises, par la féminisation d'un lien devenu érotique et amoureux (p. 189-190) :

> Jardins, par votre courbe, par votre abandon, par la chute de votre gorge, par la mollesse de vos boucles, vous êtes les femmes de l'esprit [...]. Jardins vous ressemblez à des manchons de loutre, à des mouchoirs de dentelle, à des chocolats aux liqueurs. Parfois vous accrochez vos lèvres aux balcons.

Au-delà, la liaison de l'homme et de la nature permet une découverte, une révélation, au sens religieux du terme. Cette découverte est celle de la possibilité de la réunion intellectuelle de l'idée, de sa figuration et de sa manifestation dans l'univers, dont la femme amoureusement chantée sera l'incarnation concrète universelle (p. 238) :

> Femme tu prends pourtant la place de toute forme [...]. Ainsi l'univers peu à peu pour moi s'efface, fond, tandis que de ses profondeurs s'élève un fantôme adorable, monte une grande femme enfin profilée [...].

Le chant et l'enthousiasme final de cet opéra musical qu'est *Le Paysan de Paris* viennent en partie de cette révélation qui permet de relier le physique et le métaphysique par la magie d'un langage nouveau. Ce que cet Orphée rapporte, c'est bien une femme disséminée dans la Nature du Jardin et du Langage. On peut se reporter sur ce point à la folle allitération en [f] de la page 240, qui est le moment même où la diffusion de la femme dans le paysage rejoint la diffusion de la femme dans le langage :

> La femme est dans le feu, dans le fort, dans le faible, la femme est dans le fond des flots, dans la fuite des feuilles, dans la feinte solaire...

Le lyrisme du chapitre XIV concrétise ainsi l'idée de la détection du sacré dans le monde quotidien et se développe par nappes successives jusqu'à la réunion orgiaque de l'homme et du ciel dans la phrase finale du chapitre XVIII, qui suggère l'inutilité relative de la pensée dans un rapport au divin et au métaphysique (p. 256) :

> À quoi bon imaginer ce monde, tais-toi. Tu connais le sort de la pensée.
> Celui qui parlait alors se lève. Et sa tête, précairement rajustée, à nouveau, il l'arrache.

Calquée sur l'écriture des mythes antiques, souvent spectaculaires et terribles, cette décollation volontaire aboutit à la métamorphose finale de l'homme, qui meurt et renaît en une véritable apothéose de l'être poétique (p. 257) :

> L'homme-fontaine, entraîné par la capillarité céleste, s'élevait au milieu des mondes à la suite de son sang. Tout le corps inutile était envahi par la transparence. Peu à peu le corps se fit lumière. Le sang rayon. Les membres dans un geste incompréhensible se figèrent. Et l'homme ne fut plus qu'un signe entre les constellations.

Au terme de la déambulation des trois amis, faite de surprises, de libérations, d'exaltation et de visions, c'est une manière de poser un lumineux point final sur une page de nuit, et de laisser dans le ciel subsister la merveilleuse et scintillante énigme de l'homme.

à vous...

1 – Commentez le texte final du «Sentiment de la nature aux Buttes-Chaumont», de «Celui qui parlait alors se lève» (p. 256) à «un signe entre les constellations» en examinant en particulier :
– les éléments qui relèvent de l'horrible;

– les étapes et la signification de la trajectoire de la tête;
– les éléments qui sont de l'ordre du rêve et de la poésie.

2 – Lisez ce texte de Jean-Jacques Rousseau (*Rêveries du promeneur solitaire*, 1782, posthume). Examinez ce qui peut le rapprocher ou l'éloigner du «sentiment de la nature» tel qu'il est abordé par Aragon dans *Le Paysan de Paris*.

« Mais il faut avouer que cela se faisait bien mieux et plus agréablement dans une île fertile et solitaire, naturellement circonscrite et séparée du reste du monde, où rien ne m'offrait que des images riantes, où rien ne me rappelait des souvenirs attristants, où la société du petit nombre d'habitants était liante et douce sans être intéressante au point de m'occuper incessamment, où je pouvais enfin me livrer tout le jour sans obstacle et sans soins aux occupations de mon goût, ou à la plus molle oisiveté.

L'occasion sans doute était belle pour un rêveur qui, sachant se nourrir d'agréables chimères au milieu des objets les plus déplaisants, pouvait s'en rassasier à son aise en y faisant concourir tout ce qui frappait réellement ses sens. En sortant d'une longue et douée rêverie, en me voyant entouré de verdure, de fleurs, d'oiseaux et laissant errer mes yeux au loin sur les romanesques rivages qui bordaient une vaste étendue d'eau claire et cristalline j'assimilais à mes fictions tous ces aimables objets et me trouvant enfin ramené par degrés à moi-même et à ce qui m'entourait, je ne pouvais marquer le point de séparation des fictions aux réalités; tant tout concourait également à me rendre chère la vie recueillie et solitaire que je menais dans ce beau séjour. Que ne peut-elle renaître encore ? Que ne puis-je aller finir mes jours dans cette île chérie sans en ressortir jamais, ni jamais y revoir aucun habitant du continent qui me rappelât le souvenir des calamités de toute espèce qu'ils se plaisent à rassembler sur moi depuis tant d'années ? Ils seraient bientôt oubliés pour jamais : sans doute ils ne m'oublieraient pas de même : mais que m'importerait, pourvu qu'ils n'eussent aucun accès pour y venir

troubler mon repos ? Délivré de toutes les passions ter-
restres qu'engendre le tumulte de la vie sociale, mon âme
s'élancerait fréquemment au-dessus de cet atmosphère, et
commercerait d'avance avec les intelligences célestes dont
elle espère aller augmenter le nombre dans peu de temps.
Les hommes se garderont, je le sais, de me rendre un si
doux asile où ils n'ont pas voulu me laisser. Mais ils ne
m'empêcheront pas du moins de m'y transporter chaque
jour sur les ailes de l'imagination, et d'y goûter durant
quelques heures le même plaisir que si je l'habitais encor.
Ce que j'y ferais de plus doux serait d'y rêver à mon aise. En
rêvant que j'y suis ne fais-je pas la même chose ? Je fais
même plus ; à l'attrait d'une rêverie abstraite et monotone
je joins des images charmantes qui la vivifient.
Leurs objets échappaient souvent à mes sens dans mes
extases, et maintenant plus ma rêverie est profonde plus
elle me les peint vivement. Je suis souvent plus au milieu
d'eux et plus agréablement encore que quand j'y étais réellement. Le malheur est qu'à mesure que l'imagination s'at-
tiédit cela vient avec plus de peine et ne dure pas si
longtemps. Hélas, c'est quand on commence à quitter sa
dépouille qu'on en est le plus offusqué ! »

Bilans

Opéra des rêves

Le panneau inséré p. 147 (« Passage de l'Opéra Onirique ») comme le titre du texte de conclusion (« Le Songe du Paysan ») disent assez bien ce qu'est cette œuvre étrange où domine l'hétéroclite enchaînement des lieux, des objets, des personnes, des styles et des voix. À l'image d'un opéra, l'œuvre est faite d'une ouverture, d'une succession de tableaux et de décors devant lesquels s'élève le chant du Paysan, qui célèbre la divinité des lieux. On peut être surpris de trouver dans une œuvre d'avant-garde autant d'influences littéraires anciennes et d'allusions à l'antique pratique du mythe. À vrai dire, même s'il est toujours possible de détecter la résurgence d'une inspiration classique, ou sa parodie, *Le Paysan de Paris* tend à déborder toute référence en emportant l'imaginaire au-delà des seuils convenus. Pris dans les réseaux très serrés du réel, le lecteur traverse simultanément les nuages des rêves, des images et des hallucinations sans plus savoir au bout du compte sur quoi reposer son indéfectible besoin de crédibilité. Le terrain est devenu particulièrement instable : le merveilleux, l'étrange, l'irréel, apparus par le truchement des sens libérés de leur prudence, rencontrent des échos favorables chez un esprit en pleine disponibilité. La libre association des séquences de l'œuvre se rapproche ainsi de l'organisation du rêve, choyé par les surréalistes à la fois parce qu'il est un accès à l'inconscient et qu'il représente une surface d'écriture en partie libérée de l'empire de la raison et de la logique. De l'hallucinante sirène à l'homme décapité, de nombreuses scènes rêvées ou fantasmées ponctuent la déambulation dans le Passage ou dans le Jardin et l'on en vient naturellement à s'interroger : cette œuvre ne serait-elle pas finalement un vaste rêve transcrit et recomposé, une fiction illusoire du dire et du voir ? L'autre explication de cette part du rêve dans l'opéra vient de son étroite relation avec la création d'images nouvelles, susceptibles de refonder notre rapport au monde, qui passe nécessairement par le langage. C'est du reste une part de la conclusion aragonienne, qui place l'image* au plus haut degré de l'activité poétique (p. 268-269) :

> Sans doute l'image n'est-elle pas le concret, mais la conscience possible, la plus grande conscience possible du concret. [...] Alors on est fondé à considérer l'image comme la résultante de tout le mouvement de l'esprit, à négliger tout ce qui n'est pas elle, à ne s'adonner qu'à l'activité poétique au détriment de toute autre activité.

Jeu d'enfant(s)

Fidèle aux préoccupations du groupe surréaliste, qui considérait les premières années de l'être comme le refuge du merveilleux et du moderne, *Le Paysan de Paris* est un jeu d'enfant. Aragon y renvoie très souvent de manière allusive. «Ludion» de ses sens et «joueur» (p. 37), le Paysan est aussi celui qui se souvient des jours où il était encore enfant sur la jetée de Port-Bail et qui considère que les enfants sont les premiers à être sensibles à la métaphysique des lieux (p. 49), comme à leur érotisme, lorsqu'il évoque «l'enfant qui cherche une image de l'absolu pour ces nuits» ou ces «collégiens [qui se poussent] du coude» (p. 71) ou encore ce «contentement enfantin» que lui donne une prostituée (p. 163). Du reste, les jeux typographiques et les collages participent aussi d'une esthétique potache et facétieuse, si bien qu'en certains lieux de l'œuvre, on se croit véritablement pris comme cible d'un jeu ou d'une plaisanterie. Cela reste pourtant une sensation transitoire, dans la mesure où le jeu surréaliste, même s'il se cherche un chemin et un langage en dehors de la logique, ne peut échapper à la signification subversive du jeu lui-même, ce qui finit par le mettre en cohérence avec la stratégie générale du livre. Le jeu ne constitue donc pas une rupture, mais une joyeuse infraction de plus aux codes de la lecture. En outre, *Le*

Paysan de Paris laisse passer des clins d'œil aux contes de fées, non seulement en raison de leur rapport naturel avec la légende, mais aussi parce qu'ils renvoient aux premières émotions de l'imaginaire et de la lecture. Ils représentent l'«enchantement» et les «féeries» à côté desquels passent les adultes des familles bourgeoises. Cela va de la mention explicite de certains récits exotiques comme *Les Mille et Une Nuits* (p. 73) à la série des contes célèbres (p. 131) :

> Ô philatélie, philatélie : tu es une bien étrange déesse, une fée un peu folle, et c'est toi qui prends par la main l'enfant qui sort de la forêt enchantée où se sont finalement endormis côte à côte le Petit Poucet, l'Oiseau Bleu, le Chaperon Rouge et le Loup, c'est toi qui illustres alors Jules Verne [...].

Mais ce renvoi à l'émerveillement de l'enfance prend aussi la forme de suggestions plus discrètes : le locuteur du «Passage de l'Opéra» devient ainsi soudain l'impressionnant géant d'un monde de Lilliputiens (p. 59), et le promeneur des Buttes-Chaumont, qui chemine avec ses deux «amis» et «compagnons» dans les allées de la fantasmagorie, traverse une crise de mégalomanie grandeur nature (p. 241) :

> Bah bah bah. Ça ne fait rien, quand je songe à ce que vous pensez, tous, petits à mes pieds pour l'instant, et moi dans ma grandeur, le ciel comme couronne, mon caléidoscope renversé [...].

Celle-ci s'achève par une scène de domination où l'on peut entendre bien des jeux de l'enfance, qui rejoignent les cris du Père Ubu, parodie cruelle du tortionnaire. En somme, c'est dans la naïveté poétique du Paysan que ressurgit l'essentiel de l'enfance, habitée par l'enchantement des mondes nouveaux et des créations verbales. Du même coup, *Le Paysan de Paris* renvoie une image rêvée du réel qui rend les commerçants du passage «malades comme des enfants devant un miroir déformant» (p. 143).

Le mouvement perpétuel

Titre d'un recueil de poèmes écrits de 1920 à 1924, le «mouvement perpétuel» peut également être entendu comme un bon descripteur de l'effet de lecture que crée *Le Paysan de Paris*. Le mouvement perpétuel, c'est d'abord le déplacement constant du regard le long du passage ou du jardin des Buttes-Chaumont, un regard prisonnier d'un lieu dont il tire une part de sa cohérence mais qui glisse incessamment d'une devanture à une maison de passe, d'une porte entrouverte à un café, d'un passager à un autre, du passage au jardin, constituant ainsi un voyage, un mouvement, à la thématique partout interrompue et partout reprise. D'autre part, « Le Passage de l'Opéra » comme « Le Sentiment de la nature aux Buttes-Chaumont » présentent une écriture qui se déploie en changeant de forme et qui se montre, par la vertu protéiforme de la voix, capable d'emprunter toute la gamme des registres (du lyrique au pathétique en passant par le comique*, l'ironique, le fantastique), principe de changement qui se reproduit à l'échelle générale de l'œuvre. Celle-ci passe d'une préface de nature partiellement théorique (elle-même ne tient pas longtemps sur ce seul registre) à une expérimentation du regard au sein du passage, puis à une déambulation libre dans l'un des jardins parisiens les plus baroques, et faisant mine de s'achever avec « Le Songe du Paysan de Paris ». On peut dire la même chose des arabesques stylistiques et sémantiques de la phrase. Au bout du compte, l'impression d'un mouvement perpétuel des idées, des sens, de la mémoire, de l'imagination, une sorte de creuset toujours ouvert, roman nécessairement inachevé. Aux plans sémantique et moral, le lecteur se trouve pris dans ce « goût de l'équivoque et de l'instabilité » (p. 54), dans cette insécurité fondamentale qui fait de l'écriture et de la lecture des actes risqués. Ce mouvement perpétuel d'hésitation volontaire est aussi celui du genre : l'hétérogénéité des emprunts au roman (malgré tout), au reportage, au journalisme à sensation, à l'écriture automatique, à la poésie, à la philosophie, au sermon, ou au théâtre, ne se résout pas totalement dans cet éloge final de l'image* et du « tout poétique », se constituant à la fois en « œuvre totale » et en kaléidoscope, assemblage d'éléments disparates. *Le Paysan de Paris* dans son ensemble peut donc être considéré comme un des exercices les plus singuliers de la liberté d'écrire au xxᵉ siècle.

Annexes

Glossaire

Allégorie : figure poétique qui consiste dans l'animation ou la personnification cohérente plus ou moins prolongée d'une idée, cette dernière étant explicitement formulée ou simplement suggérée. Très souvent, l'allégorie est marquée à l'initiale par une majuscule, en poésie comme en prose. Bien qu'il s'en défende et s'en méfie, Aragon en crée un grand nombre dans *Le Paysan de Paris* : allégorie de la mort, allégorie de l'idée de temps (Nana), allégorie de « l'Erreur aux doigts de radium », allégorie de l'homme-signe. De même, l'imagination ou la statue des Buttes-Chaumont peuvent-être rapprochées de l'idée d'allégorie.

Collage : dans l'histoire de l'art, on désigne par « collage » l'insertion dans un tableau d'un objet emprunté au monde réel. Utilisé par des peintres comme Picasso ou Max Ernst dans les années vingt, le collage apparaît dans *Le Paysan de Paris* à la fois comme effet humoristique, comme renouveau de l'esthétique de la page et comme procédé réaliste qui vient concurrencer la description. André Breton était également un grand amateur de collages, qu'il utilisait notamment dans sa correspondance. En 1923, dans « Max Ernst, peintre des illusions », Aragon distingue deux sortes de collage :
« Pour les cubistes, le timbre-poste, le journal, la boîte d'allumettes, que le peintre collait sur son tableau, avaient la valeur d'un test, d'un instrument de contrôle de la *réalité* même du tableau. [...] Chez Max Ernst, il en va tout autrement. Les éléments qu'il emprunte sont surtout des éléments dessinés, et c'est au dessin que le collage supplée le plus souvent. Le collage devient ici un procédé poétique, parfaitement opposable dans ses fins au collage cubiste, dont l'intention est purement réaliste. »

Comique : hérité de l'univers théâtral, en particulier de la comédie, le comique désigne l'effet d'un énoncé qui déclenche le rire chez celui qui le reçoit comme tel. Aragon joue sur de nombreux registres comiques : le gro-

tesque, le burlesque, la caricature, le scatologique, la farce. Il utilise également les subtilités de l'humour, de l'ironie, de la dérision, du cynisme et du
sarcasme. L'humour, et en particulier l'humour noir, étaient très prisés par
les surréalistes. André Breton composa ainsi une *Anthologie de l'humour
noir*.

Comparaison : réunion d'un comparé et d'un comparant par l'intermédiaire d'un outil de comparaison explicite : « blond comme l'hystérie » ; « elle
marchait comme on rit ». À distinguer de la simple comparaison qualitative
ou quantitative.

Image : on désigne généralement par ce terme les procédés de la métaphore et de la comparaison, dont le principe de fonctionnement est la mise
en relation d'un comparé choisi dans l'univers de référence initial et d'un
comparant, distinct de cet univers, par lequel une signification nouvelle
advient. Le rejet du réflexe conditionné de la comparaison par les surréalistes et des lieux communs qu'elle produit pousse André Breton à en proposer une autre définition, empruntée à Pierre Reverdy, pour qui l'image
naît du « rapprochement de deux réalités plus ou moins éloignées ».
Reverdy ajoute : « Plus les rapports des deux réalités rapprochées sont loin-
tains et justes, plus l'image sera forte – plus elle aura de puissance émotive
et de réalité poétique » (*Manifeste du surréalisme*). Dans le même esprit,
Aragon fait un sort, dans *Le Paysan de Paris,* à la comparaison figée « blond
comme les blés », dont il souligne la faiblesse par le déclenchement d'une
véritable tornade d'images.

Lyrisme : issu du mot « lyre », petit instrument à cordes associé à la figure
mythologique d'Orphée, le lyrisme désigne à l'origine des poèmes chantés
ou accompagnés de musique. Le préromantisme et le romantisme vont lui
donner une autre signification, d'où les idées de chant et de mélodie ne
sont cependant pas absentes. Par « lyrisme », on entend désormais l'expression libérée d'une subjectivité sensible, d'un « je ». C'est l'élan poétique de
la voix du « moi » vers une dimension supérieure de la sensibilité et de la
pensée. Manifestation d'une inspiration venue d'ailleurs, ou expansion du
moi au spectacle de la nature, le lyrisme se réalise souvent par un changement de tonalité, le recours à la tournure exclamative ou vocative et une
succession d'images. Objet de parodie, le lyrisme apparaît fréquemment
dans *Le Paysan de Paris* au service de la découverte du merveilleux, de l'in-
congru, du terrifiant ou d'une sensualité universelle.

Manifeste : texte de nature généralement théorique qui synthétise les prises de position d'un groupe ou d'un mouvement.

Métaphore : réunion d'un comparé et d'un comparant sans recours à un outil de comparaison : «des cheveux d'hystérie».

Psychomachie : dans le récit médiéval, combat d'allégories dans l'âme. Tel héros voit dans son esprit se battre Amour contre Orgueil, mais Indulgence surgit qui adoucit les esprits.

Surréalisme : dérivé de l'adjectif «surréaliste» par lequel Apollinaire désignait son œuvre *Les Mamelles de Tirésias,* le surréalisme est défini ainsi par André Breton : «n.m. Automatisme psychique pur par lequel on se propose d'exprimer, soit verbalement, soit par écrit, soit de toute autre manière, le fonctionnement réel de la pensée. Dictée de la pensée, en dehors de toute préoccupation esthétique ou morale» (*Manifeste du surréalisme,* 1924). De manière plus générale, «surréalisme» désigne le mouvement littéraire lui-même, qui s'étend de 1920 à 1939 avant de prendre d'autres formes après guerre. Pour une vision d'ensemble, on peut se reporter aux articles «Surréalisme» et «Surréalisme et art» de l'*Encyclopaedia Universalis.*

Index de certains noms d'auteurs cités dans *Le Paysan de Paris*

André Breton (1896-1966) : fondateur du surréalisme, André Breton en est aussi le brillant théoricien (le *Manifeste du surréalisme* paraît en 1924, le *Second Manifeste du surréalisme* en 1929). Fédérateur des talents et des énergies d'un très grand nombre d'artistes et de créateurs, il tente dans les années vingt et trente de donner une certaine rigueur aux attitudes morales, esthétiques et politiques du mouvement, au point qu'on parlera de lui comme du «pape du surréalisme». Comme Aragon, il fait des études de médecine avant de se consacrer entièrement à l'avant-garde poétique de son temps. Il crée, avec Aragon et Soupault, la revue *Littérature* et publie son premier recueil de poèmes (*Mont de piété*) en 1919. Plus tard, il prendra la direction de *La Revue surréaliste* et de sa suite, *Le Surréalisme au service de la révolution.* Alors qu'il est le grand ami d'Aragon jusqu'en 1932, les prises de position politiques de ce dernier entraînent Breton vers la rupture. Ils ne se reverront plus qu'épisodiquement et la douleur que ressentira Aragon au

moment de la mort de Breton, en 1966, dit assez la force de l'amitié qui les liait : « Impossible ici de dire ce que j'aurais aimé dire de l'ami de ma jeunesse, de ce grand poète que je n'ai jamais cessé d'aimer, impossible de dire autre chose qu'une phrase comme un écho qui rend les paroles vaines et m'enlève jusqu'au goût de répondre aux sottises qu'on a pu ces temps-ci lire dans les journaux, une phrase qui me rend aveugle à bien des choses :
Mais André
BRETON
Vient de
   Mourir »

René Descartes (1596-1650) : philosophe et savant français (*Le Discours de la méthode, Méditations métaphysiques*) qui révolutionna les méthodes philosophiques et scientifiques de son temps en exigeant d'elles une démarche inspirée de la mathématique. Cette méthode a pour principe de mettre radicalement en doute les informations données par les sens ou l'éducation parce qu'elles ne constituent en rien un point de certitude sur lequel on pourrait fonder une science. Ce qu'Aragon vise dans la pensée cartésienne, utilisant paradoxalement le principe cartésien du doute radical, c'est donc cette primauté de la raison sur toutes les autres facultés de l'esprit. À plus d'un titre, *Le Paysan de Paris* peut être considéré à la fois comme une forme anticartésienne de « discours de la méthode » et de « méditation métaphysique ».

Max Ernst (1891-1976) : peintre allemand, il lance le mouvement Dada à Cologne. Il expose à Paris pour la première fois en 1920 et s'intègre au groupe surréaliste. Par la nouveauté de leurs procédés (collage, décalcomanie, frottage), ses toiles témoignent d'un esprit qui veut explorer les dimensions croisées du rêve et du réel. Admiré par Aragon, il a joué un rôle central dans le développement de la peinture surréaliste.

Sigmund Freud (1856-1939) : neurologue et psychiatre, il s'intéressa très tôt aux thérapies psychiques liées à l'hystérie. D'abord intéressé par l'hypnose, qui permettait de faire parler les malades en les libérant de certains phénomènes de censure, Freud invente dès 1895 une méthode d'exploration du psychisme par l'examen conscient des associations d'idées et des rêves des patients. Il consacre de nombreux travaux à l'analyse des rêves, révélateurs des mécanismes de notre inconscient, et étudie la place de celui-ci dans notre imaginaire, nos troubles comportementaux ou certains symptômes névrotiques comme les angoisses ou les phobies. Convaincu que la plupart des névroses sont liées à un problème dans les étapes du développement sexuel de l'individu dès l'enfance, Freud décrit la méthode psychoanalytique comme une mise au jour, parfois très longue, des traumatismes anciens du psychisme, que le conscient refoule parce qu'ils sont insupportables. Lorsque paraît *Le Paysan de Paris*, Freud a déjà publié de nombreux écrits fondamentaux (*L'Interprétation des rêves*, 1900 ; *Psychopathologie de la vie quotidienne*, 1901 ; *Totem et tabou*, 1913 ; *Introduction à la psychanalyse*, 1916).

Georg Wilhelm Friedrich Hegel (1770-1831) : philosophe allemand, auteur notamment de *La Phénoménologie de l'esprit* et de l'*Esthétique,* qui compta beaucoup dans la formation intellectuelle d'Aragon auquel *Le Paysan de Paris* fait constamment allusion et qui donne la mesure de l'ambition surréaliste telle qu'Aragon l'envisage. La pensée aragonienne reprend, imite et met au défi la pensée hégélienne autour du problème de la connaissance du réel par l'esprit, que le Paysan met en concurrence avec l'accès au surréel par le dérèglement non raisonné de tous les sens. Il n'est pas impossible qu'Aragon ait été également sensible au potentiel poétique des textes de Hegel, où se lisent les questions de la manifestation de l'absolu, de l'infini, de la mort et où se rencontre l'idée d'une philosophie de la nature.

Emmanuel Kant (1724-1804) : philosophe allemand, connu notamment pour la *Critique de la raison pure*, il établit la présence dans l'intellect de concepts qui existent avant l'expérience, notamment l'espace et le temps. Théoricien du jugement esthétique et moral, Kant fait partie des sources des influences et des cibles d'Aragon. Bien des philosophes sont les héritiers critiques de la pensée kantienne : Schelling et Hegel notamment.

André Masson (1896-1987) : rencontre le groupe surréaliste en 1922, où il devient un fervent adepte des dessins automatiques, transposition graphique des principes de l'écriture automatique.

Marcel Noll (1903?-1937) : ami des surréalistes, il rejoint le groupe et participe à ses activités à partir de 1923 (il publie quelques textes surréalistes et quelques rêves dans *La Révolution surréaliste*) et s'en éloigne en 1928. Aragon évoquait déjà cet ami dans *Une vague de rêves* (1924) : « Marcel Noll, mon vieux Noll : tu n'essayeras pas de déserter, mais de qui es-tu l'esclave sinon des fantômes au fond de tes yeux ? » En 1975, Aragon écrit : « Tout le monde l'aimait bien, ce grand garçon naïf, qui avait peu à peu, dans sa voix profonde, perdu son accent alsacien. On a pu voir dans *Le Paysan de Paris* (*Le Sentiment de la nature aux Buttes-Chaumont*) comment, en lui prêtant le discours qui se termine devant le pont des Suicides, je m'étais plu, pour l'extérieur, à lui donner consistance. Je ne savais pas, ce faisant, toucher à l'avenir, le discours tourné vers le seul mystère des jardins à l'aube du XIXᵉ siècle (*Et mes hommages à madame Krafft*). Il avait déjà, préalablement, trouvé place dans *Une vague de rêves*, vous souvenez-vous ? » Marcel Noll, en effet, tente quelques années plus tard de se noyer. Volontaire pour l'Espagne républicaine, il sera tué sur le front de Madrid, en 1937.

Francis Picabia (1896-1980) : peintre et dessinateur, Picabia fut l'un des créateurs d'images les plus remarquables du dadaïsme et du surréalisme. On retiendra surtout, pour les années 1915-1920, les tableaux-machines composés de rouages délicatement enchevêtrés auxquels Picabia donne d'improbables titres.

Tristan Tzara (1896-1963) : né en Roumanie, il fonde en 1916 le mouvement Dada (pour en trouver le nom il a ouvert au hasard un dictionnaire). À partir de 1917, il publie la revue *Dada* et s'installe à Paris en 1920. Il y organise de nombreuses manifestations, animées par le goût de la plaisanterie, de la provocation et du scandale. En 1922, le groupe surréaliste tend à se détacher de celui dont l'anarchisme radical met en danger une poursuite rigoureuse des objectifs aperçus par Breton.

Émile Zola (1840-1902) : écrivain français, auteur d'un vaste cycle romanesque, *Les Rougon-Macquart*, il est aussi le principal théoricien du naturalisme et du «roman expérimental», qui s'inspire des méthodes d'investigation scientifiques de Claude Bernard, professeur de médecine. C'est sous cette forte influence qu'il écrit : «Et c'est là ce qui constitue le roman expérimental : posséder le mécanisme des phénomènes chez l'homme, montrer les rouages des manifestations intellectuelles et sensuelles telles que la physiologie nous les expliquera, sous les influences de l'hérédité et des circonstances ambiantes, puis montrer l'homme vivant dans le milieu social qu'il a produit lui-même, qu'il modifie tous les jours, et au sein duquel il éprouve à son tour une transformation continue.» Les allusions à *Nana* (1880) et au *Bonheur des dames* (1883) présentes dans *Le Paysan de Paris* disent assez le dialogue critique qui s'établit à cette époque entre l'un des géants littéraires de la fin du XIXᵉ siècle et le jeune surréaliste qui tente de liquider cet héritage.

Bibliographie

Ouvrages généraux sur Le Paysan de Paris

Anne-Élisabeth Halpern et **Alain Trouvé**, *Une tornade d'énigmes*. Le Paysan de Paris *de Louis Aragon*, Éditions L'Improviste, 2003.
Michel Meyer, Le Paysan de Paris *d'Aragon*, Gallimard, « Foliothèque », n° 93, 2001.
Cécile Narjoux, *Le Paysan de Paris,* Ellipses, 2002.
Revue *Recherches croisées Aragon-Elsa Triolet*, n° 8, Presses universitaires de Strasbourg [Dossier spécial sur *Le Paysan de Paris*], 2002.
Revue *Les Annales*, n° 4 [Dossier spécial sur *Le Paysan de Paris*], 2002.

Articles sur Le Paysan de Paris

Louis Aragon, « Critique du *Paysan de Paris* (Une jacquerie de l'individualisme) », *L'Infini*, n° 68, hiver 1999, p. 74-78.
Olivier Barbarant, « Paris prose, Paris vers : deux modes du Voir chez Aragon », *Les Annales*, n° 4, 2002.
Daniel Bougnoux, « Piéton dans le décor-miroir », *Les Annales*, n° 4, 2002.
Lionel Follet, « La Dame des Buttes-Chaumont », *La Nouvelle Revue française*, n° 562, juin 2002.
Séverine Jouve, « Le passage de l'Opéra », *Magazine littéraire*, n° 322, juin 1994.
Jean-Pierre Montier, « Genre romanesque et style dans *Le Paysan de Paris* », *Recherches croisées Aragon-Elsa Triolet*, n° 7, 2001.
Pierre Ouellet, « Métaphysique de la vue », passages du *Paysans de Paris*, *Écrire et voir, Aragon, Elsa Triolet et les arts visuels,* Centre aixois de recherches sur Aragon, publications de l'université de Provence, 1997, p. 191-209.
Luc Vigier, « De la métaphore optique dans quelques romans d'Aragon », *Recherches croisées Aragon-Elsa Triolet,* n° 5, 1994.
Nathalie Piégay-Gros, « Philosophie de l'image », *Recherches croisées Aragon-Elsa Triolet,* n° 5, 1994.

Sur le surréalisme

Louis Aragon, *Lautréamont et nous. L'œuvre poétique* (1989-1990)*,* Éditions Sables, 1992.

Maxime Alexandre, *Mémoires d'un surréaliste*, La Jeune Parque, 1968.

Sarane Alexandrian, *Le Surréalisme et le Rêve*, Gallimard, coll. «Connaissance de l'inconscient», 1974.

Henri Béhar, *Le Surréalisme,* Le Livre de Poche, coll. «Textes et documents».

André Breton, *Entretiens*, Gallimard, coll. «Idées», 1969.

André Breton, *Manifestes du surréalisme*, Gallimard, coll. «Idées», 1966.

Lionel Follet, introduction et dossier de son édition de *La Défense de l'infini*, Gallimard [1997], 2002.

André Masson, *Les Années surréalistes. Correspondance 1916-1942,* présentation par Françoise Levaillant, La Manufacture, 1990.

Maurice Nadeau, *Histoire du surréalisme* [1945], Seuil, coll. «Points», 1964.

Gaëtan Picon, *Le Surréalisme*, Skira, 1988.

Philippe Soupault, *Mémoires de l'oubli*, Lachenal et Ritter, 1986.

Sur Louis Aragon

Pierre Daix, *Aragon*, Flammarion, 1994.

Pierre Juquin, *Aragon et la politique*, Flammarion, 2004.

Nathalie Piégay-Gros, *L'Esthétique d'Aragon*, Sedès, 1997.

Jean Ristat, *Commencez par me lire!*, Gallimard, coll. «Découvertes», 1997.

Valère Staraselski, *Aragon, la liaison délibérée*, L'Harmattan, 1995.

Documents

La Révolution surréaliste, édition en fac-similé de la revue (1924-1929), Jean-Michel Place éditeur, 1975, avec une postface de Marie-Claire Bancquart et un index.

Archives du surréalisme (1, 2, 3 et 4), Gallimard, 1988-1990.

Sites internet sur Louis Aragon

Site de l'Association Erita :
www.louisaragon-elsatriolet.com
Site «Aragon on line» de Wolfgang Babilas :
http://www.uni-muenster.de/Romanistik/Aragon/Welcome.html
Site de la Société des amis d'Aragon et d'Elsa Triolet :
http://www.aragon-triolet.com/
Site du Moulin de Villeneuve :
http://www.maison-triolet-aragon.com/
Site du ministère des Affaires étrangères :
http://www.adpf.asso.fr/adpf-publi/folio/aragon/

Remerciements

Je tiens à remercier Lionel Follet pour son aide précieuse et pour le signalement des coquilles rencontrées dans la version jusqu'alors éditée du *Paysan de Paris*. La présente édition du texte d'Aragon tient compte de ces indications.

TABLE DES MATIÈRES

Dans la même collection

Collège

Cet ouvrage a été composé
et mis en pages par In Folio à Paris,
achevé d'imprimer
sur les presses de l'imprimerie Novoprint
en juin 2004.
Imprimé en Espagne.

Dépôt légal : juin 2004
ISBN 2-07-031463-4

Pour plus d'informations :
http://www.gallimard.fr
ou
La bibliothèque Gallimard
5, rue Sébastien-Bottin — 75328 Paris Cedex 07

128673